高等职业教育土建类专业系列教材

通风与空调工程
第 2 版

主　编　田娟荣
副主编　刘婷婷　邹　艳
参　编　沈　沁　刘向龙　欧阳军
主　审　周孝清

机 械 工 业 出 版 社

本书较完整地阐述了通风与空气调节的基础理论知识和国内外相关的最新技术，分为通风和空气调节两大部分。全书注重工程性和实用性，将理论知识与工程实例相结合，重点介绍了室内空气品质、民用建筑通风、建筑防火排烟、空调负荷计算方法、空气的热湿处理、空气调节系统、空气的净化处理、空调风系统、空调冷源设备与水系统、通风与空调节能技术、空调工程设计等内容。为了培养学生分析问题和解决问题的能力，在各章之后还增加了习题与思考题。

本书是高职高专院校供热通风与空调工程、建筑环境与设备工程技术、制冷与空调等专业及相近专业的主干专业课教材，也可供中等职业学校、函授、电大等相关专业师生使用，亦可作为相关工程技术人员的参考书。

为方便教学，本书配有二维码动画、电子课件、习题与思考题解答、3套试卷及答案，凡使用本书作为教材的教师均可登录机械工业出版社教育服务网 www.cmpedu.com 下载，或加入机工社职教建筑 QQ 群 221010660 免费索取；如有疑问，请拨打编辑电话：010-88379373。

图书在版编目（CIP）数据

通风与空调工程/田娟荣主编. —2 版. —北京：机械工业出版社，2019.9
（2023.9 重印）

高等职业教育土建类专业系列教材

ISBN 978-7-111-63841-4

Ⅰ．①通… Ⅱ．①田… Ⅲ．①通风设备-建筑安装-高等职业教育-教材 ②空气调节设备-建筑安装-高等职业教育-教材 Ⅳ．①TU83

中国版本图书馆 CIP 数据核字（2019）第 213176 号

机械工业出版社（北京市百万庄大街 22 号　邮政编码 100037）
策划编辑：陈紫青　责任编辑：陈紫青
责任校对：刘志文　封面设计：马精明
责任印制：常天培
固安县铭成印刷有限公司印刷
2023 年 9 月第 2 版第 9 次印刷
184mm×260mm · 16.75 印张 · 1 插页 · 410 千字
标准书号：ISBN 978-7-111-63841-4
定价：49.80 元

电话服务　　　　　　　网络服务
客服电话：010-88361066　机　工　官　网：www.cmpbook.com
　　　　　010-88379833　机　工　官　博：weibo.com/cmp1952
　　　　　010-68326294　金　书　网：www.golden-book.com
封底无防伪标均为盗版　机工教育服务网：www.cmpedu.com

第 2 版前言

自 2010 年 1 月出版至今,《通风与空调工程》第 1 版经过近 10 年的教学应用,受到了有关院校师生与广大读者的关注与好评。为了更好地体现高等职业教育的特点,满足高职高专培养应用技术技能型人才的需求,并满足相关专业通风与空调课程的教学需要,本书在第 1 版的基础上,充分考虑相关院校师生与广大读者的意见,广泛征求相关专家的建议,按照最新的高等职业教育教学改革要求和最新的专业相关规范,经过反复研讨,组织修订了本书。

本次修订主要有以下特点:

1) 以培养技术技能型人才为目标,力求做到理论够用、内容精炼、重点突出、概念清晰、文字简明,将理论知识与工程实例相结合,重视学生应用能力的培养。

2) 介绍了通风空调的新设备、新工艺、节能技术、设计软件等,同时在编写中贯彻了国家现行的最新规范、标准和技术措施。

3) 为了方便教学,以"互联网+"思维在书中增加了拓展阅读。读者通过扫描书中的二维码可以看到相关的彩色图片、动画、学习方法等,增加了学习兴趣,拓展了学习内容。

本书由北京京北职业技术学院田娟荣担任主编,并负责全书的统稿和定稿工作;由北京京北职业技术学院刘婷婷和中国传媒大学邹艳担任副主编;此外,参与编写的还有湖南铁道职业技术学院沈沁、湖南工程学院刘向龙和欧阳军。具体编写分工如下:田娟荣修编绪论、第一章、第三章、第七章、第八章、第十章;刘婷婷修编第二章、第九章、第十一章;邹艳修编第四章、第五章、第六章、第十二章;刘向龙和欧阳军参与编写了第 1 版的相关内容;沈沁为本书收集了大量资料,并结合自己长期积累的教学经验提出了许多宝贵意见。广州大学周孝清教授主审了本书,并对本书提出了很多宝贵的意见。

由于编者水平及图书篇幅有限,书中难免有疏漏之处,恳请读者批评指正。

编　者

第1版前言

本书较完整地阐述了通风与空气调节的基础理论知识和国内外相关技术，分为通风和空气调节两大部分。全书针对高等职业教育的特点，以培养学生的应用能力为目标，将理论知识与工程实例相结合，满足培养高等技术应用型人才的要求。本书的主要特点有：

1) 突出高职特色，以培养学生的应用能力为目标设计教学内容，而基础理论部分则本着"实用为主、必需和够用为度"的原则，对目前现有教材的内容进行了大幅度的调整。如通风部分将目前应用较少的工业通风内容删除，而对民用建筑通风进行了详细介绍，同时增加了室内空气品质的内容；空气调节部分对于相对较难的理论计算（如负荷计算、风系统设计计算等）仅作简单介绍，而将重点放在应用上。删除空调系统的运行节能、测定、调整等较难内容。

2) 增加了通风空调的先进技术，如净化空调、通风空调节能技术、地下建筑的防火排烟等，使学生了解本专业的发展动态。同时，在编写中贯彻了最新规范、标准和技术措施。

3) 目前通风与空调设计软件的应用已非常普遍，为此，本书增加了对本专业相关设计软件的介绍，同时增加了用软件进行设计的工程实例，将理论知识与设计实践相融合，全面培养学生的专业技能。

本书由田娟荣担任主编，刘婷婷和沈沁担任副主编。编写的具体分工为：绪论、第七章、第十章由田娟荣执笔；第一章第二、三节，第二章，第三章，第九章由刘婷婷执笔；第八章、第十一章由刘向龙执笔；第一章第一节、第四章、第五章、第六章由邹艳执笔；第十二章由欧阳军执笔；沈沁为本书收集了大量资料，并结合自己长期积累的教学经验提出了许多宝贵意见。本书由广州大学周孝清教授主审，在此谨致谢意。

由于编者水平有限，书中难免有一些疏漏和不妥之处，恳请读者批评指正。

编 者

本书二维码清单

序号	名　　称	图形	页码
12	诱导器的诱导比		115
13	窗式空调机		117
14	立柜式空调机组		118
15	条缝型变风量风口		120
16	节流型变风量系统工作原理		120
17	诱导型变风量系统工作原理		121
18	上送下回气流组织方式		151
19	上送上回气流组织方式		151
20	冷却塔工作过程动图		169
21	横流式冷却塔		170
22	横流式冷却塔工作过程动图		170
23	空气源热泵动图		178
24	土壤源热泵动图		179

目　　录

绪　　论

一、通风与空气调节的含义与作用

建筑物是人们生活与工作的场所。现代人类大约有 80% ~ 90% 的时间是在建筑物中度过的。人们已经逐渐意识到建筑环境对人类的寿命、工作效率、产品质量等起着极为重要的作用。人类从穴居到居住在现代建筑的漫长发展道路上，始终不懈地在改善室内环境。人们对现代建筑的要求，不仅要有挡风遮雨的功能，而且还应是一个温湿度宜人、空气清新、光照柔和、宁静舒适的环境。生产和科学实验对环境提出了更为苛刻的要求，如计量室或标准量具生产车间要求温度恒定（称为恒温），纺织车间要求湿度恒定（称为恒湿），有些合成纤维的生产要求恒温恒湿，半导体器件、磁头、磁鼓的生产要求严格控制环境中的灰尘，抗菌素生产与分装、无菌实验等要求无菌环境等。这些人类自身对环境的要求和生产、科学实验对环境的要求导致了通风与空气调节技术的产生和发展。建筑环境由热湿环境、室内空气品质、室内光环境和声环境组成。通风与空气调节技术是控制建筑热湿环境和室内空气品质的技术，同时也包含对系统本身所产生噪声的控制。

通风和空气调节虽然都是建筑环境的控制技术，但是它们所控制的对象和作用有所不同，分别为：

通风（Ventilation）是为改善生产和生活条件，采用自然或机械的方法，对某一空间进行换气，以形成安全、卫生等适宜空气环境的技术。换句话说，通风是利用室外空气（称为新鲜空气或新风）来置换建筑物内的空气（称为室内空气）以改善室内空气品质。通风的主要功能有：提供人呼吸所需要的氧气；稀释室内污染物或气味；排除室内生产过程产生的污染物；除去室内多余的热量（称为余热）或湿量（称为余湿）；提供室内燃烧设备燃烧所需要的空气。建筑中的通风系统，可能只能完成其中的一项或几项任务。其中利用通风除去室内余热和余湿的功能是有限的，它受室外空气状态的限制。

根据服务对象的不同，通风可以分为民用建筑通风和工业建筑通风。民用建筑通风是对民用建筑中人员活动所产生的污染物进行治理而进行的通风；工业建筑通风是对生产过程中的余热、余湿、粉尘和有害气体等进行控制和治理而进行的通风。本书对工业建筑通风不做介绍，主要介绍民用建筑通风的内容。

空气调节（Air Conditioning）是使某一房间或空间内的空气温度、湿度、洁净度和空气流动速度（俗称"四度"）等参数达到给定要求的技术，简称空调。空调可以对建筑热湿环境、空气品质进行全面控制，它包含了通风的部分功能。有些特殊场合还需要对空气的压力、气味、噪声等进行控制。

根据服务对象的不同，空调可以分为舒适性空调和工艺性空调两大类。舒适性空调是以室内人员为对象，着眼于创造满足人体卫生要求，使人感到舒适的室内环境。民用建筑和公共建筑的空调多属于舒适性空调。工艺性空调则主要以工艺过程为对象，着眼于创造满足工艺过程所要求的室内环境，同时兼顾人体的卫生要求。工厂车间、仓库、电子计算机房等的空调属于工艺性空调。

通风与空气调节作为建筑环境保障技术的重要组成部分，正日益广泛地应用到国民经济与国民生活的各个领域，它对促进现代工业、农业、国防和科技的发展以及人民物质生活水平的提高都起着十分重要的作用。

二、通风与空气调节的研究方法

室内的空气环境，一般要受两个方面的干扰：一方面是来自室内生产过程和人所产生的余热、余湿及其他有害物的干扰；另一方面是来自太阳辐射和气候变化所产生的外热作用及外部有害物的干扰。因此，通风与空气调节的基本方法就是采用适当的手段，消除室内、室外两方面的干扰，从而达到控制室内环境的目的。通风与空气调节，不仅要研究对空气的各种处理方法，还要研究室内空间各种干扰量的计算、通风空调系统各组成部分的设计选择、处理空气冷热源的选择以及干扰变化情况下通风空调系统的运行调节、自动控制等问题。

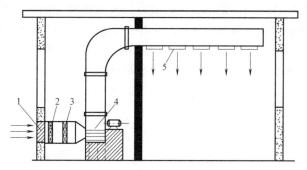

图 0-1　机械全面送风系统
1—百叶窗　2—空气过滤器　3—空气换热器　4—风机
5—送风口

通风与空气调节是如何实现对建筑室内环境的控制呢？下面将通过三个典型例子来说明它的研究方法。

图 0-1 是一个典型的机械全面送风系统的简图。新鲜空气经百叶窗进入空气处理室，在空气处理室中，空气首先经过空气过滤器，除掉空气中的灰尘，然后再进入空气换热器，在换热器中经加热或冷却处理后，经风机、风道、送风口送入房间。

图 0-2 是一个典型的机械全面排风系统的简图。机械全面排风系统主要用于处理生产车间产生的粉尘、有害气体等。在该系统中，有害物经排风口、排风管道从室内抽出，经除尘或净化设备处理达到排放标准后，经风帽排至室外。

图 0-3 是一个典型的空调系统的简图。新风经百叶窗进入空气处理室后，经过滤、加热（或冷却）处理，再由风机送入房间。在空气的处理过程中，空调系统不是简单地对空气进行过滤、加热，而是从温度、湿度等多方面对空气综合控制。空气调节系统的空气处理室要比通风系统更复杂，对空气参数的处理精度也比通风更高。

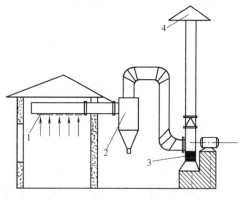

图 0-2　机械全面排风系统
1—排气口　2—净化设备　3—风机　4—风帽

通风与空气调节系统由于控制对象不同、要求不同、所用的方法不同、承担冷热负荷的介质不同等，可以分成很多形式。本书将在以后章节中介绍各种系统的基本组成、设备特点、工作原理等内容。

通风与空调工程的课程是高等职业技术教育建筑环境与设备工程技术专业的一门主要专

业课，是一门实践性很强的课程，本课程以热工学、流体力学、泵与风机为基础，同时，又与制冷原理与应用、供热工程、锅炉及锅炉房设备、制冷空调自动化等课程密切相关。在实际工程中，需要综合应用上述各方面的理论与实践知识，才能顺利完成通风空调对象的设计、施工安装及运行管理任务。

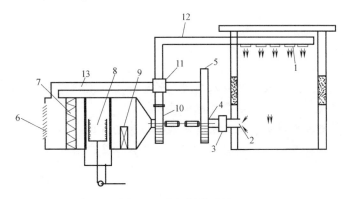

图 0-3　空气调节系统

1—送风口　2—回风口　3—消声器　4—回风机　5—排风口　6—百叶窗　7—过滤器
8—喷水室　9—加热器　10—送风机　11—消声器　12—送风管道　13—回风管道

三、通风与空气调节的发展概况

通风与空气调节有着悠久的历史。20 世纪初，美国的一家印刷厂首次采用能够实现全年运行的用喷水室进行热湿处理的空气调节系统。在 1919 ～ 1920 年，芝加哥的一家电影院也安装了空调系统，这是人类首次将空调应用到民用建筑。1931 年，我国第一个真正意义的空调系统诞生在上海纺织厂，随后在一些电影院、餐饮店、商场、银行、高档办公楼也实现了空气调节，空调器也陆续进入了普通家庭。20 世纪 60 年代，新型的燃气空调在日本出现了，由于燃气空调与电力空调相比，具有价格低廉且无公害等明显优势，所以日本政府大力推动燃气空调的发展，大约用了 10 年的时间，燃气空调占据了日本中央空调市场的 85% 左右。随后韩国也推动了燃气空调的生产和应用。20 世纪 70 年代后期，世界各国对太阳能利用的研究蓬勃发展，太阳能空调技术也随之出现。80 年代初期，变频空调技术在日本开始运用。90 年代中期，溴化锂吸收式制冷机大量进入了市场。1998 年，变频空调技术取得了重大突破，日本研制出了直流变频技术，比交流变频技术更加优异。1999 年，燃气空调在中央空调领域也获得了重大发展。进入 21 世纪，燃气空调的发展前景更为广阔。

展望未来，网络技术的发展必将为空调带来一场全新的技术革命。一些新型空调产品开始预留网络接口，实现网络开放。通过选配的网络控制器可实现千里之外的网络遥控。集中控制器可实现同时控制上百台空调，为智能化小区物业管理提供便利。

空调从诞生发展到今天，从简单的空调扇到传统的制冷空调再到今天节能化、智能化的空调时代，已经走过了百余年的历程。如今，暖通空调已不是某些特定对象享用的"奢侈品"，而成为人类提高生活质量、创造更大价值、谋求更快发展的必需品。

第一章 室内污染物及室内空气品质

【学习目标】

1. 掌握可接受的室内空气品质以及感受到的可接受的室内空气品质的概念。
2. 了解室内空气品质所引起的各种综合症。
3. 掌握室内污染物的种类、来源及其对人体健康的危害。
4. 熟悉室内空气品质的影响因素，掌握改善室内空气品质的措施和方法。

第一节 概　述

室内主要是指居室内，从广义上讲室内包括会议室、教室、医院、办公室等室内环境和餐馆、宾馆、图书馆、体育馆、商店、候车室、候机室、托儿所、养老院等各种室内公共场所以及交通工具（如地铁、公共汽车、火车、轮船和飞机等）内的密闭空间。据统计，人的一生大约有 80% ~ 90% 的时间是在室内度过的，室内空气品质（Indoor Air Quality，简称 IAQ）的好坏直接关系着人们的生活、工作质量和身心健康。

一、室内空气品质的定义

1989 年，丹麦哥本哈根大学教授 P. O. Fanger 提出了室内空气品质的定义，他指出：品质反映了满足人们要求的程度，如果人们对空气满意，就是高品质；反之，就是低品质。这种定义是从人们的主观感受方面来说的。

英国的 CIBSE（Chartered Institute of Building Services Engineers）认为，如果室内少于 50% 的人能感觉到任何气味，少于 20% 的人感觉到不舒服，少于 10% 的人感觉到黏膜刺激，而且少于 5% 的人在不足 2% 的时间内感到烦躁，则可认为此时的室内空气品质是可接受的。

美国供暖、制冷、空调工程师学会在 ASHRAE 标准 62-1989R 中，首次提出了可接受的室内空气品质（acceptable indoor air quality）和感受到的可接受的室内空气品质（acceptable perceived indoor air quality）的概念。定义如下：

（1）可接受的室内空气品质　空调房间内绝大多数人（80% 或更多）没有对室内空气表示不满意，并且空气中没有已知的污染物达到了可能对人体健康产生严重威胁的浓度。

（2）感受到的可接受的室内空气品质　空调房间中绝大多数人没有因为气味或刺激性而表示不满。

由于有些气体，如 CO 没有气味，对人也没有刺激作用，不会被人感受到，但却对人危害很大，因而仅用感受到的可接受的室内空气品质是不够的，必须同时引入可接受的室内空气品质。该定义相对于其他定义来说，最明显的变化就是它涵盖了客观指标（污染物浓度）和主观指标（人的感受）两方面，比较科学和全面。

二、室内空气品质引起的各种综合症

美国一个历时 5 年的专题调查发现，许多民用建筑和商用建筑室内的空气污染程度是室外的 2~5 倍，有的甚至超过 100 倍。美国将室内空气污染归为危害公共健康的 5 大环境因素之一。20 世纪 80 年代开始，美国、日本、加拿大和欧洲各国的报纸杂志上频繁出现 SBS、BRI 和 MCS 三个英文缩写，分别代表室内空气污染引发的三种疾病名称，即病态建筑综合症（Sick Building Syndrome，简称 SBS）、建筑相关疾病（Building-related Illness，简称 BRI）和多重化学过敏症（Multiple Chemical Sensitivity，简称 MCS），室内空气品质问题越来越为公众所关注。

1. 病态建筑综合症

1989 年，世界卫生组织对病态建筑综合症的定义为：SBS 为一种大多数室内逗留人员对室内环境的反应，当人们停留在室内时，会有不明确的刺激性症状，一旦工作人员离开室内，症状就慢慢消失；这些不明确的症状包括中枢神经系统（头痛、疲倦、注意力不集中）刺激以及黏膜干燥、皮肤过敏等。研究发现，病态建筑综合症主要与下列因素有关：空调设备、地毯、室内人数过多、空调系统通风效率低、工作压力大或对工作不满意、过敏症、哮喘、性别等。

根据世界卫生组织的资料，目前世界上有近 30% 的建筑物是病态建筑，大约有 20%~30% 的办公室人员被 SBS 症状所困扰。根据美国环境保护署（EPA）统计，美国每年因室内空气品质（IAQ）低劣所造成的直接经济损失高达 400 多亿美元，全球每年因 IAQ 问题造成的病态建筑综合症使生产效率下降了 2.8%~11%。

2. 建筑相关疾病

建筑相关疾病包括：军团菌病、室内变应原相关哮喘、过敏性鼻炎和过敏性皮炎、室内氡相关性肺癌等，最普遍的症状是超敏性疾病，包括肺炎、湿疹、哮喘、过敏性鼻炎和感冒等。建筑相关疾病最著名的例子就是军团菌病事件。军团菌病是由军团菌引起的，是迄今为止最著名的建筑并发症感染，被感染人群有 5%~15% 不幸身亡。

3. 多重化学过敏症

多重化学过敏症又称为多重化学物质敏感症，是由多种化学物质作用于人体多种器官系统，可以引起多种症状的疾病。它可以由装修型化学性室内空气污染物引起，也可以由皮肤接触的和/或食物摄入的化学性污染物引起。主要症状包括三个方面：中枢神经系统症状、呼吸和黏膜刺激症状以及肠胃症状；此外，还有疲劳、注意力不集中、情绪低落、记忆力丧失、虚弱、头晕、头痛、怕热、关节炎等症状。

在 2002 年 4 月中华预防医学会组织召开的首届全国室内空气质量与健康学术研讨会上，有关部门公布了一组惊人数字：目前发展中国家有近 200 万例超额死亡可能由室内污染所致，全球约 4% 的疾病与室内环境相关。据统计，我国每年由室内空气污染引起的超额死亡数达 11.1 万人，超额门诊数可达 22 万人次，超额急诊数可达 430 万人次。室内空气污染已被列为影响公众健康的世界最大危害之一。世界卫生组织在《2002 年世界卫生报告》中明确将室内空气污染、高血压、高胆固醇以及肥胖症等共同列为人类健康的十大威胁。据统计全球近一半的人处于室内空气污染中，室内环境污染已经引起超过 1/3 的呼吸道疾病，超过 1/5 的慢性肺病和 15% 的气管炎、支气管炎和肺癌。

三、室内空气品质问题产生的主要原因

1. 新型材料和药剂的大量应用

近年来，随着我国经济的高速发展，工农业现代化水平的不断提高，人们的生活水平也得到了很大程度的提高，人们已不再仅仅满足于拥有住房，而是要求有舒适、优美、典雅的居住环境，于是带来了室内装修的热潮，大量新型建筑材料、装潢材料、新型涂料及粘接剂的使用，新型办公用具的不断涌现，高效简便的清洁剂、杀虫剂、除臭剂等的广泛使用，使得室内空气中出现了成千上万种前所未有的挥发性化学污染物。这些污染物浓度很低，即使用最现代化的化学分析法也难于把它们测量出来，但它们却对人体健康造成了很大的威胁。

2. 暖通空调系统的使用

随着暖通空调系统的广泛使用，人们获得了冬暖夏凉的室内环境。20 世纪 70 年代爆发的石油危机，以及一次性能源储量的日益减少，使暖通空调系统这一能源消耗大户面临着严峻的考验，节约能源、降低损耗成为空调系统设计的关键环节。节能措施之一是减少入室新风量，但是这一措施引起室内空气品质恶化。20 世纪 80 年代以来，制冷空调发展步入一个新的阶段，其标志之一就是由舒适性空调向健康空调的变革。2003 年发生的"SARS"风波更是将健康空调以及室内空气品质的研究提到了一个前所未有的高度。

由于室内空气品质不良引发的病症、劳动效率的降低以及由此而带来的社会问题越来越受到广泛的关注，室内空气品质已成为现代建筑科学的一个前沿研究课题，它涉及医学卫生、建筑环境工程、建筑设计等诸多方面，研究的目的是创造一种卫生、健康、舒适的室内空气环境。

第二节　室内污染物的来源及危害

一、室内污染物及其分类

室内污染物一般是指室内空气环境中对人体健康和舒适性产生不良影响的物质或能量因素。有关室内污染物的调查研究表明，室内有毒、有害物质达到数千种，常见的也有几十种。

按照污染物的性质可以分为物理性污染、化学性污染和生物性污染。**物理性污染**是指因物理因素，如电磁辐射、噪声、振动以及不合适的温度、湿度、风速和照明等引起的污染；化学性污染是指因化学物质，如甲醛、苯系物、氨气、氡及其子体和悬浮颗粒物等引起的污染；生物性污染是指因生物污染因子，主要包括细菌、真菌、花粉、病毒、生物体有机成分等引起的污染。

按照污染物在空气中存在的状态可以分为悬浮颗粒物和气态污染物两大类。悬浮颗粒物是指悬浮在空气中的固体粒子和液体粒子，包括无机和有机颗粒物、微生物及生物溶胶等；气态污染物是指以分子状态存在的污染物，包括无机化合物、有机化合物和放射性物质等。

二、室内污染物的来源

民用建筑室内空气污染物的来源是多方面的，少部分是来源于室外空气污染，而大部分

是由室内装饰、装修材料释放的空气污染物所致。室内空气污染物主要包括甲醛、挥发性有机物、放射性污染物、病原微生物、悬浮颗粒物和无机化合物等。

1. 甲醛

室内环境中的甲醛按其来源大致可分为两大类：

（1）来自室外空气的污染 工业废气、汽车尾气、光化学烟雾等在一定程度上均含有一定量的甲醛，但是这部分含量很少。城市空气中甲醛的年平均质量浓度约为 0.005 ~ 0.01mg/m³，一般不超过 0.03mg/m³，这部分气体有时可进入室内，是构成室内甲醛污染的来源之一。

（2）来自室内本身的污染 主要以建筑材料、装修物品及生活用品等化工产品在室内的使用为主，同时也包括燃料及烟叶的不完全燃烧等一些次要因素。室内环境中甲醛的来源是很广泛的，一般新装修的房子其甲醛的质量浓度可达到 0.40mg/m³，个别则有可能达到 1.50 mg/m³。

2. 挥发性有机物（VOC）

室内的挥发性有机物（VOC）主要来源于建筑材料、室内装饰材料及生活和办公用品等。如建筑材料中的人造板、泡沫隔热材料、塑料板材；室内装饰材料中的油漆、涂料、胶粘剂、壁纸、地毯；生活中用的化妆品、洗涤剂等；办公用品主要是指油墨、复印机、打印机等；此外，家用燃料及吸烟、人体排泄物及室外工业废气、汽车尾气、光化学污染也是影响室内挥发性有机物（VOC）含有量的主要因素。

3. 放射性污染物

放射性污染物也是室内重要污染因素之一，主要来源于室内各种装饰装修材料，如瓷砖、陶瓷洁具、装饰石材等。其中各种放射性核素，包括铀、钍、镭等衰变的产物——氡气，是对人体危害最大的污染物之一，它在水泥、砂石、砖块中形成后，一部分跑到空气中，被人体吸入体内，在体内形成照射而致癌。WHO 已经证实氡是当前已知的 19 种主要的环境致癌物质之一，并推测每年每百万人中因室内氡暴露而患肺癌者占 5% ~ 15%，它已被认为是除吸烟以外引起肺癌的第二大因素。

4. 病原微生物

病原微生物主要包括细菌、霉菌、真菌、病菌、螨虫等。其来源主要有以下几个方面：

1）由于室内通风不良、装修设计不合理、室内卫生条件较差等因素，造成微生物的滋生繁殖，并且许多细菌和霉菌能够产生毒性很高的代谢物质，从而危害人体健康。

2）由于节能的需要，一般空调房间相对较为封闭，这样就会使细菌、病毒、霉菌等微生物大量繁衍。另外，空气过滤器和冷凝管壁的潮湿环境，导致病毒、军团病的滋生、繁殖，最后弥漫于整个室内，从而导致病毒的大面积蔓延。

3）室内存在由灰尘引发的灰尘螨，这些灰尘螨大多寄住在软质家具中，如沙发、纺织品、地毯、被单、棉被、枕头和床垫等。当灰尘螨的过敏原浓度超过一定限度时，就会引发急性或严重的哮喘。

4）家庭饲养的猫、狗等宠物，也是室内空气过敏原的一个重要来源。

5. 悬浮颗粒物和无机化合物

悬浮颗粒物和无机化合物的种类很多，主要来源于以下三个方面：

1）吸烟产生的烟雾是室内颗粒物的重要来源之一，其中至少含有 3800 种成分，如尼古丁、醛类、氮氧化物、二氧化碳、一氧化碳等数百种有害物质。国内外许多学者对吸烟室的空气质量进行研究并指出：烟草烟雾严重危害了人体健康，约有80%以上的肺癌是由于长期吸烟引起的。

2）在烹饪过程中各种燃料在灶具中燃烧产生了氮氧化物、二氧化碳、一氧化碳、粉尘、醛类等毒性很强的污染物，对人的呼吸系统有严重的损害作用。

3）从室外进入室内的悬浮颗粒物也是室内颗粒物来源的组成部分。由煤燃烧、工业排放、机动车、建筑工地和地面扬尘等所产生的室外颗粒物可通过门窗的缝隙、顶棚等进入室内，污染室内空气。

6. 其他污染源

室内各种电子产品的使用，如电视机、微波炉、电热毯、超声波诊断仪、复印机、传真机等，都会产生一定的电磁辐射、振动和噪声；家用电器的广泛使用带来电磁波污染、静电污染、噪声污染和紫外线辐射等；另外，铝制品、蚊香、一次性餐具、各种塑料制品等也是潜在的污染源。

三、室内污染物对人体健康的危害

室内污染物的种类繁多，每一种污染物单独作用对人体健康的危害也有所不同。实际上，这些污染物是同时存在于室内空气中的，只是每一种污染物的浓度不一，毒性各异。所以，不可能各种污染物独自对人体健康产生危害，而是在室内温度、湿度、气流速度和热辐射的具体条件下，各种污染物协同作用于人体，其危害性更大。

室内空气污染物对于人体健康的危害主要体现在以下几个方面：

1. 病态建筑综合症和刺激作用

病态建筑综合症（SBS）也叫不良建筑物综合症，是近年来国外专家提出的一种环境疾病，其主要症状表现为眼、鼻、咽、喉部有刺激感，头痛，易疲劳，呼吸困难，皮肤刺激，嗜睡，哮喘等非特异症状。

目前认为病态建筑综合症是多因素综合作用的结果。除了污染和不通风外，室内的温度、湿度、采光、声响等舒适因素的失调，包括精神、情绪等心理因素，协同作用结果产生了病态建筑综合症。

2. 导致各种呼吸道、神经系统疾病

室内的刺激性气体会刺激呼吸道的神经末梢，引起支气管收缩，使呼吸道阻力增加。长期吸入室内受污染的空气，可以使黏膜分泌物增加，黏膜层变厚，纤毛运动受阻，从而导致呼吸道抵抗力降低，诱发各种炎症。刺激性物质（如 NH_3、SO_2、NO_x、$HCHO$、VOC）、可吸入颗粒物、病菌等均可引发各种呼吸道疾病，甚至导致肺气肿、肺癌等。

有机污染物对人体健康的影响不仅是对免疫系统及各器官的毒害作用，而且还毒害大脑及嗅觉、扁桃体、角膜、视神经等。有机污染物对各种器官的直接或间接影响会产生各种症状，如记忆迟钝、精力难以集中、便秘、腹泻、恐惧症、头晕头痛、呕吐、疲劳症等。

3. 急慢性中毒

长期接触有毒物质或者某些毒性物质，当其浓度突然大量超标时，均会使人中毒。比较典型的有：CO中毒、氟中毒、酚中毒及由吸烟导致的慢性中毒。当血液中 CO 含量达到

0.02% 时，2~3h 即可出现头晕、脑胀、耳鸣、心悸等症状。血液中 CO 含量高达 0.08%
时，2h 即可发生昏迷。

4. 致癌作用

室内致癌物主要是苯、多环芳烃及其衍生物、放射性废弃物等。在多环芳烃中，苯并
（a）芘被认为是一种具有强致癌活性的物质，它可以通过呼吸进入人体并在不同部位沉积，
引发癌症。国际癌症研究机构已确认氡为致癌物，据美国环保局估计，美国每年大约有
2000 名肺病死亡者与氡暴露有关。

5. 其他不利影响

电磁辐射能对人体神经、生殖、心血管、免疫功能以及眼睛等产生不利影响。实验发
现，长期低强度射频电磁辐射有致热效应，对动物神经、内分泌、膜通透性、离子水平都有
影响，认为可能引起 DNA 损伤、染色体畸变等；同时，流行病学调查表明，微波电磁辐射
能够引起人体神经、生殖、心血管、免疫功能以及眼睛等方面的改变，会影响中枢神经系统
和免疫功能，导致头痛、疲劳、注意力不集中、记忆力下降等症状，还可能使过敏者产生接
触性皮炎或光敏性皮炎。

由上述介绍的室内诸多空气污染物协同作用后对人体健康的危害可以看出，引起上述五
方面症状的主要污染物依次为甲醛、烟草烟雾、挥发性有机物、苯系物和颗粒物、微生物
等。另外，室内空气污染物对人体健康的危害具有多因素、低剂量、长时间的特点，而且受
害人群范围广泛，特别是包括婴幼儿、青少年、老年人，甚至慢性病人等敏感人群。

第三节　室内空气品质

由于人们有 80%~90% 的时间是在各种室内环境中度过的，由于室内空气质量不良所
导致的病态建筑综合症极大地影响了人们的身心健康和工作效率，因此，分析室内空气品质
的影响因素，从而寻找改善室内空气品质的措施具有非常重要的意义。

一、影响室内空气品质的因素

表 1-1 分五大方面列举了影响室内空气品质的主要因素：建筑外环境、建筑设计、暖通
空调系统、建筑装饰材料及设备、室内人员及其活动。

表 1-1　影响室内空气品质的主要因素

影响类别	主要因素
建筑外环境	气候、室外空气品质、土壤、水
建筑设计	外墙、结构、楼层和隔断、污染物路径和驱动力
暖通空调系统	通风系统运行程序和时间、设计参数、日常管理和清洁、设备维护
建筑装饰材料及设备	设备、材料、室内陈列、室内电器
室内人员及其活动	在室人员活动、新陈代谢、个人卫生

美国国家职业安全与卫生健康研究所（National Institute for Occupational Safety and Health,
NIOSH）的工业卫生专家们通过对 529 个建筑物室内空气品质变坏原因的调查评估，提供了

表 1-2 中所列的调查结果。

表 1-2 表明，有相当大的室内空气品质问题是由于不良通风（空气不流通、通风不足、缺乏户外新鲜空气、气流组织混乱、不能将新风有效地送至室内人员的呼吸区等）及其室内空间中的空气污染物造成的。

表 1-2　室内空气品质客观评价调查结果

不合适的通风	280 个	53%
内部污染物	80 个	15%
外部污染物	53 个	10%
生物污染	27 个	5%
建筑材料污染	21 个	4%
其他	68 个	13%

1. 建筑外环境的影响

室外环境与室内是有关系的，室外的污染必定影响室内。近年来，我国部分地区连日出现严重雾霾天气，京津冀等地启动了空气重污染红色、橙色预警。根据大气重污染应急预案，相关地区采取了工业企业停限产、施工工地停工、机动车限号行驶、中小学停课等应对措施，给人们正常的生产和生活带来诸多不便。雾霾天气的频繁发生，不仅是我国空气质量持续恶化的标志，更是我国空气污染问题突出的重要警示。在室外空气污染如此严重的情况下，就很难将室内空气品质维持在较好的状态。

2. 建筑设计的影响

20 世纪 70 年代能源危机以来，各国都把降低能耗作为节能的手段，包括尽量增加房间的密闭性，减少新风量的摄入，以减少对其预热/冷的能耗，但这样带来了另外一个问题，即新风量的不足，致使室内污染物无法及时稀释，对人体健康和工作效率都产生了不良影响。房间的密闭、新风量的不足是造成室内空气品质下降的重要原因。

3. 暖通空调系统的影响

暖通空调系统是人们为了创造良好、舒适的生活环境采用的空气处理设备，但是如果空调系统运行、管理、维护不当，反而会成为生活空间中的又一主要污染源，其主要表现为以下几个方面：

（1）室外新风品质下降，新风过滤不足　随着现代生活节奏的加快，生产规模的扩大，人们生活的大气环境品质下降，甚至其本身污染物浓度已超标，在引用室外新风时应充分过滤。舒适性空调一般采用一级过滤。另外，过滤网长期不清理，也会导致新风过滤不足、新风量减少，使室内空气品质下降。

（2）新风处理设备、送风管道潮湿，滋生细菌　空调系统终日不见阳光，运行时，由于采用露点送风，加湿、减湿处理设备及送风管内湿度很大，使微生物易于滋生和繁殖。制冷器表面凝水积尘，积水盘排水不畅等极易污染室内再循环空气。在风管弯道处、法兰连接处等极易积尘和发霉，产生微生物污染。另外，写字楼等采用风机盘管加独立新风系统，盘管湿表面常常成为室内的细菌源、气味源。

（3）气流组织不合理　气流组织形式是决定通风效果的又一重要因素，若气流组织形式选择得不合理，将直接影响通风效果，降低室内空气品质。气流组织形式选择不合理主要体现在以下几个方面：

1）送风方式不合理。目前国内采用的送风方式主要有侧送风、散流器送风和孔板送风三种形式。它们的共同特点是送风先经房间顶部吸热、吸湿、稀释污染物后靠自重下降到工作区，工作区的送风品质降低，新风不能得到很好的利用，空气品质不能保证。特别是新风与室内循环空气分别处理，在空调房间进行混合的情况下，由于新风温度一般高于回风温度，位于房间顶部，不能充分与回风混合，更不能有效稀释工作区的污染物。

2）回风口设置不合理。室内回风口一般设置在围护结构一侧或采用走廊回风。由于回风口处气流流动近似于流体力学中所述的汇流，对空调房间气流流型影响不大，但房间布置的家具易阻碍回风气流。另外，回风口吸风速度过大，易产生噪声。

（4）空调系统运行、维护管理制度不健全，专业技术管理人员相对较少且水平有限 目前大多数空调用户对空调系统都是只使用不维护或轻视维护与运行管理。有的空调系统使用多年未曾检修和清理，导致盘管、空气处理设备、风管内大量尘埃积聚，空气处理机内细菌和微生物大量滋生和繁殖。另外，由于各种建筑设备集中布置，为节约成本，许多物业的管理与技术人员身兼数职，电工兼机械工、水暖工兼空调工，在管理水平、技术水平和时间上都很难保证空调系统的正常维护与管理。

4. 建筑装饰材料及设备的影响

科技的发展在带给人类高品位生活的同时也增加了室内的污染源，主要包括以下几方面：

1）地基材料中散发的氡、混凝土中散发的氨气。

2）装饰装修材料中散发的甲醛、苯、VOC 等，另外，装饰材料又给微生物的繁殖提供了营养源。

3）现代办公设备的电子污染，如电子计算机、电视、电话、手机等的电子流会诱发失眠、头痛等疾病。

4）空调建筑内人员负荷增加。随着生活水平的提高，使商场、宾馆、饭店等公共场所人员过分密集，总的人员代谢率增加，使室内空气中 CO_2、CO、粉尘等增多，影响室内空气品质。

5）人们大量使用清洗剂、发胶、空气清新剂等产品，造成空气污染，影响室内空气品质。

5. 室内人员及其活动的影响

室内是人的主要活动场所，人在室内所处的时间越长，室内空气污染越严重，并且污染物的浓度远远高于室外。因此，人体自身也是室内空气的一个污染源。

（1）二氧化碳（CO_2）的影响 二氧化碳是人体产生得最多的污染物，在人体呼出的空气中它约占 4%。CO_2 在含量不高的情况下是无毒的。正常情况下室外空气中 CO_2 含量为 0.03%～0.04%，当环境中 CO_2 含量达到 0.07%，体内排出的其他气体也相应达到一定含量时，少数气味敏感者将有所感觉；当 CO_2 含量达到 0.1% 时，则有较多人感到不舒服；若 CO_2 含量增加到 1%～2% 时，人的呼吸深度将显著增加。可见，室内 CO_2 含量的高低在相当程度上可以反映出室内有害气体的综合水平。当然，呼气不是 CO_2 的唯一来源，所有使用有机燃料的燃烧过程都会产生 CO_2。

（2）一氧化碳（CO）的影响 一氧化碳是无色无味的气体，低浓度情况下就有毒性。它的产生主要是由于不完全燃烧。当人体吸入 CO 时，它比氧更易与血液结合而形成碳氧血红蛋白，影响血液输送氧气的正常功能，从而导致人窒息直至死亡。室内最普遍的 CO 污染是由于吸烟产生的二次烟气（即两次喷烟之间香烟燃烧时所发出的烟气）带来的，而使用不合格燃烧设备也是室内 CO 的一个重要来源。

（3）香烟烟气的影响 吸烟是室内人员造成的最普遍的室内空气污染源。吸烟不仅对吸烟者本人的健康造成危害（有研究表明，吸烟者的肺癌发生率比不吸烟者高得多），同时，吸烟过程中产生的二次烟气对被动吸烟者的危害也是相当大的。实际所产生的烟气量取决于烟草的种类、吸烟者吸入的烟量和空气的湿度。

二、改善室内空气品质的措施和方法

1. 注意室内通风

在室内空气可能影响人体健康的因素中，通风不良占到48%，室内空气污染占到18%，建筑物构件占3.5%。特别是新装修好的房间不要马上搬入，应开门窗通风，约一个月后搬入对人体较为安全，同时入住后也要经常保持空气通畅和足够的光线，让室内残余的有害物质尽快散发掉。通风时注意选择合适的开窗换气时间，防止室外大气污染物进入室内，一般每天最佳的通风时间是上午9点至11点，因为该时段是一天中空气质量最好的时段。

2. 发挥新风效应

首先，要保证有足够的新风量。ASHRAE标准62—1989R认为房间的最小新风量应由每人最小新风指标和每平方米面积所需最小新风指标一起确定。另外，在ASHRAE标准62—1989R有关变风量控制的内容中明确指出，在变风量系统全年运行中，新风量要始终保持在设计新风量的90%以上。

发挥新风效应，要重视新风量，更要注重新风的质量。例如，引入低污染的新风，并减少或者消除新风处理、传递和扩散过程中的污染。这要求做到以下几点：

1）合理选择新风取风口的位置。

2）加强新风过滤处理，改变通常只做粗效过滤的观念。

3）提倡新风直接入室，减少途径污染。入室新风途径污染越少，新风品质越好，对人的有益作用越大。

合理的气流组织即合理布置送风口，充分将新鲜空气送入工作区，减少送风死角，以提高室内的换气效果，充分稀释室内污染物浓度，从而提高空气品质。对于集中式全空气系统，应当设计独立的新风系统；在大型公共建筑中可以采用置换通风，将清洁新鲜的空气直接送入人体活动区，避免污浊空气的再利用，保证工作区的空气品质；对半集中式的风机盘管系统，除将新风直接送入房间外，应增设集中排风措施，这样才能起到新风效应作用；对分散式的分体式空调房间采用双向新风换气机有利于改善室内空气品质，同时有利于节能。

3. 消除和控制室内污染源

室内空气污染源是影响室内空气品质能否达到"感受到的可接受的室内空气品质"的主要因素，也是室内异味的根源。控制室内污染源，应该推广绿色建材，控制油烟、吸烟及燃烧产物，减少各种气雾剂、化妆品的使用，加强和完善通风。

4. 减少或消除室内人员的污染

不在室内吸烟，不使用清洁剂、消毒剂、防腐剂和杀虫剂等化工产品，控制烟气的产生，减少室内有害物质的含量。

5. 优化暖通空调系统的设计

对微生物污染的控制，强调对室内相对湿度控制并采取相应的技术措施。湿度是影响霉菌在建筑中生长的主要因素，减少空调系统的潮湿面积，能够控制细菌的生长繁殖。空调系统的某些潮湿表面是细菌繁殖的温床，特别是冷却塔、加湿器、水箱、盘管、集水箱、喷淋室、过滤器和消声器等物体表面，这些地方的细菌大量繁殖并被送入室内各地方。在这种情况下，依靠加大新风量加强过滤来降低细菌浓度是不合理的。暖通空调设备选择和管道的设计、安装的重点在于尽量减少尘埃污染和微生物污染，如减少污染源、防止尘埃和湿气的积累。

6. 建筑设计要遵循生态环境的设计原理

遵循生态环境的设计原理，要考虑建筑平面规划、城市微气候的改善、建筑材料满足室内空气质量标准，尽可能利用自然能源或采用最少的能源来达到人们生活、工作所需的舒适环境，这也是解决建筑室内空气质量的根本措施。当今世界建筑中有不少建筑就是利用当地的自然生态环境，运用生态学、建筑技术科学的基本原理、现代科学技术手段等合理地安排并组织建筑与其他相关因素之间的关系，使建筑与环境之间形成良好的室内外气候条件和较强的生物气候调节能力，使人、建筑与自然环境形成一个良性循环的生态环境系统，从而保证建筑具有良好的室内空气质量。

本 章 小 结

本章介绍了可接受的室内空气品质和感受到的可接受的室内空气品质的概念，介绍了室内空气品质引起的 SBS、BRI 和 MCS 三种疾病，并分析了原因；对民用建筑中室内主要的污染物如甲醛、挥发性有机物、放射性污染物、病原微生物、悬浮颗粒物和无机化合物等的来源及其对人体健康的危害进行了阐述；详细阐述了建筑外环境、建筑设计、暖通空调系统、建筑装饰材料及设备、室内人员及其活动这几个因素对室内空气品质的影响，并介绍了改善室内空气品质的几个有效措施和方法：注意室内通风、发挥新风效应、消除和控制室内污染源、减少或消除室内人员的污染、优化暖通空调系统的设计、建筑设计要遵循生态环境的设计原理。

习题与思考题

1. 什么是可接受的室内空气品质？什么是感受到的可接受的室内空气品质？
2. 什么是病态建筑综合症？
3. 室内空气品质问题产生的主要原因有哪些？
4. 民用建筑的室内污染物主要有哪些？
5. 室内污染物如何分类？
6. 民用建筑室内污染物的主要来源是什么？
7. 甲醛对人体健康有什么危害？
8. 影响室内空气品质的因素主要有哪些？
9. 暖通空调系统对室内环境的污染主要表现在哪些方面？
10. 如何改善室内空气品质？

第二章　民用建筑通风

第一节　通风的分类

民用建筑通风就是用通风的方法改善房间的空气环境。简单地说，就是在局部地点或整个房间把不符合卫生标准的污浊空气经过处理达到排放标准后排至室外（称为排风），把新鲜空气或经过净化符合卫生要求的空气送入室内（称为进风），使室内的空气参数符合卫生要求，保证室内人员的身体健康。

按通风系统动力的不同，通风方式可分为自然通风与机械通风两类；按通风系统作用范围的不同，通风方式可分为全面通风与局部通风；按通风系统特征的不同，通风方式可分为送风与排风。

一、自然通风与机械通风

1. 自然通风

自然通风是依靠室外风力造成的风压和室内外空气温度差所造成的热压来实现换气的通风方式。

（1）热压作用下的自然通风　图 2-1 所示为利用热压进行自然通风的示意图。由于房间内有热源，因此房间内空气温度高、密度小，产生了一种上升的力，空气上升后从上部窗孔排出，同时室外冷空气就会从下部门窗或缝隙进入室内，形成一种由于室内外温度差引起的自然通风，以改善房间内的空气环境。这种自然通风方式称为热压作用下的自然通风。

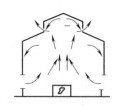

图 2-1　热压作用下的自然通风

（2）风压作用下的自然通风　图 2-2 所示为利用风压进行自然通风的示意图。具有一定速度的风由建筑物迎风面的门窗进入房间内，同时把房间内原有的空气从背风面的门窗压送出去，形成一种由于室外风力引起的自然通风，以改善房间内的空气环境。这种自然通风方式称为风压作用下的自然通风。

（3）热压和风压同时作用下的自然通风 在大多数工程实际中，建筑物是在热压和风压的同时作用下进行自然通风换气的。一般来说，在这种自然通风中，热压作用的变化较小，而风压作用的变化较大。图2-3所示为热压和风压同时作用下形成的自然通风示意图。

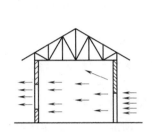

图2-2 风压作用下的自然通风

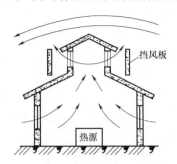

图2-3 热压和风压同时作用下的自然通风

自然通风可分为有组织自然通风和无组织自然通风。有组织自然通风是利用侧窗和天窗控制，有组织地调节室内的进风和排风；无组织自然通风是靠门窗及缝隙进行通风换气。

自然通风利用风压和热压进行换气，不需要任何机械设施，是一种简单、经济、节能的通风方式。但自然通风量的大小受许多因素的影响，如室内外温度差，室外风速和风向，门窗的面积、形式和位置等，因此其通风量并不恒定，会随气象条件发生变化，通风效果不太稳定。如采用自然通风应充分考虑到这一点，采取相应的调节措施。

2. 机械通风

机械通风是依靠通风机产生的动力来实现换气的通风方式。机械通风是进行有组织通风的主要技术手段。图2-4所示为某房间的机械送风系统示意图。机械通风由于作用压力的大小可以根据需要选择不同的风机来确定，不受自然条件的限制，因此可以通过管道把空气按要求的送风速度送至指定的任意地点，也可以从任意地点按要求的吸风速度排出被污染的空气。

图2-4 机械送风系统

1—百叶窗 2—保温阀 3—过滤器 4—旁通阀 5—空气加热器
6—起动阀 7—通风机 8—通风管 9—出风口
10—调节阀 11—送风室

机械通风能适当地组织室内气流的方向，并能根据需要对进风和排风进行各种处理，也便于调节通风量和稳定通风效果。但是，机械通风需要消耗电能，风机和风道等设备还会占用空间，工程设备费和维护费较大，安装管理较为复杂。

二、全面通风与局部通风

1. 全面通风

全面通风是在房间内全面进行通风换气的一种通风方式。它一方面用清洁空气稀释室内空气中的有害物浓度，同时不断把污染空气排至室外，使室内空气中有害物浓度不超过卫生标准规定的最高允许浓度。在有条件限制、污染源分散或不确定、室内人员较多且较分散、房间面积较大，采用局部通风方式难以保证卫生标准时，应采用全面通风。

全面通风可以利用机械通风来实现，也可以利用自然通风来实现。按系统特征不同，全面通风可分为全面送风，全面排风和全面送、排风三类。按作用机理不同，全面通风可分为稀释通风和置换通风两类。

（1）稀释通风　稀释通风又称混合通风，即送入比室内污染物浓度低的空气与室内空气混合，以此降低室内污染物的浓度，达到卫生标准。

（2）置换通风　在置换通风系统中，新鲜冷空气由房间底部以很低的速度（0.03 ~ 0.5 m/s）送入，送风温差仅为 2 ~ 4℃。送入的新鲜空气因密度大而像水一样弥漫整个房间的底部，热源引起的热对流气流使室内产生垂直的温度梯度，气流缓慢上升，脱离工作区，将余热和污染物推向房间顶部，最后由设在顶棚上或房间顶部的排风口直接排出。

室内空气近似活塞状流动，使污染物随空气流动从房间顶部排出，工作区基本处于送入空气中，即工作区污染物浓度约等于送入空气的浓度，这是置换通风与传统的稀释全面通风的最大区别。显然置换通风的通风效果比稀释通风好得多。

2. 局部通风

局部通风就是利用局部气流，使局部地点不受有害物的污染，造成良好的空气环境。

局部通风系统分为局部送风和局部排风两大类。局部排风是将污染物就地捕集、净化后排放至室外。局部送风是将经过处理的、合乎要求的空气送到局部工作地点，以保证局部区域的空气条件。

局部通风方式作为保证工作和生活环境空气品质、防止室内环境污染的技术措施应优先考虑。

三、送风与排风

1. 送风

送风就是向房间内送入新鲜空气或经过净化处理的空气。它可以是全面送风，也可以是局部送风。

2. 排风

排风就是将房间内的污浊空气直接排出或经过处理达到排放标准后排出。它可以是全面排风，也可以是局部排风。

实际工程中，常常将各种通风方式联合使用。如全面通风和局部排风联合使用；全面通风和局部送风联合使用；全面通风与局部送风、局部排风联合使用等。

第二节　自　然　通　风

自然通风虽然受自然气候条件的影响较大，但是它是一种不消耗动力就能获得较大风量的最为经济的通风方法，所以应用十分广泛。如今，在许多住宅、办公室等民用建筑中常采用自然通风来降温换气。

本节主要阐述热压和风压作用下的自然通风的基本原理以及设计计算方法。

一、自然通风的作用原理

如果建筑物外墙上的门窗孔洞由于热压和风压造成压力差，则压力较高一侧的空气必定

会通过窗孔流到压力较低的一侧。空气流过的阻力应等于两侧存在的压差，即

$$\Delta P = \xi \frac{\rho v^2}{2} \qquad (2\text{-}1)$$

式中　ΔP——窗孔两侧的压力差（Pa）；

　　　　v——空气通过窗孔的流速（m/s）；

　　　　ξ——窗孔的局部阻力系数；

　　　　ρ——空气的密度（kg/m³）。

变换式（2-1），有

$$v = \sqrt{\frac{2\Delta P}{\xi\rho}} = \mu \sqrt{\frac{2\Delta P}{\rho}} \qquad (2\text{-}2)$$

式中　μ——窗孔的流量系数，$\mu = \dfrac{1}{\sqrt{\xi}}$，其值的大小与窗孔的构造有关，一般小于 1。

通过窗孔的空气量为

$$L = vF = \mu F \sqrt{\frac{2\Delta P}{\rho}} \qquad (2\text{-}3)$$

$$G = L\rho = \mu F \sqrt{2\Delta P \cdot \rho} \qquad (2\text{-}4)$$

式中　L——体积通风量（m³/s）；

　　　　G——质量通风量（kg/s）；

　　　　F——窗孔的面积（m²）。

可见，当已知窗孔两侧的压力差、窗孔面积和窗的构造时，即可求出通过该窗孔的流量。实现自然通风的条件是窗孔两侧必须存在压差，它是影响自然通风量大小的主要因素。

1. 热压作用下的自然通风

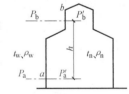

图 2-5　热压作用下的
自然通风

如图 2-5 所示，设某房间外墙上开有窗孔 a 和 b，两窗孔中心距为 h，假设室内外的空气温度和密度分别为 t_{pj}、ρ_{pj} 和 t_w、ρ_w，窗孔外的静压分别为 P_a、P_b，窗孔内的静压分别为 P_a'、P_b'。此时，窗孔 a 的内外压差 $\Delta P_b = P_b' - P_b$，由流体静力学原理可知

$$P_a = P_b + gh\rho_w$$

$$P_a' = P_b' + gh\rho_{pj}$$

因此

$$\Delta P_a = P_a' - P_a = P_b' - P_b - gh(\rho_w - \rho_{pj}) = \Delta P_b - gh(\rho_w - \rho_{pj})$$

$$\Delta P_b = \Delta P_a + gh(\rho_w - \rho_{pj}) \qquad (2\text{-}5)$$

式中　ΔP_a、ΔP_b——窗孔 a 和 b 的内外压差（Pa）；

　　　　h——两窗孔中心间距（m）。

当 $t_{pj} > t_w$ 时，$\rho_w > \rho_{pj}$，下部窗孔两侧室外静压大于室内静压，上部窗孔则相反。此时，下部窗孔将进风，上部窗孔排风。反之，当 $t_{pj} < t_w$ 时，$\rho_w < \rho_{pj}$，下部窗孔排风，上部窗孔进风。下面我们仅讨论下进上排房间内的自然通风。

式（2-5）可变换为

$$\Delta P_b + (-\Delta P_a) = \Delta P_b + |\Delta P_a| = gh(\rho_w - \rho_{pj}) \qquad (2\text{-}6)$$

由上式可看出，进风窗孔和排风窗孔两侧压差的绝对值之和，与室内外空气的密度差和两窗孔的中心距成正比。通常将 $gh(\rho_w - \rho_{pj})$ 称为热压，它是流动的动力。若室内外空气没有温差或两窗孔间无高差，则不会产生热压作用下的自然通风。

室内某一点的压力和室外同标高未受建筑或其他物体扰动的空气压力的差值称为该点的余压。对仅有热压作用的自然通风，窗孔内外的压差即为该窗孔的余压。

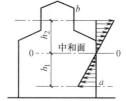

图 2-6　余压沿高度的变化

由式 (2-5) 可见，当室内外空气的温度一定时，上下两个窗孔的余压差与该两个窗孔的高差 h 成线性比例关系。因此，在热压作用下，余压沿房间高度的变化如图 2-6 所示。余压值从进风窗孔的负值增大到排风窗孔的正值。在 0—0 平面上，余压等于零，我们将这个平面称为中和面，在中和面上的窗孔是没有空气流动的。若将中和面作为基准面，则各窗孔的余压为

窗孔 a 　　　　$\Delta P_{ya} = \Delta P_{y0} - h_1 g(\rho_w - \rho_{pj}) = -h_1 g(\rho_w - \rho_{pj})$ 　　　　(2-7)

窗孔 b 　　　　$\Delta P_{yb} = \Delta P_{y0} + h_2 g(\rho_w - \rho_{pj}) = h_2 g(\rho_w - \rho_{pj})$ 　　　　(2-8)

式中　P_{ya}、P_{yb}——窗孔 a、b 的余压（Pa）；

　　　　P_{y0}——中和面的余压，$P_{y0} = 0$；

　　　　h_1、h_2——窗孔 a、b 至中和面的距离（m）。

2. 风压作用下的自然通风

在风力作用下，室外气流流经建筑物时，由于受到建筑物的阻挡，将发生绕流（图 2-7）。建筑物四周气流的压力分布将因此而发生如下变化：

（1）迎风面　气流受到阻碍，动压降低，静压增高，侧面和背面由于产生局部涡流，因而使静压降低。这种静压增高和降低与周围气压形成的压力差称为风压。迎风面静压升高，风压大于周围气压，称为正压。

（2）背风面　静压下降，风压小于周围气压，称为负压。风压为负值的区域称为空气动力阴影区（图 2-8）。

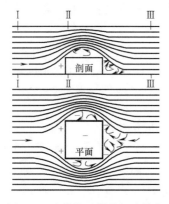

图 2-7　建筑物四周的气流分布

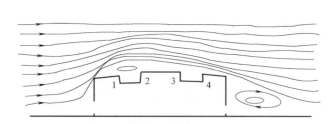

图 2-8　双凹形天窗周围的气流分布

由于正压区室外静压大于室内静压，室外空气就要通过孔洞进入室内。在负压区正相反，室内空气通过孔洞排向室外，这就形成了风压作用下的自然通风。

风压的大小与作用在建筑物外表面上风速的大小、建筑物的几何形状有关。风速是随高度发生变化的。

3. 热压和风压同时作用下的自然通风

当热压、风压同时作用于某一窗孔时，窗孔的总压差则为热压差和风压差的代数和，即窗孔的余压和室外风压之和。

对于迎风面上的窗孔，有利于进风而不利于排风；对于背风面和侧面上的窗孔，则有利于排风而不利于进风。由于室外风向和风速经常变化，而自然通风的风压作用完全由室外空气的流动产生，在没有风的情况下，室内的实际通风量会小于设计通风量，使通风效果达不到设计要求。因此在实际工程中通常不考虑风压，仅按热压作用设计自然通风，以保证通风效果。

二、自然通风的设计计算

自然通风设计计算的目的主要是为了消除房间余热。《民用建筑热工设计规范》（GB 50176—2016）中明确规定：民用建筑应优先采用自然通风去除室内热量。建筑的平、立、剖面设计，空间组织和门窗洞口的设置应有利于组织室内自然通风。因此，对于一般性民用建筑（如住宅、办公楼等）不需特别对自然通风进行设计计算，只要门窗的朝向、大小设置合理即可。但是对于层高较高或室内散热量很大的民用建筑，则应进行自然通风的设计计算。

由于房间内人员及设备的分布、散热等情况很复杂，须采用一些假设条件才能进行计算。如假设房间温度一致，设备散热量不随时间变化；空气流动不受任何障碍物的阻挡；通风过程稳定等。

1. 已知条件

已知房间内余热量 Q、有效热量系数 m、室内工作区设计温度 t_n、室外空气温度 t_w、房间内热源的几何尺寸及分布情况。

2. 设计任务

自然通风的设计任务就是根据已知条件计算必须达到的通风换气量，确定各窗孔的位置和面积。

3. 设计计算步骤

1）计算消除余热所需的全面通风量，按下式计算，即

$$G = \frac{Q}{c(t_p - t_w)} \tag{2-9}$$

式中　Q——房间余热量（kW）；

　　　c——空气定压比热 $[kJ/(kg \cdot ℃)]$；

　　　t_p——房间排风温度（℃）；

　　　t_w——室外空气温度（℃）。

房间的排风温度，一般按下式计算，即

$$t_p = t_w + \frac{t_n - t_w}{m} \tag{2-10}$$

式中　t_n——室内工作区温度（℃）；

　　　m——有效热量系数。

有效热量系数表明实际进入室内工作区并影响该处温度的热量与房间总余热量的比值。它的大小主要取决于热源的集中程度和热源布置情况。

2）确定窗孔位置及中和面位置。根据房间具体情况合理设置窗孔的位置。中和面不宜

选得太高，宜取在上下窗孔中心距离的 1/3 左右。

3）查取物性参数，如空气密度、窗孔流量系数等。其中空气密度还可以根据温度进行估算，即

$$\rho = \frac{1.293}{1 + \frac{1}{273}t} \approx \frac{353}{T}$$

式中　1.293——0℃时干空气的密度，kg/m^3；

t——空气的摄氏温度；

T——空气的绝对温度。

4）计算各窗孔的内外压差。各窗孔内外压差用式（2-7）和式（2-8）来计算。

5）分配各窗孔的进、排风量，计算各窗孔的面积。在热压作用下，进、排风窗孔的面积分别为

进风窗孔

$$F_a = \frac{G_a}{\mu_a \sqrt{2 \mid \Delta P_a \mid \rho_w}} \tag{2-11}$$

排风窗孔

$$F_b = \frac{G_b}{\mu_b \sqrt{2 \mid \Delta P_b \mid \rho_p}} \tag{2-12}$$

式中　F_a、F_b——窗孔 a、b 的面积（m^2/s）；

G_a、G_b——窗孔 a、b 的流量（kg/s）；

μ_a、μ_b——窗孔 a、b 的流量系数；

ρ_w——室外空气的密度（kg/m^3）；

ρ_p——排风温度下的空气密度（kg/m^3）。

【例 2-1】　已知某房间的余热量 $Q = 300kW$，$m = 0.6$，室外空气温度 $t_w = 30℃$，室内工作区温度 $t_n = 38℃$。某房间通风示意图如图 2-9 所示，$\mu_1 = \mu_3 = 0.5$，$\mu_2 = \mu_4 = 0.55$，若不考虑风压作用，计算所需的各窗孔面积。

【解】　（1）计算消除余热所需的全面通风量

排风温度

$$t_p = t_w + \frac{t_n - t_w}{m} = \left(30 + \frac{38 - 30}{0.6}\right)℃ = 43.3℃$$

室内空气平均温度

$$t_{pj} = \frac{t_n + t_p}{2} = \frac{38 + 43.3}{2}℃ = 40.65℃$$

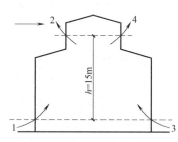

图 2-9　某房间通风示意图

全面换气量

$$G = \frac{Q}{c(t_p - t_w)} = \frac{300}{1.01 \times (43.3 - 30)}kg/s = 22.33kg/s$$

（2）确定窗孔位置及中和面位置，分配各窗孔进、排风量

进、排风窗孔位置如图 2-9 所示，设中和面位置在 $\frac{1}{3}h$ 处，即

$$h_1 = \frac{1}{3}h = \frac{1}{3} \times 15m = 5m$$

$$h_2 = \frac{2}{3}h = \frac{2}{3} \times 15\text{m} = 10\text{m}$$

（3）查取物性参数，若根据空气温度估算空气密度，则

因为 $t_p = 43.3℃$，$t_{pj} = 40.65℃$，$t_w = 30℃$，

所以

$$\rho_p \approx \frac{353}{T_p} = \frac{353}{273 + 43.3}\text{kg/m}^3 = 1.12\text{kg/m}^3$$

$$\rho_{pj} \approx \frac{353}{T_{pj}} = \frac{353}{273 + 40.65}\text{kg/m}^3 = 1.13\text{kg/m}^3$$

$$\rho_w \approx \frac{353}{T_w} = \frac{353}{273 + 30}\text{kg/m}^3 = 1.17\text{kg/m}^3$$

（4）计算各窗孔的内外压差

$$\Delta P_1 = \Delta P_3 = -h_1 g(\rho_w - \rho_{pj}) = -5 \times 9.81 \times (1.17 - 1.13)\text{Pa} = -1.962\text{Pa}$$

$$\Delta P_2 = \Delta P_4 = h_2 g(\rho_w - \rho_{pj}) = 10 \times 9.81 \times (1.17 - 1.13)\text{Pa} = 3.924\text{Pa}$$

（5）分配各窗孔的进、排风量，计算各窗孔的面积

根据空气平衡方程式

$$G_1 + G_3 = G_2 + G_4$$

令

$$G_1 = G_3，\quad G_2 = G_4$$

则

$$F_1 = F_3 = \frac{G_1}{\mu_1 \sqrt{2|\Delta P_1|\rho_w}} = \frac{G/2}{\mu_1 \sqrt{2|\Delta P_1|\rho_w}} = \frac{22.33/2}{0.5\sqrt{2 \times 1.962 \times 1.17}}\text{m}^2 = 10.42\text{m}^2$$

$$F_2 = F_4 = \frac{G_2}{\mu_2 \sqrt{2|\Delta P_2|\rho_p}} = \frac{G/2}{\mu_2 \sqrt{2|\Delta P_2|\rho_p}} = \frac{22.33/2}{0.55\sqrt{2 \times 3.924 \times 1.12}}\text{m}^2 = 6.85\text{m}^2$$

三、自然通风系统的应用与设计

1. 自然通风系统的应用

由于自然通风系统运行的动力来自于自然界的自然过程，因此该技术自古以来就是一种免费的自然冷却技术，在旧建筑中得到广泛的应用。在空调技术和产品日益发展以后，该技术逐渐被人们所淡忘。但是，20世纪发生的能源危机和全球环境危机后，集合低能耗、高环境价值的自然通风技术作为重要的生态建筑技术之一受到广泛关注。特别是在示范性生态建筑中，自然通风更是一种重要手段。图2-10和图2-11所示是上海建筑科学研究院主持设计、建设的生态示范办公楼，图2-11所示给出了利用太阳能增强热压形成自然通风的烟囱外形图。

图2-10　上海辛庄生态示范办公楼全景

2. 自然通风系统的设计

单纯的自然通风不使用风扇，意味着节能、造价低、节省维护空间、减少噪声；可能需增加中庭或者烟囱的造价，不能和热回收系统配合，不能处理大量的冷热负荷。对于这种通风，根据房间不同的进深和高度采取不同的方式，进深小于6m可以单边开窗（图2-12），大于6m、小于15m需双边开窗（图2-13），进深大于15m时，需要加设烟囱结构（图2-14），如果进深过大时，则要采用与机械通风配合的组合式通风。在具体的设计中，建筑的形状不大可能如图所示的那么规则，设计方案要根据具体的建筑形状，尽量利用建筑中具有烟囱效应的结构。

图2-11 上海辛庄生态示范办公楼自然通风烟囱

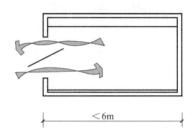

图2-12 进深小于6m的自然通风

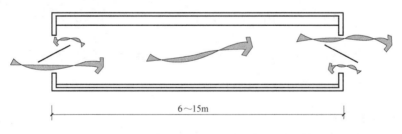

图2-13 进深大于6m、小于15m时的自然通风

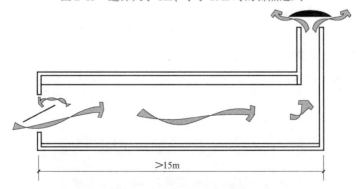

图2-14 进深大于15m的自然通风

对于组合式的通风，分为季节性的组合和空间性的组合。如图2-15所示，夏季采用自然通风，冬季采用机械通风，也可以根据时间、季节采取更细致的控制策略；如图2-16所

示，空间跨度大的建筑周边采用自然通风，中间采用机械通风。组合式的通风灵活性好，与单纯的机械通风比较，节能而且舒适性好；与单纯的自然通风比较，可控性好，具有广泛的应用前景。

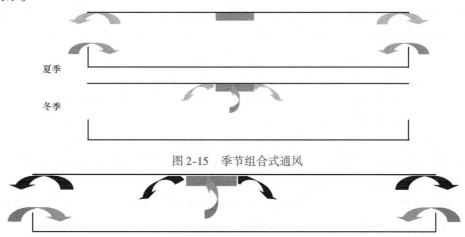

图 2-15　季节组合式通风

图 2-16　空间组合式通风

在这种采用自然通风（包括组合式通风）的通风系统中要特别注意气流组织的设计，英国对此采用了风洞模拟实验和仿真模拟的方法来预测自然通风的气流组织，从而制订合适的设计方案。图 2-17 所示为一采用自然通风的工程实例。经过风洞实验，发现在顶部开口处存在空气倒灌的现象，与设计的气流组织不同，这样将会影响到通风的效果。分析其原因，是由于当地风向、建筑结构及周围建筑的影响所造成的。为了避免空气倒灌现象，在顶部风口又安装了一个延长风口，这样就可以取得预想的气流组织效果。

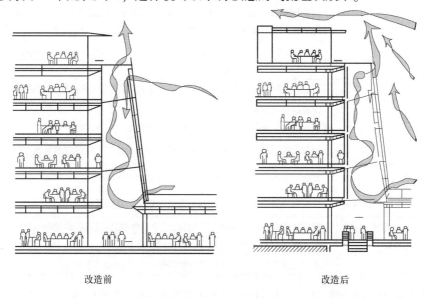

改造前　　　　　　　　　　　　　　　　改造后

图 2-17　某自然通风的风洞实验及其改造方案

3. 自然通风系统应用的限制性条件

自然通风技术作为一种免费的技术，它的应用必然受到许多条件的限制。

（1）室内得热量的限制 应用自然通风的前提是室外空气温度比室内低，通过室内空气的通风换气，将室外风引入室内，降低室内空气的温度。很显然，室内外空气温差越大，通风降温的效果越好。对于一般的依靠空调系统降温的建筑而言，应用自然通风系统可以在适当时间降低空调运行负荷，典型的如空调系统在过渡季节的全新风运行。对于完全依靠自然通风系统进行降温的建筑，其使用效果则取决于很多因素，建筑的得热量是其中的一个重要因素，得热量越大，通过降温达到室内舒适要求的可能性越小。研究结果表明，完全依靠自然通风降温的建筑，其室内的得热量最好不要超过 $40W/m^2$。

（2）建筑环境的限制 应用自然通风降温措施后，建筑室内环境在很大程度上依靠室外环境进行调节，除了空气的温、湿度参数外，室内的空气品质和噪声控制也将被室外环境所破坏。根据目前的一些标准要求，采用自然通风的建筑，其建筑外的噪声不应该超过70dB；尤其在窗户开启的时候，应该保证室内周边地带的噪声不超过55dB。同时，自然通风进风口的室外空气质量应该满足有关卫生要求。

（3）建筑条件的限制 应用自然通风的建筑，在建筑设计上应该参考以上两点要求，充分发挥自然通风的优势，具体的建议见表2-1。

表2-1 使用自然通风时的建筑条件

建筑位置	周围是否有交通干道、铁路等	一般认为，建筑的立面应该离开交通干道20m，以避免进风空气的污染或噪声干扰；或者在设计通风系统时，将靠近交通干道的地方作为通风的排风侧
	地区的主导风向与风速	根据当地的主导风向与风速确定自然通风系统的设计，特别注意建筑是否处于周围污染空气的下游
	周围环境	由于城市环境与乡村环境不同，对建筑通风系统的影响也不同，特别是建筑周围的其他建筑或障碍物将影响建筑周围的风向和风速、采光和噪声等
建筑形状	形状	建筑的宽度直接影响自然通风的形式和效果。建筑宽度不超过6m的建筑可以使用单侧通风方法；宽度不超过15m的建筑可以使用双侧通风方法；否则，将需要其他辅助措施，例如烟囱结构或机械通风与自然通风的混合模式等
	建筑朝向	为了充分利用风压作用，系统的进风口应该面对建筑周围的主导风向；同时建筑的朝向还涉及减少得热措施的选择
	开窗面积	系统进风侧外墙的窗墙比应该兼顾自然采光和日射得热的控制，一般为30%~50%
	建筑结构形式	建筑结构可以是轻型、中型或重型结构；对于中型或重型结构，由于其热惰性比较大，可以结合晚间通风等技术措施改善自然通风系统的运行效果
建筑内部设计	层高	比较大的层高有助于利用室内热负荷形成的热压，加强自然通风
	室内分隔	室内分隔的形式直接影响通风气流的组织和通风量
	建筑内竖直通道或风管	可以利用竖直通道产生的烟囱效应有效组织自然通风
室内人员	室内人员密度和设备、照明得热的影响	对于建筑得热超过 $40W/m^2$ 的建筑，可以根据建筑内热源的种类和分布情况，在适当的区域分别设置自然通风系统和机械制冷系统
	工作时间	工作时间将影响其他辅助技术的选择（如晚间通风系统）

（4）室外空气湿度的限制 应用自然通风对降低室内空气温度效果明显，但对调节或控制室内空气的湿度，效果甚微。因此，自然通风措施一般不能在非常潮湿的地区使用。

自然通风具有很多的优点，可以提高室内空气的质量、在节能方面也很有潜力，但同时对设计的要求也较高。在我国，不仅要吸收国外的先进研究成果，还应根据国内的气候、建筑等情况做出理论上的研究，为自然通风方式的推广提供理论基础，提高居住的舒适性，为能源节约做出贡献。

第三节 局 部 通 风

局部通风属于机械通风，其工作原理是利用局部气流，使局部工作地点不受有害物的污染，从而创造良好的空气环境。局部通风系统可分为局部排风和局部送风。

一、局部排风

局部排风就是在局部地点把不符合卫生标准的污浊空气经过处理达到排放标准后排至室外，以改善局部空间的空气环境。图 2-18 所示为机械局部排风系统图。局部排风系统一般由以下几部分组成：

（1）局部排风装置 局部排风装置是用来收集有害物的。它的性能对局部排风系统的效果以及经济性有很大影响。民用建筑中最常见的局部排风装置就是厨房的抽油烟机和卫生间的排气扇等。

（2）风管 通风系统中输送空气的管道称为风管，它把系统中的各种设备或部件连接成了一个整体。为了提高系统的经济性，应合理确定风管中的气体流速，管路应力求短直。

（3）风机 风机是机械排风系统中空气流动的动力系统。

（4）排风口 排风口将所需求的风量，按一定方向、一定速度均匀吸入排风系统内或均匀地排出去。常见的排风口有单层百叶带滤网排风口、格栅带滤网排风口、防雨百叶风口、风帽等各种形式。如图 2-19 所示为常见的单层百叶排风口。

（5）净化设备 为防止大气污染，当排出空气中有害物量超过排放标准时，必须用净化设备处理，达到排放标准后排至大气中。

图 2-18 机械局部排风系统
1—有害物源 2—局部排风装置
3—净化装置 4—排风机
5—排风口 6—风管

二、局部送风

局部送风就是把新鲜空气经过净化、冷却或加热等处理后送入室内指定地点，以改善局部空间的空气环境。局部送风系统可分为系统式局部送风和分布式局部送风两种。

图 2-19 单层百叶排风口

1. 系统式局部送风

图 2-20 所示为某房间系统式局部送风系统示意图，这种空气经集中处理后吹到室内人员身体上部的局部机械送风方式称为空气淋浴，属于系统式局部送风。空气淋浴适用于工作地点较为固定、辐射强度高、空气温度高或不允许采用再循环空气的情况。

空气淋浴是一种局部机械送风系统，系统中被送出的空气一般要预先经过冷却、净化等处理，然后经过一个特制的"喷头"将空气以一定速度送到室内人员身体上部（一般以颈和胸部比较适宜），在高温区造成一个范围不大的凉爽区域。

使用空气淋浴不能将有害物吹向受风人员或相邻人员身上。送到受风地点的气流宽度，应能使人处于气流作用范围之内，一般以 0.6 ~ 1.0m 为宜，有时按需要可以再宽一些。

（1）空气淋浴的分类 空气淋浴可分为移动式和固定式两种。移动式空气淋浴适用于操作位置经常变动的场合，它是一种装置在特制车上的机组形式，机组本身带有风机、进出风口、水泵、淋水喷头、水箱等设备和部件。固定式空气淋浴也就是通常说的集中式空气淋浴，其组成部分和全面送风装置基本相同。

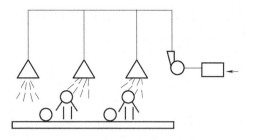

图 2-20　系统式局部送风系统

按空气分布器（喷头）喷出空气的方向不同，空气淋浴还可分为斜射式和直射式两种。

（2）空气淋浴所用的喷头 空气淋浴所用的最简单的喷头是圆柱形喷头（图 2-21）。在管口设有扩张角为 6° ~ 8° 的扩散口，用以向下送风。这种喷头构造简单、价格低、制作方便，但不适宜作为倾斜和水平送风使用。

应用最普遍的是旋转式喷头，也叫"巴图林"喷头。这种喷头一般为 45° 斜切的矩形管，在它的出口处设有导流叶片，叶片的一边连在一根可活动的拉杆上，全部叶片连成一组，只要拉动拉杆，就可变换叶片的开启角度，改变气流出口方向，在喷头的上部设有可活动的凸缘，使喷头能绕垂直管道轴心转动。这种喷头用于工人操作地点在小范围内不固定的情况。

2. 分布式局部送风

分布式局部送风一般利用普通风扇进行局部送风，空气幕也是一种分布式局部送风形式。

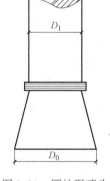

图 2-21　圆柱形喷头

（1）普通风扇送风 普通风扇送风适用于辐射强度小，空气温度 $t_n \leq 35℃$ 的房间。在这种场合使用风扇增加工作地点的风速，可帮助人体散热，但是当空气温度接近体表温度时，用风扇吹风不能再加强对流散热，而是加强人体的蒸发散热。人体的汗液蒸发过多，不仅影响劳动生产率，更对人体健康不利。当工作地点的空气温度超过 36.5℃ 时使用风扇，通过对流人体不能散热而是得热。

普通风扇的种类很多，如吊扇、台扇、落地式风扇、墙壁式风扇等，其优点是构造简单、价格便宜、调节控制方便。

（2）空气幕 空气幕是一种局部送风装置，它是利用特制的空气分布器喷出一定温度和速度的幕状气流，用来封堵门洞，减少或隔绝外界气流的侵入，以保证室内或某一工作区的温度环境。空气幕主要用于经常出入的商场、剧院等公共建筑需经常开启的大门，防止室外冷、热气流侵入室内。

1）按送出气流温度的不同，空气幕可分为：

① 热空气幕。内设空气加热器，空气经加热后送出，适用于寒冷地区，隔断大门的冷风侵入。按热源形式的不同又分为蒸汽型热风幕、热水型空气幕和电热型空气幕。

② 等温空气幕。空气未经处理直接送出，构造简单、体积小，使用范围广，用于非严寒地区隔断气味、昆虫或用于夏季空调建筑的大门。

③ 冷空气幕。内设冷却器，空气经冷却处理后送出，主要用于炎热地区。

2）按风机形式不同，空气幕可分为：

① 贯流式空气幕。风压小，通常是无加热器的风幕或电热风幕。

② 离心式空气幕。采用离心式风机，有较大的风压，通常热风幕采用这种形式。

③ 轴流式空气幕。其风压介于贯流式与离心式之间，使用较少。

3）按吹风方向不同，空气幕可分为：

① 侧送式空气幕。把条缝形吹风口设在大门的侧面，效果较好，但受安装范围限制，在民用建筑中应用很少，如图 2-22 所示。

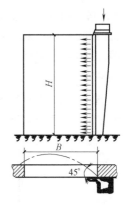

图 2-22　侧送式空气幕

② 下送式空气幕。气流由下部的地下风道送出，阻挡横向气流的效率很高，但易受到不同程度的遮蔽，而且容易把地面的灰尘吹起，因此在民用建筑中几乎没有应用，如图 2-23 所示。

③ 上送式空气幕。把条缝吹风口设在大门上方，送风气流由上而下，其挡风效率低于下送式空气幕，但其安装隐蔽、占用空间小、美观，应用较多，如图 2-24 所示。当门上框至顶棚高度较高（约 1.3m 以上）时，宜选用立式空气幕（图 2-25）；当高度较低时，选用卧式空气幕（图 2-26）。

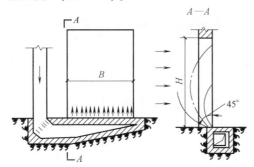

图 2-23　下送式空气幕

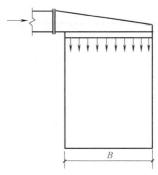

图 2-24　上送式空气幕

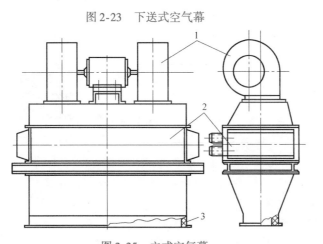

图 2-25　立式空气幕

1—风机　2—盘管　3—条缝喷口

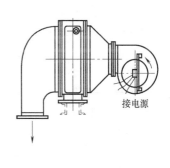

图 2-26　卧式空气幕

4）按吹吸组合方式不同，空气幕可分为：

① 单吹式空气幕。只有吹风口，不设回风口，射流射出后自由向室外扩散。

② 吹吸式空气幕。一侧吹，一侧吸，用于防烟场所效果很好，吸气有排烟作用，吹风用室外空气。

送风口的形式有很多，常用的有双层百叶送风口（图2-27a）、方形散流器送风口（图2-27b）、孔板送风口、喷射式送风口等。

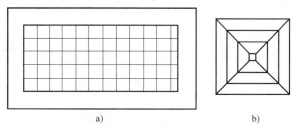

图2-27 送风口形式

a）双层百叶送风口 b）方形散热器送风口

第四节 全 面 通 风

全面通风也称稀释通风，它主要是对整个房间进行通风换气，将新鲜的空气送入室内，以改变室内的温、湿度，稀释有害物的浓度，并不断把污浊空气排至室外，使室内空气中的有害物浓度符合卫生标准的要求。当房间内不能采用局部通风或局部通风不能达到要求时，应采用全面通风。

在图2-28中，"×"表示有害物源，"○"表示室内人员的工作位置，箭头表示送、排风方向。方案1是将室外空气首先送到工作位置，再经有害物源排至室外。这样，工作地点的空气可保持新鲜。方案2是室外空气先送至有害物源，再流到工作位置，这样，工作区的空气会受到污染。由此可见，要使全面通风达到良好的通风效果，不仅需要足够的通风量，而且要有合理的气流组织。

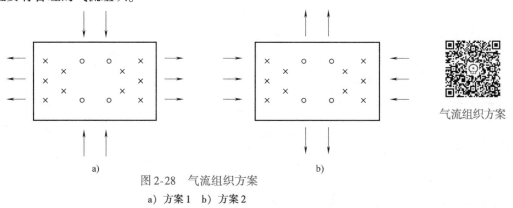

气流组织方案

图2-28 气流组织方案

a）方案1 b）方案2

一、全面通风的气流组织

全面通风的效果不仅与全面通风量有关，还与通风房间的气流组织有关。所谓气流组织，就是合理地选择和布置送排风口的形式、数量和位置，合理地分配各风口的风量，使送风和排风能以最短的流程进入或排出工作区，从而以最小的风量获得最佳的效果。一般通风房间的气流组织形式有上送下排、上送上排、下送下排、中间送上下排等多种形式。在设计时具体采用哪种形式，要根据有害物源的位置、操作地点、有害物性质及浓度分布等具体情况对送排风方式进行合理的选择。

在进行气流组织设计时，应按照以下原则进行设计：

1）送风口应尽量靠近操作地点。清洁空气送入通风房间后，应先经过操作地点，再经过污染区，然后排出房间。

2）排风口应尽量靠近害物源或有害物浓度高的地区，以便有害物能够迅速被排出室外。

3）进风系统气流分布均匀，避免在房间局部地区出现涡流，使有害物聚积。

送排风量因建筑物的用途和内部环境的不同而不同。在民用建筑清洁度要求高的房间，送风量应大于排风量；对于产生有害物的房间，应使送风量略小于排风量。

4）机械送风系统室外进风口的布置：

① 选择空气洁净的地方。

② 进风口应尽量设在排风口的上风侧（指进、排风口同时使用季节主导风向的上风侧），且低于排风口。

③ 进风口与排风口设于同一高度时的水平距离不应小于20m。当水平距离小于20m时，进风口应比排风口至少低6m。

④ 进风口底部应高出地面2m，当设有绿化带时，不宜低于1m。

⑤ 降温用的进风口，宜设在建筑物的背阴处。

5）风量的分配：

① 当散发有害气体和蒸汽的密度比空气轻，或虽比室内空气重，但建筑内散发的显热全年均能形成稳定的上升气流时，宜从房间上部区域排出。

② 当散发有害气体和蒸汽的密度比空气重，建筑内散发的显热不足以形成稳定的上升气流而沉积在下部区域时，宜从房间上部区域排出总风量的1/3且不小于每小时一次换气量，从下部区域排出总排风量的2/3。

③ 当人员活动区的有害气体与空气混合后的浓度未超过卫生标准，且混合后气体的相对密度与空气密度接近时，可只设上部或下部区域排风。

二、全面通风量的确定

全面通风量是指为了使房间内的空气环境符合规范允许的卫生标准，用于稀释通风房间的有害物浓度或排除房间内的余热、余湿所需的通风换气量。

1. 为稀释有害物所需的通风量

$$L = \frac{kx}{y_p - y_s} \tag{2-13}$$

式中　L——全面通风量（m^3/s）；

　　　k——安全系数，一般在3~10范围内选用；

　　　x——有害物散发量（g/s）；

y_p——室内空气中有害物的最高允许浓度（g/m³），见附录 A；

y_s——送风中含有该种有害物的浓度（g/m³）。

2. 为消除余热所需的通风量

$$G = \frac{Q}{c(t_p - t_s)}$$ (2-14)

或

$$L = \frac{Q}{c\rho(t_p - t_s)}$$ (2-15)

式中　G——全面通风量（kg/s）；

Q——室内余热（指显热）量（kJ/s）；

c——空气的质量比热，可取 1.01kJ/(kg·℃)；

t_p——排风温度（℃）；

t_s——送风温度（℃）；

ρ——空气的密度，可按下式近似确定。

$$\rho \approx \frac{353}{T}$$ (2-16)

3. 为消除余湿所需的通风量

$$G = \frac{W}{d_p - d_s}$$ (2-17)

或

$$L = \frac{W}{\rho(d_p - d_s)}$$ (2-18)

式中　W——余湿量（g/s）；

d_p——排风含湿量 [g/kg(干空气)]；

d_s——送风含湿量 [g/kg(干空气)]。

通风房间内同时散放余热、余湿和有害物质时，全面通风量应分别计算后取其中最大值。当通风房间内同时存在多种有害物质时，一般情况下，也应分别计算，然后取其中的最大值作为房间的全面换气量。但是，当房间内同时散发数种溶剂（苯及其同系物、醇、醋酸酯类）的蒸汽，或数种刺激性气体（三氧化硫、二氧化硫、氯化氢、氟化氢、氮氧化合物及一氧化碳等）时，由于这些有害物对人体的危害在性质上是相同的，在计算全面通风量时，应把它们看成是一种有害物质，房间所需的全面换气量应当是分别排出每一种有害气体所需的全面换气量之和。

当散入房间内的有害物数量无法计算时，全面通风量可按类似房间换气次数的经验数据进行估算。通风房间的换气次数 n 定义为：通风量 L 与通风房间体积 V 的比值，即

$$n = \frac{L}{V}$$ (2-19)

式中　n——通风房间的换气次数（次/h），可从有关的设计规范或手册中查取；

L——房间的全面通风量（m³/h）；

V——通风房间的体积（m³）。

【例2-2】　某居住区房间内同时散发苯和甲醛，散发量分别为5mg/s、0.6mg/s，求所需的全面通风量。

【解】　由附录A查得苯和甲醛的最高允许浓度分别为苯 $y_{p1} = 2.4\,\mathrm{mg/m^3}$，甲醛 $y_{p2} = 0.05\,\mathrm{mg/m^3}$；送风中不含有这两种有机溶剂蒸汽，故 $y_{s1} = y_{s2} = 0$；取安全系数 $k = 6$，则

稀释苯所需的全面通风量　　$L_1 = \dfrac{kx_1}{y_{p1} - y_{s1}} = \dfrac{6 \times 5}{2.4 - 0}\,\mathrm{m^3/s} = 12.5\,\mathrm{m^3/s}$

稀释甲醛所需的全面通风量　　$L_2 = \dfrac{kx_2}{y_{p2} - y_{s2}} = \dfrac{6 \times 0.6}{0.05 - 0}\,\mathrm{m^3/s} = 72\,\mathrm{m^3/s}$

数种有机溶剂的蒸汽混合存在，全面通风量为各自所需之和，即
$$L = L_1 + L_2 = (12.5 + 72)\,\mathrm{m^3/s} = 84.5\,\mathrm{m^3/s}$$

【例2-3】　已知某房间散发的余热量为120kW，一氧化碳散发量为12mg/s，苯散发量为8mg/s，当地通风室外计算温度为31℃。如果要求室内温度不超过35℃，试确定该房间所需要的全面通风量。

【解】　由附录A查得一氧化碳和苯的最高允许浓度分别为一氧化碳 $y_{pco} = 3\,\mathrm{mg/m^3}$，苯 $y_{p苯} = 2.4\,\mathrm{mg/m^3}$；送风中不含有这两种有害物，故 $y_{sco} = y_{s苯} = 0$；取安全系数 $k = 6$，则

稀释一氧化碳所需的全面通风量　　$L_{co} = \dfrac{kx_{co}}{y_{pco} - y_{sco}} = \dfrac{6 \times 12}{3 - 0}\,\mathrm{m^3/s} = 24\,\mathrm{m^3/s}$

稀释苯所需的全面通风量　　$L_{苯} = \dfrac{kx_{苯}}{y_{p苯} - y_{s苯}} = \dfrac{6 \times 8}{2.4 - 0}\,\mathrm{m^3/s} = 20\,\mathrm{m^3/s}$

由于一氧化碳和苯不是同种有害物质，因此为消除有害物所需的通风量，取它们的最大值，即
$$L_1 = 24\,\mathrm{m^3/s}$$

为消除余热所需的通风量
$$L_2 = \dfrac{Q}{c\varphi(t_p - t_s)} = \dfrac{120}{1.01 \times \dfrac{353}{273 + 31} \times (35 - 31)}\,\mathrm{m^3/s} = 25.6\,\mathrm{m^3/s}$$

因此，该房间所需通风量取 L_1 和 L_2 的最大值：$L = 25.6\,\mathrm{m^3/s}$。

三、热平衡与空气平衡

1. 热平衡

通风房间的空气热平衡是指为保持通风房间内温度不变，必须使室内的总得热量等于总失热量，即

$$\Sigma Q_d = \Sigma Q_s \tag{2-20}$$

式中　ΣQ_d——总得热量（kW）；

　　　ΣQ_s——总失热量（kW）。

通风房间的总得热量包括很多方面，有设备散热、产品散热、照明设备散热、采暖设备散热、人体散热、自然通风得热、太阳辐射得热及送风得热等。房间的总得热量为各得热量

之和。

通风房间的总失热量同样包括很多方面，有围护结构失热、冷材料吸热、水分蒸发吸热、冷风渗入耗热及排风失热等。

对于某一具体的房间得热及失热并不是上述的几项都有，应根据具体情况进行计算。

热平衡方程式为

$$Q_1 + cL_{zj}\rho_w t_w + cL_{jj}\rho_{jj}t_{jj} = Q_2 + cL_{zp}\rho_{zp}t_{zp} + cL_{jp}\rho_n t_n \tag{2-21}$$

式中　Q_1——房间内设备、产品及采暖散热设备等的总放热量（kW）；

L_{zj}——自然进风量（m^3/s）；

ρ_w——室外空气密度（kg/m^3）；

t_w——室外空气温度（℃）；

L_{jj}——机械进风量（m^3/s）；

ρ_{jj}——机械进风空气密度（kg/m^3）；

t_{jj}——机械进风空气温度（℃）；

Q_2——围护结构、材料吸热等的总失热量（kW）；

L_{zp}——自然排风量（m^3/s）；

ρ_{zp}——自然排风空气密度（kg/m^3）；

t_{zp}——自然排风空气温度（℃）；

L_{jp}——机械排风量（m^3/s）；

ρ_n——室内空气密度（kg/m^3）；

t_n——室内空气温度（℃）。

对于空调房间必须计算房间的得热与失热。对于非空调房间，如在非采暖地区可不考虑热平衡，在采暖地区夏季可不考虑热平衡，冬季必须考虑因通风造成的热量得失。民用建筑热平衡计算的几点说明如下：

1）室内温度 t_n 应根据有关规范或卫生标准确定，若无明确规定，对人员长期停留的房间，t_n 应取不低于18℃；对人员短暂停留的房间 t_n 应取12℃或12℃以下，但不得低于5℃。

2）室外温度 t_w 一般可取冬季采暖室外计算温度，比较重要的房间可取冬季空调室外计算温度，对于一些人员停留时间短暂的房间可取冬季通风室外计算温度。当室外温度低于冬季通风室外计算温度时，可以减少通风量或降低室内温度。

3）室内的人员、灯光的散热随机性大，且难确定，可不计算，只有存在稳定的热源时，其散热量才予以考虑。如某些房间的人员、灯光的启闭是非常稳定的，应予以考虑。

2. 空气平衡

通风房间的空气平衡是指在不论采用哪种通风方式的房间内，单位时间进入室内的空气质量等于同一时间内排出的空气质量。空气平衡的表达式为

$$G_{zj} + G_{jj} = G_{zp} + G_{jp} \tag{2-22}$$

式中　G_{zj}——自然进风量（kg/s）；

G_{jj}——机械进风量（kg/s）；

G_{zp}——自然排风量（kg/s）；

G_{jp}——机械排风量（kg/s）。

在未设有自然通风的房间中，当机械进、排风量相等（$G_{jj} = G_{jp}$）时，室内外压力相等，压差为零。当机械进风量大于机械排风量（$G_{jj} > G_{jp}$）时，室内压力升高，处于正压状态，反之，室内压力降低，处于负压状态。由于通风房间不是非常严密的，当室内处于正压状态时，室内的部分空气会通过房间不严密的缝隙或窗户、门洞等渗到室外，把渗透到室外的空气称为无组织排风。当室内处于负压状态时，会有室外空气通过缝隙、门洞等渗入室内，把渗入室内的空气称为无组织进风。

在通风设计中，为了满足通风房间或邻室的卫生条件要求，通过使机械送风量略大于机械排风量（通常取 5% ~ 10%），让一部分机械送风量从门窗缝隙自然渗出的方法，使洁净度要求较高的房间保持正压，以防止污染空气进入室内；或通过使机械送风量略小于机械排风量（通常取 10% ~ 20%），使一部分室外空气通过从门窗缝隙自然渗入室内补充多余的排风量的方法，使污染程度较严重的房间保持负压，以防止污染空气向邻室扩散。但是处于负压的房间，负压不应过大，否则会导致不良后果，室内负压引起的危害见表2-2。

表 2-2　室内负压引起的危害

负压/Pa	风速/(m/s)	危　害	负压/Pa	风速/(m/s)	危　害
2.45 ~ 4.9	2 ~ 2.9	使操作者有吹风感	7.35 ~ 12.25	3.5 ~ 6.4	轴流式排风扇工作困难
2.45 ~ 12.25	2 ~ 4.5	自然通风的抽力下降	12.25 ~ 49	4.5 ~ 9	大门难以启闭
4.9 ~ 12.25	2.9 ~ 4.5	燃烧炉出现逆火	12.25 ~ 61.25	6.4 ~ 10	局部排风系统能力下降

无论空气平衡和热平衡计算正确与否，房间进出空气量终会平衡，只是房间的压力会出现偏差。有时偏差大，造成很大的正压值或负压值，就会出现门开关困难等问题，甚至会使建筑物的通风效果变得很差，排风排不出，送风送不进，房间之间的空气流动无法控制，出现交叉污染等。例如某家宾馆的客房、走廊、大厅充满厨房的烟气和味道，这不一定是厨房排风系统本身的问题，更可能是空气平衡的问题。

在通风设计中，经常会碰到维持房间一定正压或负压的问题，洁净度要求高的房间如医院手术室等通常需维持 5 ~ 10Pa 的正压，污染严重的房间如汽车库、厨房、吸烟室、卫生间等通常要保持一定的负压。

（1）保持正压所需的风量

1）缝隙法。

$$L_i = CA(\Delta P)^n \tag{2-23}$$

式中　L_i——通风房间的渗透风量（m³/s）；

　　C——流量系数，一般取 0.39 ~ 0.64；

　　A——房间缝隙面积（m²）；

　　ΔP——缝隙两侧的压差（Pa）；

　　n——流动指数，在 0.5 ~ 1 之间，通常取 0.65。

2）换气次数法。用缝隙法计算比较繁琐，因此可采用换气次数法来估算风量，对有窗的房间换气次数可取 1 ~ 1.5 次/h。

（2）保持负压的渗入风量　其计算方法与正压风量计算法相同。对厕所和卫生间通常

只设排风、不设送风，为不使房间负压过大或影响排风量，应在门上或墙上装设百叶风口，风口面积按下式确定，即

$$A = \varphi L_p \qquad (2-24)$$

式中　A——风口的迎风面积（m^2）；

　　　φ——系数，对于木百叶，$\varphi = 0.36$；对于其他百叶风口，$\varphi = (0.20 \sim 0.24)\sqrt{\xi}$，$\xi$ 为风口阻力系数；

　　　L_p——房间排风量（m^3/s）。

要保持室内的温度和有害物浓度满足要求，必须保持热平衡和空气平衡，前面介绍的全面通风量的公式就是建立在空气平衡和热、湿有害气体平衡的基础上，它们只用于较简单的情况。实际的通风问题比较复杂，有时进风和排风同时有几种形式和状态，有时要根据排风量确定进风量，有时要根据热平衡的条件确定送风参数等。对这些问题都必须根据空气平衡、热平衡条件进行计算。

下面通过例题说明如何根据空气平衡和热平衡计算机械进风量和进风温度。

【例2-4】　已知某房间内的设备散热量 $Q_1 = 70kW$，围护结构失热量 $Q_2 = 78kW$，房间上部天窗排风量 $L_{zp} = 2.4 m^3/s$，局部机械排风量 $L_{jp} = 3.2 m^3/s$，自然进风量 $L_{zj} = 1 m^3/s$，房间工作区温度为 $22℃$，自然通风排风温度为 $25℃$，外界空气温度 $t_w = -12℃$，上部天窗中心高 16m（图2-29）。求：① 机械进风量 G_{jj}；② 机械进风温度 t_{jj}；③ 加热机械进风所需的热量 Q_3。

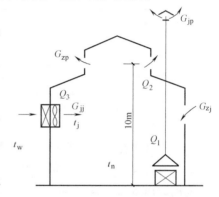

图2-29　通风系统示意图

【解】　根据 $t_n = 22℃$，$t_w = -12℃$，$t_{zp} = 25℃$，得 $\rho_n = 1.197 kg/m^3$，$\rho_w = 1.352 kg/m^3$，$\rho_{zp} = 1.185 kg/m^3$。

由空气平衡方程

$$G_{zj} + G_{jj} = G_{zp} + G_{jp}$$

得　$G_{jj} = G_{zp} + G_{jp} - G_{zj} = (2.4 \times 1.185 + 3.2 \times 1.197 - 1 \times 1.352) kg/s = 5.32 kg/s$

由热平衡方程

$$\Sigma Q_d = \Sigma Q_s$$

$$Q_1 + cL_{zj}\rho_w t_w + cL_{jj}\rho_{jj} t_{jj} = Q_2 + cL_{zp}\rho_{zp} t_{zp} + cL_{jp}\rho_n t_n$$

得　$t_{jj} = [78 + 1.01 \times 25 \times 2.4 \times 1.185 + 1.01 \times 22 \times 3.2 \times 1.197 - 70 - 1.01 \times (-12) \times 1 \times 1.352]/1.01 \times 5.32 ℃ = 33.75℃$

$$Q_3 = cG_{jj}(t_{jj} - t_w) = 1.01 \times 5.32 \times [33.75 - (-12)] kW = 245.8 kW$$

在实际情况中，通风系统的平衡问题是很复杂的，是一个动态平衡过程，室内温度、送风温度、送风量等各种因素都会影响这个平衡。比如冬季某房间根据空气平衡得出机械送风量，但机械进风又必须携带一定热量以保持热平衡，此时进风温度就可能不符合规范的要求，碰到类似的问题可以按照下列方法进行相应调整：

1）如冬季根据平衡求得送风温度低于规范的规定，可直接提高送风温度到规范规定的数值进行送风。结果是室内温度有所提高，这在冬季是有利的。

2）如冬季根据平衡求得送风温度高于规范的规定，应降低送风温度到规定的范围，相应调节机械进风量。结果是自然进风量减少，室内压力略有提高。室内温度变化不大是可行的。

3）如夏季根据平衡求得送风温度高于规范的规定，可直接降低送风温度进行送风。结果是室内温度稍有降低，这在夏季是有利的。

4）如夏季根据平衡求得送风温度低于规范的规定，应提高送风温度，增大机械进风量。

（3）通风系统的节能措施　在保证室内卫生条件的前提下，为节省能量，进行通风系统设计时，可采取以下措施：

1）计算局部排风系统风量时（尤其是局部排风量大的房间），要有全局观念，不能片面追求大风量，应改进局部排风系统的设计，在保证效果的前提下，尽量减少局部排风量，以减少房间的进风量和排风热损失，这一点在严寒地区非常重要。

2）机械进风系统在冬季应采用较高的送风温度。直接吹向工作地点的空气温度，不应低于人体的表面温度（34℃左右），最好应在37～50℃之间。这样，可避免工人有吹冷风的感觉，同时还能在保持热平衡的前提下，利用部分无组织进风，以减少机械进风量。

3）净化后的空气再循环使用。对于含尘浓度不太高的局部排风系统，排出的空气除尘净化后，如达到卫生标准，可再循环使用。

4）室外空气直接送到局部排风罩或排风罩的排风口附近，补充局部排风系统排出的风量。

5）为了充分利用排风余热，节约能源，在可能的条件下应设置热回收装置。

第五节　置换通风

置换通风是20世纪70年代初从北欧发展起来的一种通风方式，对于困扰通风空调界的室内空气品质、病态建筑和空调能耗巨大等问题，置换通风可以较好地解决，因此这种通风方式在欧洲非常普遍，在我国也日益受到设计人员的关注。与稀释通风相比，置换通风在工作区可以获得较好的空气品质、较高的热舒适性和通风效率。

一、置换通风的原理及特点

置换通风是根据空气由于密度差而造成的热气流上升、冷气流下降的原理，在室内形成类似活塞流的流动状态。

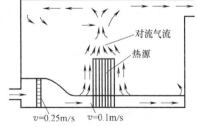

图 2-30　置换通风的流态

置换通风是指将低于室内温度的新鲜空气直接从房间底部送入工作区，由于送风温度低于室内温度，新鲜空气在后续进风的推动下与室内的热源（人体及设备）产生热对流，在热对流的作用下向上运动，从而将被污染的空气从设置在房间顶部的排风口排出。一般情况下置换通风的送风温度低于室内温度2～4℃，以极低的风速（0.2～0.5m/s，一般为0.25m/s左右）从房间底部的送风口送出，由于其动量很低，不会对室内主导气流造成影响，像倒水一样在地面形成一层很薄的空气层。热源引起的热对流在室内造成气流上下运动，

置换通风的流态

从而在室内垂直方向上产生了明显的温度梯度，置换通风的流态如图 2-30 所示。最终使室内空气在流态上分成两个区：上部混合流动的高温空气区和下部单向流动的低温空气区。

置换通风房间的热源有工作人员、办公设备、机器设备三大类。热源产生的上升气流如图 2-30 所示，站姿人员产生的上升气流如图 2-31 所示。置换通风热力分层情况如图 2-32 所示，上部为紊流混合区，下部为单向流动清洁区。

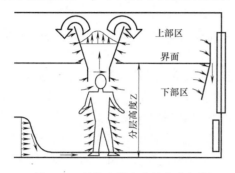

图 2-31　站姿人员产生的上升气流

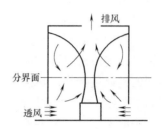

图 2-32　热力分层

置换通风在应用中有节能、通风效率高、空气品质好等优点，所以在实际应用中也被广泛采用，并取得了良好的效果。稀释通风与置换通风的比较见表 2-3。

表 2-3　稀释通风与置换通风的比较

	稀 释 通 风	置 换 通 风		稀 释 通 风	置 换 通 风
目标	全室温、湿度均匀	工作区舒适性	末端装置	风口紊流系数大 风口掺混性好	送风紊流小 风口扩散性好
动力	流体动力控制	浮力控制	流态	回流区为紊流区	送风区为层流区
机理	气流强烈掺混	气流扩散、浮力提升	分布	上下均匀	温度／浓度分层
送风	大温差、高风速	小温差、低风速	效果1	消除全室负荷	消除工作区负荷
气流组织	上送下回	下送上回	效果2	空气品质接近于回风	空气品质接近于送风

二、置换通风的设计

由于置换通风在我国尚属初级阶段，现有的通风空调设计手册及暖通设计规范尚未做出明确的规定。一般设计置换通风时，应从以下几方面进行考虑：

1. 置换通风的设计应符合的条件

《民用建筑供暖通风与空气调节设计规范》（GB 50736—2012）明确规定，采用置换通风时，应符合下列规定：

1）房间净高宜大于 2.7m。

2）送风温度不宜低于 18℃。

3）空调区的单位面积冷负荷不宜大于 120W/㎡。

4）污染源宜为热源，且污染气体密度较小。

5）室内人员活动区 0.1~1.1m 高度的空气垂直温差不宜大于 3℃。

6）空调区内不宜有其他气流组织。

2. 置换通风器的布置应符合的条件

1）置换通风器附近无较大障碍物。

2）置换通风器应靠近外墙或外窗。

3）冷负荷较大时，应根据实际情况布置多个置换通风器。

3. 置换通风末端装置的选择与布置

置换通风的出口风速低、送风温差小的特点导致置换通风系统的送风量大，它的末端装置体积相对来说也较大。

置换通风末端装置通常有圆柱形、半圆柱形、1/4 圆柱形、扁平形及壁形五种。

在民用建筑中，置换通风末端装置一般均为落地安装，如图 2-33a 所示。当某高级办公大楼采用夹层地板时，置换通风末端装置可在地面上，如图 2-33b 所示。在工业厂房中由于地面上有机械设备及产品零件的运输，置换通风末端装置可架空布置，如图 2-33c 所示。

其布置原则如下：

1）置换通风器宜靠外墙或外窗布置，圆柱形置换通风器可布置在房间中部。

2）置换通风器附近不应有大的障碍物。

3）冷负荷较高时，宜布置多个置换通风器。

4）置换通风器布置应与室内空间协调。

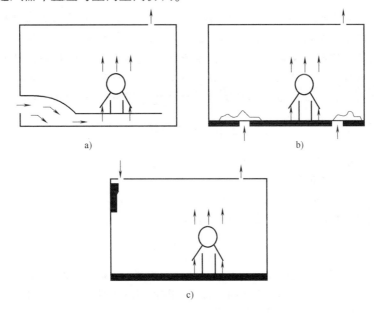

图 2-33　置换通风末端装置及排风口的布置

a）落地安装　b）地平安装　c）架空安装

4. 设计参数

1）人员为坐姿时，头部与足部温差 $\Delta t \leqslant 2℃$。

2）人员为站姿时，头部与足部温差 $\Delta t \leqslant 3℃$。

3）送风量 Q 的确定，按下式计算，即

$$Q = (3\pi^2 B)^{1/3} \cdot (2\alpha)^{1/3} \cdot (z_s)^{5/3} \tag{2-25}$$

式中　Q——送风量（m^3/s）；

$$B = \frac{g\beta E}{\rho C_p};$$

g——重力加速度（m/s^2）；

E——热源热量（W）；

C_p——空气的比定压热容 $[J/(kg \cdot ℃)]$；

β——空气的体膨胀系数（$m^3/℃$）；

ρ——空气密度（kg/m^3）；

α——热对流卷吸系数，由试验测定（$1/m^3$）；

z_s——分界面高度（m），通常民用建筑中办公室、教室等人员如处于坐姿，$z_s = 1.1m$，如处于站姿，$z_s = 1.8m$。

本 章 小 结

本章介绍了民用建筑通风的有关知识。首先从不同的角度，对通风进行了分类，然后对各类通风方式逐一详细介绍。讲述了自然通风的作用原理和设计计算，要求学生能根据一些已知条件设置窗孔的位置和面积，并介绍了自然通风系统在实际中的应用与设计。分为局部排风和局部送风两种形式介绍了局部通风方式，其中重点介绍了空气幕这种局部送风形式。关于全面通风，讲述了全面通风气流组织的设计原则，详细讲解了全面通风量的确定方法，以及热平衡和空气平衡的意义和平衡方程，要求学生能根据一些已知条件计算全面通风量；能根据空气平衡和热平衡，计算机械进风量和进风温度。最后介绍了置换通风形式，讲述了置换通风的原理和特点，并简单介绍了置换通风的设计知识。

习题与思考题

1. 通风方式如何分类？

2. 自然通风有哪几种作用形式？

3. 自然通风与机械通风相比有什么优缺点？

4. 什么是无组织自然通风？什么是有组织自然通风？

5. 什么是余压？

6. 什么是中和面？其位置如何确定？

7. 已知某房间的余热量 $Q = 650kW$，$m = 0.5$，室外空气温度 $t_w = 32℃$，室内工作区温度 $t_n = 35℃$。如图2-9所示，$\mu_1 = \mu_3 = 0.5$，$\mu_2 = \mu_4 = 0.6$，若不考虑风压作用，计算所需的各窗孔面积。

8. 自然通风系统在应用中受到哪些条件的限制？

9. 什么是局部排风？什么是局部送风？

10. 局部排风系统一般有哪些组成部分？

11. 什么是空气淋浴？

12. 空气幕如何分类？

13. 什么是全面通风？全面通风的效果与什么有关？

14. 通风房间的气流组织形式一般有哪些？

15. 确定全面通风量时，何时采用分别稀释各有害物空气量之和？何时取其中最大值？

16. 某房间面积为 $500m^2$，层高 5m，取换气次数 $n = 12$ 次/h，求该房间所需的全面通风量。

17. 某房间一氧化碳散发量为 6mg/s，甲醛散发量为 0.8mg/s，取 $k = 4$，求该房间所需的全面通风量。

18. 已知某房间室外计算空气温度 $t_w = 30℃$，房间内空气温度不超过 35℃，余热量为 150kW，求该房间所需的全面通风量。

19. 已知某房间室外计算空气温度 $t_w = 30℃$、湿度为 $10g/kg$ 干空气，室内空气湿度最高为 $20g/kg$ 干空气，余湿量为 $100g/s$，求该房间所需的全面通风量。

20. 某房间设备的二氧化硫散发量 $x = 5mg/s$，余热量 $Q = 174kW$。已知夏季的通风室外计算温度 $t_w = 32℃$，要求房间内有害蒸汽浓度不超过卫生标准，房间内温度不超过 35℃。试计算该房间的全面通风量（取安全系数 $k = 3$）。

21. 已知某房间排除有害气体的局部机械排风量 $G_{jp} = 0.5kg/s$，冬季工作区温度 $t_n = 15℃$，建筑物围护结构热损失 $Q = 5.8kW$，当地冬季采暖室外计算温度 $t_w = -25℃$，试确定需要设置的机械送风量和送风温度。（提示：为防止室内有害气体向室外扩散，取机械送风量等于机械排风量的 90%，不足部分由室外空气通过门窗缝隙自然渗入室内来补充）

22. 已知某房间内生产设备散热量为 $Q_1 = 80kW$，房间上部天窗排风量 $L_{zp} = 2.5m^3/s$，局部机械排风量 $L_{jp} = 3.0m^3/s$，自然进风量 $L_{zj} = 1m^3/s$，房间工作区温度为 25℃，天窗排气温度为 30℃，外界空气温度 $t_w = -12℃$。求：① 机械进风量 G_{jj}；② 机械送风温度 t_{jj}；③ 加热机械进风所需的热量 Q_3。

23. 什么情况下要保持房间正压？如何保持？

24. 什么情况下要保持房间负压？如何保持？

25. 通风设计如果不考虑空气平衡和热平衡，会出现什么现象？

26. 置换通风的原理是什么？有什么特点？

27. 置换通风的设计应符合什么条件？

第三章　建筑防排烟

【学习目标】

1. 熟悉火灾烟气的成分和三大危害，掌握火灾烟气的流动规律及其主要影响因素。

2. 掌握控制火灾烟气的主要措施，明确划分防火分区和防烟分区的目的及其划分方法，掌握加压送风防烟的方法，熟悉加压送风量的确定方法和加压送风系统的设计要点；掌握疏导排烟的具体方法；掌握空调系统防烟设计。

3. 了解地下建筑的特点以及地下建筑火灾的特点，掌握地下建筑的通风方式、防烟措施和排烟措施，熟悉排风排烟机及进风机设置。

4. 熟悉地下汽车库防烟分区的划分、排风量与排烟量的确定方法、排烟口与排风口的确定原则以及送风系统的设置。

火灾是一种失去控制的燃烧所造成的危害。火灾不仅导致巨大的经济损失和大量的人员伤亡，甚至对政治、文化造成巨大影响，产生无法弥补的损失。根据联合国"世界火灾统计中心"提供的资料，近年来在全球范围内，每年发生的火灾就有 600~700 万起，每年有 65000~75000 人死于火灾。

根据火灾发生的场合，火灾主要可分为建筑火灾、森林火灾、工矿火灾、交通运输工具火灾等类型。其中建筑火灾对人们的危害最直接、最严重，因为各种类型的建筑物是人们进行生活和生产活动的主要场所，也是财产高度集中的场所。如何防止建筑火灾的发生、减少建筑火灾损失已经成为目前需要迫切研究的重大课题。

第一节　火灾烟气及其流动规律

在建筑火灾中，烟气是阻碍人们逃生和灭火行动、导致人员死亡的主要原因之一。因此，建筑火灾烟气的控制，对于提高建筑抵御火灾的能力和保障人员安全就显得尤为重要。

火灾过程大致可分为初起期、成长期、旺盛期和衰减期四个阶段，通常建筑物设有相应的消防设施，如灭火器、消火栓系统、自动喷淋灭火系统等，只要消防设计合理、设施维护得当，大多数情况下是可以在火灾初期将其扑灭的。火灾过程中的初起期和成长期是烟气产生的主要阶段，而烟气是造成人员伤亡的最大原因。据国外资料统计，火灾中由于烟气致死的人数占 50% 以上，很多时候多达 70%，被烧死的人中，多数也是先烟气中毒，窒息晕倒而后被烧死的。也就是说，一方面要加强消防系统的作用，尽量将火灾消灭于初期；另一方面要减少烟气的危害，使人们在火灾发生时有疏散逃生的时间、通道和机会。避免烟气蔓延，这就需要一个防排烟系统来控制火灾发生时烟气的流动，及时将其排出，在建筑物内创造无烟或烟气含量极低的疏散通道或安全区，以确保人员安全疏散，并为救火人员创造条件。

一、火灾烟气的成分和危害

1. 烟气的成分

火灾发生时，燃烧可分为两个阶段：热分解过程和燃烧过程。火灾烟气是指火灾时各种物质在热分解和燃烧的作用下生成的产物与剩余空气的混合物，是悬浮的固态粒子、液态粒子和气体的混合物。

由于燃烧物质的不同、燃烧的条件千差万别，因而烟气的成分、浓度也不会相同。但建筑物中绝大部分材料都含有碳、氢等元素，燃烧的生成物主要是 CO_2、CO 及水蒸气，如燃烧时缺氧，则会产生大量的 CO。另外，塑料等含有氯，燃烧会产生 Cl_2、HCl、$COCl_2$（光气）等；很多织物中含有氮，燃烧后会产生 HCN（氰化氢）、NH_3 等。

火灾时烟气发生量与材料性质、燃烧条件等有关，如玻璃钢的发烟量比木材大，且玻璃钢燃烧时，温度越高发烟量也越大。

2. 烟气的危害

烟气主要存在三大危害：毒害性、遮光作用、高温危害。

（1）毒害性　烟气的产物可分为 CO_2、水蒸气、SO_2 等完全燃烧产物和 CO、氰化物、酮类、醛类等不完全燃烧的有毒物质。燃烧会消耗大量氧气，导致空气中缺氧。研究表明当空气中的 CO_2 含量超过 20% 或含氧量低于 6%，都会在短时间内使人死亡。氰化氢在空气中达到 $270mL/m^3 \times 10^{-6}$ 时，就会致人死亡。烟气中众多的有害气体、有毒气体，如 H_2S、NH_3、Cl_2 等达到一定浓度后都会致人死亡。另外烟气中悬浮的微粒也会对人造成危害。

（2）遮光作用　烟气的存在会使光强度减弱，导致人的能见距离缩短。能见距离关系到火灾发生时人员的正确判断，直接影响疏散、救援和救火的进行。火灾中对于熟悉建筑物内部情况的人，要求能见距离为最少 5m，而对不熟悉建筑物内部情况的人，要求能见距离为不小于 30m。能见距离取决于透过烟气的光强度，而光强度在光源强度一定时取决于烟气的光学浓度，实测中发现火灾时烟气的光学浓度约为 25 ~ 30L/m，而对应的对发光型光源的能见距离约为 0.2 ~ 0.4m，对反光型光源的能见距离为 0.07 ~ 0.16m，因此如对烟气不加控制，火灾中人们很难找到应急指示，找到正确的疏散通道。能见距离短，易使人产生恐慌，自救能力下降，造成局面混乱、逃生困难。

（3）高温危害　火灾初期（5 ~ 20min）烟气温度能达到 250℃，随后空气量不足温度会有所下降，当燃烧至窗户爆裂或人为将窗户打开则燃烧骤然加剧，短时间温度可达 500℃。高温使火灾蔓延迅速，使金属材料强度降低，从而使建筑物倒塌。同时高温还会使人烧伤、昏迷等。

二、火灾烟气的流动规律

建筑物内设置防排烟系统不是为了稀释烟气的浓度，而是要使火灾区的烟气向室外流动，使烟气不侵入疏散通道或使通道中的烟气流向室外，即人为地控制烟气流动。只有掌握了烟气扩散、流动的规律，才可能设置合理的防排烟系统，使烟气按设计的路线流向室外。

建筑物内烟雾流动的形成，总的来说，是由于风和各种通风系统造成的压力差，以及由于温度差造成气体密度差而形成的烟囱效应，其中温差和温度变化是烟雾流动最为重要的因素。当房间门向走廊开启时，烟雾的流动情况变得更复杂，它将与建筑物的烟囱效应、防排烟方式、火灾温度等诸多因素有关。下面介绍主要因素：

1. "烟囱效应"

"烟囱效应"是指室内温度高于室外温度时，在热压的作用下，空气沿建筑物的竖井（如电梯井、楼梯间等）向上流动的现象。当室外温度高于室内温度时，空气在竖井内向下流动，称为"逆向烟囱效应"。当发生火灾时，烟气会在"烟囱效应"的作用下传播。"烟囱效应"对烟气的作用是比较复杂的，因着火点的不同、室内外温度和时间的变化，烟气的流动也是不同的。烟气垂直方向的流动速度约为 3 ~ 4m/s，无阻挡时 1 ~ 2min 左右即可扩散到几十层的大楼的顶部。

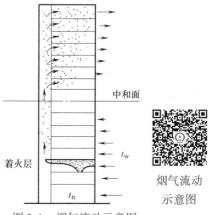

图 3-1 烟气流动示意图

图 3-1 所示是当室内温度 t_n 高于室外温度 t_w，着火层在中和面以下，假定楼层间无其他渗漏时，火灾初期烟气的流动情况。烟气进入竖井后，竖井内空气温度上升，"烟囱效应"的抽吸作用增强，烟气竖直方向的流动速度也会提高。此时中和面以下、着火层以上的各层是相对无烟的。当着火层温度持续上升，窗户爆裂后，烟气自窗户逸出，则可能通过窗户进入这些楼层。此图的绘制忽略了风压的影响。

2. 浮力作用

火灾发生后，温度升高，产生向上的浮力，烟气会沿顶棚向四周扩散，扩散的速度约为 0.3 ~ 0.8m/s。浮力作用是烟气水平方向流动的主要原因，同时也会使烟气通过缝隙孔洞向上层流动。

3. 热膨胀

着火房间由于温度较低的空气受热，体积膨胀而产生压力变化。若着火房间的门窗敞开，可忽略不计，若着火房间为密闭房间，压力升高会使窗户爆裂。

4. 风力作用

由于风力作用，建筑物表面的压力是不同的，通常迎风面为正压，如着火区或室内回风口经空调机或通风机，通过风管送至房间。如有火灾发生就会通过这些系统传播蔓延。

建筑物火灾发生时烟气的流动是诸多因素共同作用下的结果，因而准确地描述烟气在各时刻的流动是相当困难的。了解烟气流动的各种因素的影响和烟气流动规律有助于防排烟系统的正确设计。

第二节　火灾烟气的控制措施

常见的控制火灾烟气的措施有划分防火分区和防烟分区、加压送风防烟、疏导排烟、空调系统防烟设计等。

一、建筑设计的防火分区和防烟分区

1. 防火分区

防火分区是指采用防火墙、楼板及其他防火分隔设施分隔而成，能在一定时间内防止火灾向同一建筑的其余部分蔓延的局部空间。防火分区之间应采用防火墙分隔，确有困难时，可采用防火卷帘等防火分隔设施分隔。进行防火分区，在阻断火势的同时，也阻止了烟气的扩散。通风空调系统应该尽量不要跨越防火分区，必须穿越防火分区时，应加设防火阀。

不同耐火等级民用建筑的允许建筑高度或层数、防火分区最大允许建筑面积见表3-1。

表3-1 不同耐火等级民用建筑的允许建筑高度或层数、防火分区最大允许建筑面积

名　　称	耐火等级	允许建筑高度或层数	防火分区的 最大允许建筑面积/m²	备　　注
高层民用建筑	一、二级	按本规范第5.1.1 条确定	1500	对于体育馆、剧场的观众厅，防火分区的最大允许建筑面积可适当增加
单、多层民用建筑	一、二级	按本规范第5.1.1 条确定	2500	
	三级	5层	1200	
	四级	2层	600	
地下或半地下建筑（室）	一级	—	500	设备用房的防火分区最大允许建筑面积不应大于1000m²

注：1. 表中规定的防火分区最大允许建筑面积，当建筑内设置自动灭火系统时，可按本表的规定增加1.0倍；局部设置时，防火分区的增加面积可按该局部面积的1.0倍计算。

2. 裙房与高层建筑主体之间设置防火墙时，裙房的防火分区可按单、多层建筑的要求确定。

3. 本规范是指《建筑设计防火规范》（GB 50016—2014）（2018版）。

2. 防烟分区

设置排烟系统的场所或部位应采用挡烟垂壁、结构梁及隔墙设置防烟分区，防烟分区不得跨越防火分区。设置防烟分区时，如果面积过大，会使烟气波及面积扩大，增加受灾面，不利于安全疏散和扑救；如果面积过小，则会提高工程造价，不利于工程设计。每个防烟分区的面积，对于高层民用建筑和其他建筑，其建筑面积不宜大于500m²；对于地下建筑，其使用面积不应大于400m²，当顶棚（或顶板）高度在6m以上时，可不受此限。此外，需设排烟设施的走道、净高不超过6m的房间应采用挡烟垂壁、隔墙或从顶棚凸出不小于0.5m的梁划分防烟分区，梁或挡烟垂壁至室内地面的高度不应小于1.8m。

图3-2所示表示某百货大楼在设计时的防火防烟分区实例，图中还可看出它是将顶棚送风的空调系统和防烟分区结合考虑的。

对于用途相同、但楼层不同也可形成各自的防火防烟分区。实践证明，应尽可能按不同用途在竖向作楼层分区，它比单纯依靠防火、防烟阀等手段所形成的防火分区更为可靠。

图3-3所示就是楼层防火防烟分区的实例，无论是旅馆和办公大楼把低层的公共部分和

标准层之间作为主要的防火划分区是十分必要的。至于空调通风管道、电气配管、给水排水管道等，由于使用上的需要而穿越防火防烟分区时，都应采取专门的措施。

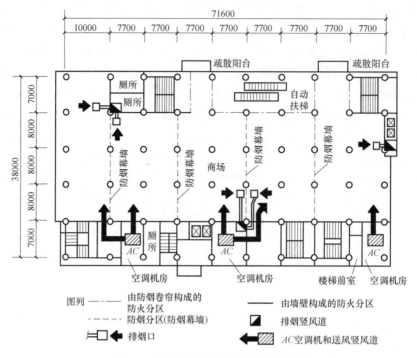

图3-2 某百货大楼防火防烟分区实例

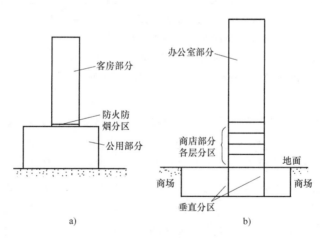

图3-3 楼层防火防烟分区实例

a）旅馆 b）办公大楼

二、加压送风防烟

1. 加压送风防烟的定义及适用场合

加压送风防烟就是用风机把一定量的室外空气送入房间或通道内，使室内保持一定压力或在门洞处造成一定流速，以避免烟气侵入。加压送风向防烟区送入室外空气，造成一定的正压，在楼梯间、前室或合用前室和走道中形成一个压力阶差，防止烟气侵入疏散通道，使空气流动方向是从楼梯间流向前室，由前室流向走道，再由走道流向室外或先流入房间再流向室外。气流流向与人流疏散方向相反，增加了疏散、援救与扑救的机会。

图3-4所示是加压送风防烟的两种情况，其中图3-4a是当门关闭时，房间内保持一定正压值，空气从门缝或其他缝隙处流出，防止了烟气的侵入；图3-4b是当门开启时，送入加压区的空气以一定的风速从门洞流出，阻止烟气流入。当流速较低时，烟气可能从上部流入室内。由上述两种情况分析可以得出，为了阻止烟气流入被加压的房间，必须做到：①门开启时，门洞有一定向外的风速；②门关闭时，房间内有一定的正压值。这也是设计加压送风系统的两条原则。加压送风是有效的防烟措施。

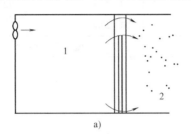 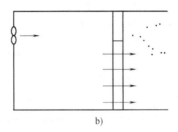

加压送风
防烟

图3-4 加压送风防烟

a) 门关闭时 b) 门开启时

加压送风防烟主要用于不符合自然排烟条件的防烟楼梯间及其前室、消防电梯前室及合用前室的防烟。另外在高层建筑的避难层也需设置机械加压送风，以防烟气侵入。

2. 加压送风量的计算

（1）压差法 当疏散通道门关闭时，加压部位保持一定的正压值所需送风量。

$$L_y = 0.287 \times F\Delta P^{1/N} \times 1.25 \times 3600 \tag{3-1}$$

式中 L_y——正压送风量（m^3/h）；

0.287——计算常数（漏风率系数）；

F——门、窗缝隙的计算漏风总面积（m^2）；

ΔP——门、窗两侧的压差值（Pa），对于防烟楼梯间取45~50Pa，对于前室、消防电梯前室、合用前室取25~30Pa；

N——指数，对于门缝及较大漏风面积取2，对窗缝取1.6；

1.25——不严密处附加系数。

（2）风速法 开启着火层疏散门时需要相对保持门洞处一定风速所需送风量。

$$L_y = 3600nFv\frac{1+b}{a} \tag{3-2}$$

式中 F——门、窗缝隙的计算漏风总面积（m^2）；

v——开启门洞处的平均风速（m/s），取0.6~1.0m/s；

a——背压系数，根据加压间密封程度，在0.6~1.0范围内取值；

b——漏风附加率，取0.1~0.2；

n——同时开启门的计算数量。当建筑物的层数为20层以下时取2，当建筑物的层数为20层及其以上时取3。

按以上压差法和风速法分别计算出风量，取其中较大值作为系统计算加压送风量。

（3）加压送风量控制标准 高层建筑防烟楼梯间及其前室、合用前室和消防电梯间前室的机械加压送风量应由计算确定，或按表3-2的规定确定。当计算值与本表不一致时，应按两者中较大值确定。

表3-2 加压送风量 （单位：m/s）

序号	机械加压送风部分		系统负担层数 < 20	系统负担层数 20 ~ 32
1	仅对防烟楼梯间加压（前室不送）		25000 ~ 30000	35000 ~ 40000
2	对防烟楼梯间及其合用前室分别加压	楼梯间	16000 ~ 20000	20000 ~ 25000
		合用前室	12000 ~ 16000	18000 ~ 22000
3	仅对消防电梯间前室加压		15000 ~ 20000	22000 ~ 27000
4	仅用前室及合用前室加压（楼梯间自然排烟）		22000 ~ 27000	28000 ~ 32000
5	对全封闭避难层（间）加压		按避难层净面积每 m² 不小于 30m³/h	

3. 加压送风系统的设计要点

1）加压送风系统的全压，除计算系统风道压力损失外，尚有下列余压值：防烟楼梯间为50Pa，前室或合用前室、封闭避难层为25Pa。

2）防烟楼梯间的加压送风口宜每隔2~3层设计一个，风口宜采用自垂百叶或常开式百叶风口；采用常开百叶式风口时，应在加压风机的压出管上设置止回阀，以防平时空气自然对流。

3）前室的送风口应在每层设置，且为常开风口，每个风口的有效面积按系统总风量的1/3确定。在加压风机的压出管上设置止回阀。

4）对于超高层建筑，由于热压过大，一个加压系统很难使楼梯井压力均匀，其送风系统及送风量应分段设计，在两区之间设密闭门，隔断"烟囱效应"。

5）剪刀楼梯间可合用一个风道，其风量应按两个楼梯间风量计算，送风口应分别设置。

6）机械加压送风的防烟楼梯间及合用前室，宜分别独立设置送风系统，当必须共用一个系统时，应在通向合用前室的支风管上设置压差自动调节装置。

7）加压送风道宜采用金属风道，风速不应大于20m/s。当采用内表面光滑的非金属风道时，风速不应大于15m/s，漏风量应小于10%左右。

8）加压送风机可采用轴流风机或中、低压离心风机，风机位置应有利于风量分配均衡，新风入口不受火、烟等因素威胁。

4. 防火排烟装置

常用的防火排烟装置见表3-3。

表3-3 常用的防火排烟装置

类别	名称	性能和用途
防火类	防火调节阀 FVD	70℃温度熔断器自动关闭（防火），可输出联动信号，用于通风空调系统风管内，防止火焰沿风管蔓延
	防火阀 FD	
	防烟防火阀 SFD	靠烟感器控制动作，用电信号通过电磁铁关闭（防烟）；还可用70℃温度熔断器自动关闭（防火），用于通风空调系统风管内，防止火焰沿风管蔓延

（续）

类别	名称	性能和用途
防烟类	加压送风口	靠烟感器控制动作，电信号开启，也可手动（或远距离缆绳）开启；可设280℃温度熔断器重新关闭装置，输出动作电信号；联动送风机开启。用于加压送风系统的风口，起赶烟、防烟作用
	余压阀	防止防烟超压，起卸压作用
排烟类	排烟阀	电信号开启或手动开启；输出开启电信号联动排烟机开启。用于排烟系统风管上
	排烟防火阀	电信号开启或手动开启。280℃温度熔断器重新关闭，输出动作电信号，用于排烟机吸入口处管道上
	排烟口	电信号开启，也可手动（或远距离缆绳）开启；输出电信号联动排烟机，用于排烟房间的顶棚和墙壁上，可设280℃温度熔断器重新关闭装置
	排烟窗	靠烟感器控制动作，电信号开启，也可缆绳手动开启，用于自然排烟处的外墙上
分隔类	防火卷帘	划分防火分区，用于不能设置防火墙处，水幕保护
	挡烟垂壁	划分防烟分区，手动或自动控制

三、疏导排烟

利用自然或机械作为动力，将烟气排至室外，称为排烟。排烟的目的是排除着火区的烟气和热量，不使烟气流向非着火区，以利于人员疏散和进行扑救。

1. 自然排烟

自然排烟是利用烟气产生的浮力和热压进行排烟，通常利用可开启的窗户来实现。自然排烟简单经济，但排烟效果不稳定，受着火点位置、烟气温度、开启窗口的大小、风力、风向等诸多因素的影响；自然排烟投资少，易操作，不占用空间，只要满足规范的要求应尽量采用。排烟窗可由烟感器控制，电信号开启，也可由缆绳手动开启。

（1）走道与房间的自然排烟 除建筑高度超过50m的一类公共建筑和建筑高度超过100m的居住建筑外的高层建筑中，长度超过20m且小于60m的内走道和面积超过100m² 且经常有人停留或可燃物较多的房间，有可开启窗或窗井时，可采用自然排烟。走道或房间采用自然排烟时，可开启外窗的面积不应小于走道或房间面积的2%。

（2）中庭自然排烟 中庭的防排烟比较困难，烟气流动的变化较多。当中庭高度小于12m时，可采用自然排烟，规定可开启的天窗或侧窗的面积不应小于该中庭面积的5%。

通常认为在火灾初期，烟气的温度不会很高，约60℃左右，当烟气上升时，卷吸周围空气，被持续冷却，烟气会不再上升而停留在一定水平位置，从而向同一高度层的房间扩散。所以对于高的中庭，烟气无法靠自身浮力上升到中庭顶部，可通过开启窗排出。

（3）防烟楼梯间及其前室、消防电梯前室和合用前室的自然排烟

1）除建筑高度超过50m的一类公共建筑和建筑高度超过100m的居住建筑外，靠外墙的防烟楼梯间及其前室和合用前室，宜采用自然排烟方式，如图3-5所示。如不满足自然排烟条件，应设加压送风防烟。

2）当采用自然排烟时，靠外墙的防烟楼梯间每五层可开启外窗总面积之和不应小于

$2m^2$；防烟楼梯间前室、消防电梯前室每层可开启外窗面积不应小于 $2m^2$，合用前室不应小于每层 $3m^2$。

3）当前室或合用前室采用凹廊、阳台时或前室内有两面外窗时，楼梯间如无自然排烟条件，也可不设防烟措施，如图3-6、图3-7所示。

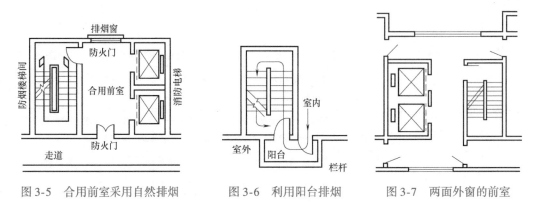

图3-5　合用前室采用自然排烟　　　图3-6　利用阳台排烟　　　图3-7　两面外窗的前室

2. 机械排烟

机械排烟利用风机的负压排出烟气，排烟效果好，稳定可靠。需设置专用的排烟口、排烟管道和排烟风机，且需专用电源，投资较大。

机械排烟系统工作可靠、排烟效果好，当需要排烟的部位不满足自然排烟条件时，则应设机械排烟。

（1）设置机械排烟设施的部位　根据《建筑设计防火规范》（GB 50016—2014）（2018版）规定，民用建筑的下列场所或部位应设置排烟设施：

1）设置在一、二、三层且房间建筑面积大于 $100m^2$ 的歌舞娱乐放映游艺场所，设置在四层及以上楼层、地下或半地下的歌舞娱乐放映游艺场所。

2）中庭。

3）公共建筑内建筑面积大于 $100m^2$ 且经常有人停留的地上房间。

4）公共建筑内建筑面积大于 $300m^2$ 且可燃物较多的地上房间。

5）建筑内长度大于20m的疏散走道。

（2）机械排烟系统划分与布置　机械排烟系统的划分与布置应遵守可靠性和经济性的原则，考虑最佳排烟效果的要求。如系统过大，则排烟口多、管路长、漏风量大、远端排烟效果差，管路布置可能出现困难，但设备少，总投资可能少一些；如系统小，则排烟口少，排烟效果好，可靠性强，但设备多，分散，投资高，维护管理不便。因此应仔细考虑论证后确定排烟系统的方案。

1）前室或合用前室通常在各层的同一位置，所以常采用竖向布置，排烟口设在各层前室邻近走道的顶部，排烟风机设于屋顶或顶层。排烟口为常闭状态，火警时用电信号开启，当排烟温度达到280℃时自动关闭。

2）内走道通常也在各层的同一位置，因此也常采用竖向布置，但如果走道太长而每个排烟口的作用距离不超过30m，需设2个以上排烟口时，可以用水平支管连接，如果走道内无法安装水平支管，则采用两个垂直系统。在风机入口设排烟防火阀（常闭状态）以防平时室外空气侵入系统。

四、空调系统防烟设计

1. 空调方式

火灾时风道成为烟气扩散通路的情况经常发生，由于空调风道直接连接于房间与房间之间，所以传播烟气的危险性甚大。另外，风道的断面积比电气或给水排水配管大，这点也是容易引起烟气传播的因素。

从防火观点看，最好不用风道，即不以空气为热媒，而是以水作为带热介质的空调方式。但是，空调方式的选择，除考虑防火之外，还要注意经济性、耐久性以及维修管理等。采用前面述及的分区（层）空调方式时，一台空调机组担负一个楼面，防火性能是理想的，然而造价偏高。根据分析，一般认为在高层建筑中一个空调系统担负 4~6 层时，投资比较经济，而防火性能尚好。

2. 空调系统上的防火、防烟装置

防火分区或防烟分区与空调系统应尽可能统一起来，并且不使空调系统（风道）穿越分区，这是最理想的。但实际上设置风道时，却常需多处穿过防火分区或防烟分区。为此在系统上要设置防火、防烟风门。

（1）防火风门（FD） 当发生火灾时，火焰侵入风道，高温使阀门上的易熔合金熔解，或易熔合金产生形变使阀门自动关闭，它被用于风道与防火分区贯通的场合。一般规定防火墙与防火风门之间的风道用 1.5mm 厚的钢板制作（使之受热而不变形）。防火阀门与前述一般风门结合使用时，可兼起风量调节的作用，则可称防火调节风门。图 3-8 所示为一般的防火风门。

（2）防烟风门（SD） 这是与烟感器连锁的风门，即通过能够探知火灾初期发生的烟气的烟感器来关闭风门，以防止其他防火分区的烟气侵入本区。这种风门如图 3-9 所示，是由电动机或电磁机驱动的自动风门，它比防火门的价格要高。如果在这种阀门上加上易熔合金，则可使之兼起防火的作用，故称防烟防火风门（SFD）。有些国家或地方的防火规范规定：对于连接两层以上楼层的风道的连接处，均应设置防火防烟风门。图 3-10 所示即在空调系统上设置防火、防烟风门实例。

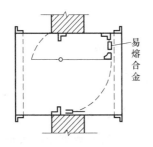

图 3-8 一般的防火风门（FD）

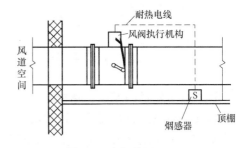

图 3-9 防烟风门（SD）

国内现在生产把防火、防烟和风量调节三者结为一体的风门，称防火防烟调节阀。它既与烟感器通过电信号联动，又受温度熔断器控制，也可通过手动使阀门瞬时严密关闭。温度熔断器更换后，可手动复位。

3. 把空调系统在火灾时改变为排烟系统

为了充分发挥空调系统的作用，应该考虑用它在火灾时转为排烟系统的问题。当其做此

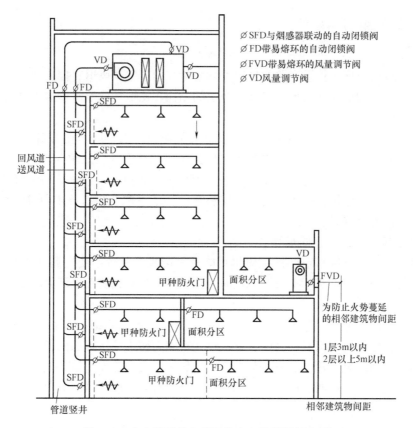

图 3-10 在空调系统上设置防火、防烟风门实例

改变时，一般可将房间上部的送风口作为排烟口。为了使烟气不经过空调器，应设置排烟用旁通风道，以免高温烟气损坏空调设备和通过空调箱向其他部位蔓延。同时各转换气流调节装置应尽可能采用遥控方式，还要在排烟口（原送风口）处设自动关闭的装置，当烟气温度超过 280℃ 时能自动关闭。此外还应增加钢板风道的厚度，且风管保温材料必须采用不燃材料，还应选用耐高温的风机等。

第三节　地下建筑的通风防排烟

随着社会经济的发展、城市人口的增长，人类不断向高层及地下拓展着自己的生存空间，但是，这两类特殊建筑，特别是地下建筑一旦发生火灾，其构筑上的特点与地面建筑有很大的差异，形成火灾后不利于人员安全疏散和火灾扑救，容易造成更严重的人员伤亡和财产损失，因此，地下建筑的防火比地面建筑防火更为重要。

地下建筑是指建筑整个主体在地下，用于生产、储存、停放车辆、布置商业网点，并由地下通道连接起来的地下群体。我国地下建筑工程开始于 20 世纪 50 年代，60 年代兴建人防公共工程（商店、旅馆、医院、电影院等）、图书馆、档案馆、广播电台的地下建筑日益增多，并且逐渐向大规模、多功能发展，建筑标准越来越高，层数也越来越多。地下建筑具有出入口少、通风量小、比较隐蔽、封闭性强等特点。

一、地下建筑火灾的特点

1. 火场温度高，烟气大，不易散出

由于地下建筑面积大，没有窗户，与外部相连通道不多，发生火灾后，烟气在封闭空间内排不出去，热量集聚，散热困难，地下空间温度提高快，可能较早地出现全面点燃（骤燃）现象，烟热危害严重。

（1）火灾时产生大量高温烟气 由于出口少，烟气不易散出，随着地下空间烟气的增加，进入的空气量逐渐减少，中性层面不断降低。一部分排出的烟气，稍一冷却又会被吸入地下空间，这更增加了烟气的浓度，使能见度降低，室内漆黑一团。此外，由于地下缺氧，只要局部有阴燃存在，浓烟就会有增无减。

（2）产生再生火源 由于空气膨胀，高温烟气流经途中，加热可燃物木板等日常用品，使其达到着火点，形成再生火源。另外还有一种可能，在温度高达500℃以下的烟气中，含有一定量的可燃物分解产物，在流经途中遇到新鲜空气，易发生自燃或轰燃现象，极有可能出现第二火场、第三火场。

（3）地下空气压力的作用，形成烟压 由于地下空间的压力随温度升高而增大，当火势发展到一定程度时，形成一种附加的自燃热风压，即"烟压"。烟压的出现，会使地下建筑原有的通风系统遭到严重的破坏，使地下原有风流反向逆流，加速火势蔓延。

2. 毒气重

（1）浓烟聚集，释放困难

1）汽车、塑料、日用百货等高分子材料发生火灾后，释放大量有毒气体。竹板起火后往往处于不完全燃烧状态，烟雾浓，发烟量大。

2）地下建筑出入口纵深长且狭窄，大量烟雾只能从通车道向外涌出，与地面空气对流速度减缓。

3）起火后地下电源已被切断，通风、空调系统不能发挥应有效能，失去通风排烟功能。

4）地下洞口有"吸风"效应，向外洞口扩散的烟雾部分又从洞口卷吸进去，当地下火势不猛烈时，这种现象更为明显。

（2）地下供氧严重不足 在正常情况下，空气含氧量一般为21%，可燃物燃烧时要消耗大量的氧，地下通风不良缺少新鲜空气补充，加之浓烟充斥，使地下空间内的含氧量明显下降，造成地下人员窒息伤亡。

3. 疏散困难

1）高温、烟气阻碍人员疏散。地下建筑发生火灾后，一般温度高、烟气浓，人员行动时，烤得呛得使人难以忍受。

2）人员拥挤，疏散困难。地下建筑发生火灾后，人们心里惊慌，逃生心切，往往都向同一个方向逃窜，拥挤在一起疏散作业难度大。

3）火灾时，平时的出入口在没有排烟设施的情况下，很有可能会变成喷烟口。同时初起火灾浓烟的扩散方向，往往与人员的疏散方向一致，而且烟的扩散速度比人群疏散速度快。因此，无法逃避高温浓烟的危害，出入口少、窄，疏散时间长，烟火封锁通车道，逼迫人们另找出口或急需专门营救。

4）车辆疏散困难。由于车辆停放密集，加上驾驶员锁好车门后不在现场，不利于疏散车辆；另外还有车辆油路在热传播作用下，出现气阻现象，即使驾驶员在场车辆也难发动行走，堵塞主要通道，妨碍其他车辆疏散。

4. 组织灭火的时间长

消防人员深入地下建筑救人或灭火，均需佩戴防毒面具，携带照明工具，使用安全绳等。相对来说比地面灭火准备需要的时间要长。

二、地下建筑的通风防排烟

高层建筑地下室面积大，层数多为 1～3 层，除大部分用作地下车库外，常设置部分设备用房，如高低配电室等，地下层还应设滤毒室、进风机房、密闭通道、消毒通道、扩散室、活门室等。因此，地下室集中了水电、通风空调大部分管线，特别是通风排烟管道，尺寸大，系统多，在工程设计中有必要把平时通风管道兼作火灾时该区的排风排烟管，以减少地下室上部空间占用及风管用量，而排风排烟机合理组合及控制，对于火灾时排风排烟系统可靠地转换为排烟系统就显得很重要。

1. 地下建筑的通风方式

平时通风采用均匀排风，即地下室均匀设置排风管及排风口，平时通风用，火灾时兼作排烟风管及排烟口；地下一层考虑由车道自然进风，其他层由火灾时进风系统兼作平时进风，机械进风系统可不接送风管或接一小段风管相对集中送风，此通风方式比均匀排风或集中排风效果会好。另外，每个防火分区即对应一个排风、排烟系统及进风系统，应设置进风竖井和排风竖井，进风口应设在地面洁净处，若能与地下主楼有一定距离更好，其受火灾烟气影响会小，排风口位置应高于附楼屋面，以减少排风对地面环境影响。

2. 地下建筑的防排烟措施

通常，地下建筑的防烟和排烟问题总是紧密地联系在一起的。我们必须采取各种有效的防烟措施，设置必要的排烟设备，保证排烟需要，才能免除火灾时烟雾对人身安全的危害。

（1）地下建筑防烟措施　对于地下建筑，主要的防烟措施有：建筑材料的非燃化、增加内部房间的密闭性、设置阻烟设备和通过加压送风来防烟等。

1）建筑材料的非燃化。由于建筑材料的非燃化是从根本上杜绝烟源的一种有效措施，所以，防烟的基本做法首先是尽量使各种建筑材料和装修材料做到非燃化，这也是各国通行的普遍做法。我国在这方面也有专门的法规和规范，对各种建筑材料、室内装修材料、室内家具材料、管道保温绝热材料的非燃化问题都有明确规定，特别是对各种地下建筑要求都非常严格。非燃材料的特点是不易燃烧且发烟量很少，可使火灾时产生的烟气量大大减少。在尽量使建筑材料非燃化的同时，还应考虑建筑物内的衣物、书籍等易燃品在收藏方式方面的非燃化。通常，可以用非燃材料或难燃材料来制作壁橱或钢橱，将室内物品收藏在这些非燃或难燃的橱柜中。

2）增加内部房间的密闭性。对火灾危险性较大的房间，采用密封性能较好的墙壁和门窗将其封闭起来，对进出房间的气流加以控制，当房间一旦起火时，外部新鲜空气无法流入，可使着火房间内的燃烧因缺氧而自行熄火，从而达到防烟和灭火的目的。

3）设置阻烟设备。在烟气扩散流动的途径上设置各种阻碍设备，以防止烟气的流动和扩散。如在地下商场、展览馆、会议室、图书阅览室等较大房间的吊顶上设置垂距较大、一般在50cm左右的防烟垂壁；在室内过道的吊顶上设置玻璃垂壁；在防火防烟分区采用防烟卷帘、防火门等阻碍结构。

4）通过加压送风来防烟。在建筑物发生火灾时，对着火区以外的区域进行加压送风，使其保持一定的正压，以防止烟气的侵入，这种做法称为加压送风防烟。因为加压区域和非加压区域之间一般都有些常规的挡烟物，如墙壁、楼板及门窗等。挡烟物两侧的压差可使门窗周围的缝隙和围护结构缝隙中形成一定流速的气流，从而有效地防止烟气通过这些缝隙渗漏过来，如图3-11所示。

此外，发生火灾时，由于疏散人员和扑救火灾的需要，在靠近火区的一些门总是要打开的，有的是在疏散期间打开，有的是在整个火灾期间打开；有的是忽开忽关，有的是常开不关。如果在非燃烧房间和疏散楼梯内加压送风且达到一定压力值时，可使非燃烧区敞开门洞处的气流方向与烟气流动方向相反，从而有效地阻止烟气的倒流，保证非燃烧区和疏散楼梯内的安全，如图3-12所示。

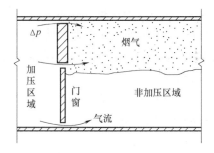

图3-11 挡烟物两侧压差防烟示意图

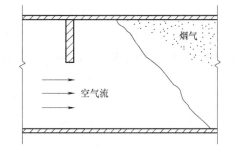

图3-12 敞开门洞处反向气流防烟示意图

挡烟物两侧
压差防烟
示意图

敞开门洞处
反向气流
防烟示意图

通过加压送风来防烟的优点是能有效地防止烟气的侵入，保持控制空间空气的新鲜。这种方法特别适用于作为疏散通道的楼梯间、电梯间及其前室的防烟。

（2）地下建筑排烟措施 地下建筑内的排烟措施可分为自然排烟和机械排烟两大类。

1）自然排烟。自然排烟是利用火灾时热气流的浮力和外部风力的作用，通过地下建筑物上部的开口部位把烟气排至室外的一种排烟方法。这种排烟方法实质上是热烟气和冷空气的一种对流，如图3-13所示。

自然排烟主要有两种方式：

① 通过排烟竖井排烟。利用人防工程改建和专门设计建造的地下商场、地下商业街、地下汽车库、地下物资仓库等，在地下建筑的顶部一般都建有若干个排烟竖井；排烟竖井开口面积的总和应不小于地

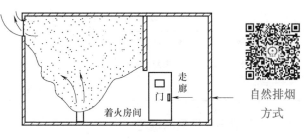

图3-13 自然排烟方式

自然排烟
方式

下建筑总面积的2%，否则达不到排烟的目的。排烟口的位置距地下设施内最远点的距离一般不大于30m。通过排烟竖井排烟，可将烟气排出室外。

②通过采光窗井进行排烟。如图3-13所示，对于设有采光窗井的附建式地下设施，可以通过开启采光的窗户进行排烟，利用采光窗井自然排烟，方法简单、运行可靠。但需要注意以下两点：一是受室外风力的影响。从自然排烟原理中得知，只有室外风速小于室内热烟气压时，才会收到好的排烟效果，即开启的窗户不要设在迎风面，否则不仅会降低排烟效果，而且还会出现烟气倒灌现象。当开启的窗户处在背风面时，风压呈负压作用，十分有利于烟气的排除。二是通过地下采光窗井排烟，火势有蔓延到上层设施的危险时，要采取必要的措施加以保护。如设置一定数量的水枪在火灾层上部进行封锁、警戒等。

2）机械排烟。机械排烟是指使用各种排烟风机进行强制排烟，这种方式不受室外条件的影响，排烟比较稳定，效果较好。它主要包括排烟风机、排烟管道、排烟口等。

排烟风机要有一定的耐热性能，在280℃时能连续工作30min。排烟风机外壳至墙壁或其他设备的距离一般在60cm以上。

3. 地下建筑排风排烟机及进风机设置

排风排烟机可选离心风机或者高温轴流风机。普通离心风机即可满足排风排烟要求，但大风量离心风机只能安装在地面，占地较大，需要较大机房，高温轴流风机为消防专用风机，也能满足在280℃烟温下运行30min的要求，而高温轴流风机体积小，一般可吊装，若设备机房面积也小，实际工程设计中，往往采用高温轴流风机排烟。

地下室机械进风系统的送风机可选一般低噪轴流风机，在轴流风机与竖井连接处应设置70℃防火阀，以防止层与层之间火、烟串通，进风机风量为排烟风量的一半。

三、地下汽车库的通风防排烟

近年来，我国城市汽车数量迅猛增加，地下车库的设计项目也迅速增多。地下车库的通风和排烟问题，尤其是二者兼用等问题也受到人们的普遍关注。

1. 防火防烟分区划分

根据《汽车库、修车库、停车场设计防火规范》（GB 50067—2014），汽车库应设防火墙划分防火分区。每个防火分区的最大允许建筑面积应符合表3-4规定。设置自动灭火的汽车库，其每个防火分区的最大允许建筑面积不应大于表3-4规定的2.0倍。防烟分区的建筑面积不宜大于2000m²，且防烟分区不应跨越防火分区。防烟分区可采用挡烟垂壁、隔墙或从顶棚下突出不小于0.5m的梁划分。

表3-4　汽车库防火分区的最大允许建筑面积　　　　　（单位：m²）

耐 火 等 级	单层汽车库	多层汽车库、半地下汽车库	地下汽车库、高层汽车库
一、二级	3000	2500	2000
三级	1000	不允许	不允许

2. 排风量与排烟量的确定

地下车库着火时产生的烟气需要很快被置换出去（从而也有相同数量的新鲜空气进

入）。通常有两种方法计算风量，第一种是按稀释有害物至满足卫生要求的允许浓度来确定。第二种是按房间通风换气次数来确定排风量。

汽车库、修车库内每个防烟分区排烟风机的排烟量不应小于表3-5的规定。

表3-5　汽车库、修车库内每个防烟分区排烟风机的排烟量

汽车库、修车库的 净高/m	汽车库、修车库的 排烟量/（m³/h）	汽车库、修车库的 净高/m	汽车库、修车库的 排烟量/（m³/h）
3.0及以下	30000	7.0	36000
4.0	31500	8.0	37500
5.0	33000	9.0	39000
6.0	34500	9.0以上	40500

注：建筑空间净高位于表中两个高度之间的，按线性插值法取值。

3. 排烟口与排风口的确定

由于烟气密度比常温空气密度小，所以排烟口布置在车库上方较合适。原因有四点：

1）汽车有害物的大部分，其中包括 CO（一氧化碳）的 98%~99%，C_mH_n（碳氢化合物）的 55%~65% 和 NO_x（氮氧化物）的 98%~99% 都是从尾气散发出来的，而尾气的排放温度高达 500~550℃，高温的排放气流产生很大的浮力，很难设想尾气会滞留在车库下部。

2）尚有 1%~2% 的 CO 和 NO_x 以及 25% 的 C_mH_n 从曲轴箱排出，有 10%~20% 的 C_mH_n 从燃油系统排出，这两部分排放物虽然温度不像尾气那么高，且 NO_x 也比空气密度大些，但这些有害物是在发动机工作时才排放的，而发动机工作时汽车处于行驶状态，车库的气流随着车子进进出出处于强烈扰动与混合状态，尾气也处于汽车后部的涡流之中，所以排放物并不会沉积于车库下方。而那些停稳放好的汽车，其发动机已经关闭，没有什么有害物排出了。

3）有实测数据证明，用通风换气的办法将汽车排出的 CO 稀释到容许浓度时，NO_x 和 C_mH_n 远远低于它们相应的允许浓度。也就是说，只要保证 CO 浓度排放达标，其他有害物即使有一些分布不均匀，也有足够的安全系数保证将其通过排风带走。

4）高层建筑的地下车库一般只为停放轿车、最多是面包车设计的，车库净高只有 2.2~2.8m 左右，将风口布置在车库上部，则系统既能满足火灾时的排烟要求，也能满足日常排风的要求。

4. 送风系统

从防火角度看，设置了机械排烟系统的地下车库，应同时设置进风系统，且送风量不宜小于排烟量的 50%。另一方面，从稀释有害物的角度看，排风量不小于 6 次/h 换气次数时，送风量不小于 5 次/h 换气次数，这一送风量既可以满足需要，又不至于使车库内负压过大。所以对于合二而一的机械排烟排风系统，在其排风量取为 6 次/h 换气次数的情况下，相应的机械进风系统的送风量按 5 次/h 换气确定。

本 章 小 结

本章主要介绍建筑火灾与防火排烟设计的有关知识。首先简单介绍了火灾对人类生命和财产的危害性。然后介绍了火灾烟气的成分及其三大危害：毒害性、遮光作用和高温危害；

分析了火灾烟气的流动规律及影响火灾烟气流动的四大主要因素："烟囱效应"、浮力作用、热膨胀和风力作用。接下来，详细介绍了控制火灾烟气的主要措施，包括划分防火分区和防烟分区的目的和划分方法；加压送风防烟的定义及适用场合、加压送风量的计算方法、加压送风系统的设计要点及常见的防火排烟装置；疏导排烟中自然排烟和机械排烟的设置方法；以及空调系统防烟设计。最后，详细讲述了地下建筑的通风和防排烟，介绍了地下建筑火灾的特点；地下建筑的通风方式和防排烟措施；地下汽车库的通风与防排烟。

习题与思考题

1. 什么是火灾烟气？其主要成分是什么？
2. 火灾烟气主要有哪些危害？
3. 火灾烟气流动与哪些因素有关？
4. 火灾烟气的控制措施有哪些？
5. 在建筑设计中进行防火分区的目的是什么？如何划分防火分区？
6. 如何划分防烟分区？
7. 什么是加压送风防烟？加压送风防烟适用于哪些场合？
8. 什么是疏导排烟？其目的是什么？
9. 自然排烟与机械排烟各有何优缺点？
10. 空调系统如何进行防烟设计？
11. 地下建筑火灾具有哪些特点？
12. 地下建筑应采用什么通风方式？
13. 地下建筑应采取哪些防烟措施和排烟措施？
14. 地下车库着火时所需风量如何确定？
15. 地下车库的排烟口应布置在什么地方？为什么？

第四章 湿空气的焓湿图及应用

【学习目标】

1. 熟悉湿空气各状态参数的含义，了解各状态参数的计算方法。
2. 熟悉湿空气的 $h\text{-}d$ 图，掌握热湿比的计算方法以及在 $h\text{-}d$ 图上的表示方法。
3. 掌握湿球温度和露点温度在 $h\text{-}d$ 图上的表示方法。
4. 熟悉湿空气状态变化过程在 $h\text{-}d$ 图上的表示。
5. 掌握不同状态空气的混合在 $h\text{-}d$ 图上的确定方法。

创造满足人类生产、生活和科学实验所要求的空气环境是空气调节的任务。湿空气既是空气环境的主体，又是空气调节的对象，因此熟悉湿空气的物理性质及焓湿图，是掌握空气调节的必要基础。

第一节 湿空气的物理性质

一、湿空气的组成

大气是由干空气和一定量的水蒸气混合而成的，称其为湿空气。干空气是由氮、氧、氩、二氧化碳、氖、氦和其他一些微量气体组成的混合气体。干空气的多数成分比较稳定，只有少数成分随季节、地理位置、海拔高度等因素的变化有所波动，但总体上可将干空气作为一个稳定的混合物来对待。湿空气中水蒸气的含量很少，但其变化却对空气环境的干燥和潮湿程度产生重要影响，且使湿空气的物理性质随之改变。因此，研究湿空气中水蒸气含量的调节在空气调节中占有重要地位。

此外，地球表面的湿空气中还含有尘埃、烟雾、微生物以及化学排放物，它们不影响湿空气的物理性质，因而本章不涉及这些内容。

二、湿空气的状态参数

在热力学中，常温常压下的干空气可视为理想气体，而湿空气中的水蒸气一般处于过热状态，且含量很少，也可近似地视为理想气体。所以，由干空气和水蒸气组成的湿空气也具有理想气体的特性，并且可用理想气体状态方程来表示干空气和水蒸气的主要状态参数——压力、温度、比体积等的相互关系，即

$$P_g V = m_g R_g T \quad \text{或} \quad P_g v_g = R_g T \tag{4-1}$$

$$P_q V = m_q R_q T \quad \text{或} \quad P_q v_q = R_q T \tag{4-2}$$

式中 P_g、P_q——干空气及水蒸气的分压力（Pa）；

V——湿空气的总体积（m^3）；

m_g、m_q——干空气及水蒸气的质量（kg）；

T——湿空气的热力学温度（K）；

R_g、R_q——干空气及水蒸气的气体常数[J/(kg·K)]；

v_g、v_q——干空气及水蒸气的比体积（m^3/kg）。

1. 压力

（1）大气压力　地球表面单位面积上的空气压力称为大气压力，常用 B 表示，单位为帕（Pa）或千帕（kPa）。大气压力不是一个定值，它随着各地海拔高度的不同而存在差异，还随季节、气候的变化稍有变化。由于空气的状态参数随大气压力的不同而不同，因此在空调系统的设计和运行中，一定要考虑当地大气压力的大小，否则就会造成一定的误差。

（2）水蒸气分压力　湿空气中，水蒸气分压力是指水蒸气独占湿空气的容积，并具有与湿空气相同的温度时所具有的压力。

根据道尔顿分压力定律，湿空气的压力应等于干空气和水蒸气的分压力之和，即

$$B = P_g + P_q \tag{4-3}$$

水蒸气分压力的大小直接反映了水蒸气含量的多少。

2. 含湿量

含湿量是指对应于 1kg 干空气的湿空气中所含有的水蒸气量，用 d 表示，单位是 kg/kg（干空气）或 g/kg（干空气）。

$$d = \frac{m_q}{m_g} = \frac{R_g P_q}{R_q P_g}$$

$$d = 0.622 \frac{P_q}{P_g} = 0.622 \frac{P_q}{B - P_q} \tag{4-4}$$

3. 相对湿度

在一定温度下，湿空气中所能容纳的水蒸气量是有一定限度的，超过了这个限度，多余的水蒸气就会从湿空气中凝结出来。这种含有最大限度水蒸气量的湿空气称为饱和空气。饱和空气所具有的水蒸气分压力和含湿量分别称为该温度下的饱和水蒸气分压力 $P_{q·b}$ 和饱和含湿量 d_b。饱和水蒸气分压力和饱和含湿量随温度的变化而变化，表4-1 中列出了常用的几个数据。

表4-1　空气温度与饱和水蒸气分压力及饱和含湿量的关系

空气温度 t/℃	饱和水蒸气分压力 $P_{q·b}$/Pa	饱和含湿量 d_b/[g/kg（干空气）]（B=101325Pa）
10	1225	7.63
20	2331	14.70
30	4232	27.20

相对湿度是指在某一温度下，湿空气的水蒸气分压力与同温度下饱和水蒸气分压力的比值，用 φ 表示，即

$$\varphi = \frac{P_q}{P_{q·b}} \times 100\% \tag{4-5}$$

由式（4-5）可知，相对湿度反映了湿空气中水蒸气接近饱和含量的程度，即湿空气接近饱和的程度。φ 越小，湿空气接近饱和的程度越小，空气越干燥，吸收水蒸气的能力越

强；φ 越大，湿空气接近饱和的程度越大，空气越湿润，吸收水蒸气的能力越弱。$\varphi = 0$ 时，空气为干空气；$\varphi = 100\%$ 时，空气为饱和空气。

相对湿度和含湿量都是表征湿空气湿度的参数，但两者的意义却不同：相对湿度反映湿空气接近饱和的程度，却不能表示水蒸气的含量；含湿量可以表示水蒸气的含量，却不能表示湿空气接近饱和的程度。二者的关系可用下式表示：

$$d = 0.622 \frac{P_q}{B - P_q} = 0.622 \frac{\varphi P_{q \cdot b}}{B - \varphi P_{q \cdot b}} \tag{4-6}$$

4. 焓

在空调工程中，湿空气的状态经常发生变化，常需要确定湿空气状态变化过程中发生的热交换量。由工程热力学理论可知，在定压过程中，空气初、终状态的焓差就反映了状态变化过程中热量的变化。因为在空调工程中，空气的压力变化一般很小，可近似看做定压过程，所以，湿空气状态变化前后的热量变化可用它们的焓差来计算。

湿空气的焓是以 1kg 干空气为计算基础的。1kg 干空气的焓和 $d$kg 水蒸气的焓的总和，称为 $(1 + d)$kg 湿空气的焓，用 h 表示，单位为 kJ/kg（干空气），即

$$h = h_g + d h_q \tag{4-7}$$

式中　h_g——1kg 干空气的焓 [kJ/kg（干空气）]；

　　　h_q——1kg 水蒸气的焓 [kJ/kg（水蒸气）]；

$$h_g = c_{p \cdot g} \cdot t = 1.01t \tag{4-8}$$

$$h_q = c_{p \cdot q} \cdot t + 2500 = 1.84t + 2500 \tag{4-9}$$

式中　$c_{p \cdot g}$——干空气的比定压热容，常温下取 1.01kJ/（kg·℃）；

　　　$c_{p \cdot q}$——水蒸气的比定压热容，常温下取 1.84kJ/（kg·℃）；

　　　2500——0℃时水的汽化热（kJ/kg）。

将式（4-8）、式（4-9）代入式（4-7）中可得湿空气焓的计算式，即

$$h = 1.01t + d(2500 + 1.84t) \tag{4-10}$$

或

$$h = (1.01 + 1.84d)t + 2500d \tag{4-11}$$

由式（4-10）、式（4-11）可以看出，湿空气的焓随温度和含湿量的变化而变化，当温度和含湿量升高时，焓值增加；反之，焓值降低。而在温度升高，含湿量减少时，焓值不一定增加。

5. 密度

单位容积的空气所具有的质量称为空气的密度，用 ρ 表示，单位为 kg/m³。

湿空气的密度等于干空气的密度 ρ_g 与水蒸气的密度 ρ_q 之和，即

$$\rho = \rho_g + \rho_q = \frac{P_g}{R_g T} + \frac{P_q}{R_q T} = 0.003484 \frac{B}{T} - 0.00134 \frac{P_q}{T} \tag{4-12}$$

由上式可知，湿空气的密度随水蒸气分压力的升高而降低，因此湿空气比干空气轻。空气温度越高，密度越小，大气压力越低，因此同一地区夏季比冬季气压低。

【例 4-1】　已知当地大气压力 $B = 101325$Pa，温度 $t = 20℃$，试计算①干空气的密度；②相对湿度为 80% 的湿空气密度。

【解】　（1）已知干空气的气体常数 $R_g = 287$J/（kg·K），干空气的压力为大气压力 B，所以

$$\rho_g = \frac{B}{R_g T} = \frac{101325}{287 \times 293} \text{kg/m}^3 = 1.205 \text{kg/m}^3$$

（2）由表4-1查得，20℃时的水蒸气饱和压力为 $P_{q \cdot b} = 2331 \text{Pa}$，代入式（4-12）得

$$\rho = 0.003484 \frac{B}{T} - 0.00134 \frac{P_q}{T} = 0.003484 \frac{B}{T} - 0.00134 \frac{\varphi P_{q \cdot b}}{T}$$

$$= \left(0.003484 \frac{101325}{293} - 0.00134 \frac{0.8 \times 2331}{293} \right) \text{kg/m}^3$$

$$= 1.196 \text{kg/m}^3$$

【例4-2】 试计算30℃条件下，大气压力为101325Pa，相对湿度为60%的湿空气的含湿量和焓值。

【解】 在 $B = 101325 \text{Pa}$ 时，查表4-1得，$t = 30℃$ 的饱和水蒸气分压力为4232Pa，按式（4-6）可得含湿量为

$$d = 0.622 \frac{\varphi P_{q \cdot b}}{B - \varphi P_{q \cdot b}} = \left(0.622 \times \frac{0.6 \times 4232}{101325 - 0.6 \times 4232} \right) \text{kg/kg（干空气）}$$

$$= 0.016 \text{kg/kg（干空气）}$$

湿空气的焓为

$$h = 1.01t + d(2500 + 1.84t)$$
$$= [1.01 \times 30 + 0.016 \times (2500 + 1.84 \times 30)] \text{kJ/kg（干空气）}$$
$$= 71.18 \text{kJ/kg（干空气）}$$

第二节　湿空气的焓湿图

在空气调节中，经常需要确定湿空气的状态及其变化过程。湿空气的状态参数可以通过上节介绍的公式来计算或查已经计算好的湿空气性质表（见附录B）确定，但在空气调节工程中，为了避免繁琐的公式计算，同时又能直观地描述湿空气状态变化过程，常用线算图来表示湿空气的状态参数之间的关系。

这里主要介绍我国现在使用的焓湿图。

一、焓湿图

焓湿图是以焓 h 与含湿量 d 为纵横坐标绘制而成的，也常称 h-d 图，如图4-1和附录C（见本书最后插页）所示。湿空气的状态取决于 B、d、t 三个基本参数，因此应该有三个独立的坐标，但可以选定大气压力 B 为已知，因为焓 h 与温度 t 有关，为了便于使用，用焓 h 代替温度 t。取焓 h 为纵坐标，含湿量 d 为横坐标，取 $t = 0$ 和 $d = 0$ 的干空气状态点为坐标原点，为使图全面展开、线条清晰，两坐标之间的夹角由常用的90°扩展为等于或大于135°。在实际使用中，为了避免图面过长，常把 d 坐标改为水平线。

1. 等温线

等温线是根据公式 $h = 1.01t + d(2500 + 1.84t)$ 制作而成的。

由公式可知，当温度 t 为常数时，h 和 d 成线性关系，只需给定两个值，即可确定一线。

t 不同时斜率不同，因此等温线是一组互不平行的直线。但由于温度 t 对斜率的影响不显著，所以等温线又近似看做是平行的，如图 4-2 所示。

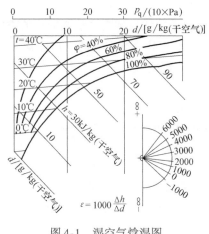

图 4-1　湿空气焓湿图

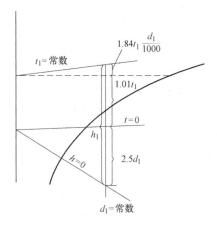

图 4-2　等温线在焓湿图上的确定

2. 等相对湿度线

根据公式 $d = 0.622 \dfrac{\varphi P_{\text{q·b}}}{B - \varphi P_{\text{q·b}}}$ 可以绘制出等相对湿度线。饱和水蒸气分压力 $P_{\text{q·b}}$ 是温度 t 的单值函数，其值可从附录 B 或水蒸气性质表中查取，因此在一定的大气压力 B 下，$d = f(\varphi, t)$。这样当 φ 取一系列常数时，即可根据 d 与 t 的关系在 h-d 图上绘制出等 φ 线。

等 φ 线是一组发散形曲线。$\varphi = 0\%$ 的等 φ 线是纵坐标，$\varphi = 100\%$ 的等 φ 线是湿空气的饱和状态线。以 $\varphi = 100\%$ 线为界，上方为湿空气区，$\varphi < 1$，水蒸气处于过热状态，其状态稳定；下方为湿空气的过饱和区，过饱和状态不稳定，常有凝结现象，又称为"结雾区"，在 h-d 图上不表示出来。

3. 水蒸气分压力线

公式 $d = 0.622 \dfrac{P_{\text{q}}}{B - P_{\text{q}}}$ 可变换为 $P_{\text{q}} = \dfrac{Bd}{0.622 + d}$。当大气压力 B 一定时，水蒸气分压力 P_{q} 是含湿量 d 的单值函数，每给定一个 d 值就可以得到相应的 P_{q} 值。因此，可在 d 轴的上方绘一条水平线，标上 d 值对应的 P_{q} 值即为水蒸气分压力线。

4. 热湿比线

在空气调节中，被处理的空气常常由一个状态 A 变为另一个状态 B，在 h-d 图上连接状态点 A 和状态点 B 的直线就代表了湿空气的状态变化过程，如图 4-3 所示。为了说明湿空气状态变化前后的方向和特征，常用湿空气状态变化前后的焓差与含湿量差的比值来表征，称为热湿比 ε，即

$$\varepsilon = \frac{h_{\text{B}} - h_{\text{A}}}{d_{\text{B}} - d_{\text{A}}} = \frac{\Delta h}{\Delta d} \qquad (4\text{-}13)$$

如有 A 状态的湿空气，其热量（Q）变化（可正可负）和

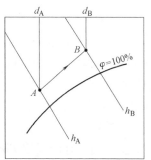

图 4-3　空气状态变化在
焓湿图上的表示

湿量（W）变化（可正可负）已知，则其热湿比应为

$$\varepsilon = \frac{Q}{W} \tag{4-14}$$

式中，Q 的单位为 kJ/h，W 的单位为 kg/h。热湿比的正负代表湿空气状态变化的方向。

在 h-d 图的右下方列出了不同 ε 值的等值线。如果 A 状态湿空气的 ε 值已知，则可过 A 点作平行于 ε 等值线的直线，这一直线就代表了 A 状态湿空气在一定热湿作用下的变化方向。

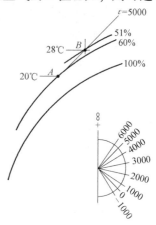

【例4-3】 已知大气压力 B = 101325Pa，湿空气初状态参数为 t_A = 20℃，φ_A = 60%，当该状态的空气吸收 10000kJ/h 的热量和 2kg/h 的湿量后，相对湿度为 φ_B = 51%，试确定湿空气的终状态。

【解】 在大气压力为 101325Pa 的 h-d 图上，根据 t_A = 20℃，φ_A = 60%，可以确定初状态点 A（图4-4）。

求热湿比

$$\varepsilon = \frac{Q}{W} = \frac{10000}{2} \text{kJ/kg} = 5000 \text{kJ/kg}$$

图4-4　例4-3图

过 A 点作与等值线 ε = 5000kJ/kg 的平行线，即为 A 状态变化的过程线，该线与 φ_B = 51% 的等 φ 线的交点即为湿空气的终状态点 B，由图查得 B 点的状态参数为

t_B = 28℃，d_B = 12g/kg（干空气），h_B = 59kJ/kg（干空气）。

5. 大气压力变化对 h-d 图的影响

根据公式 $d = 0.622\dfrac{\varphi P_{\text{q·b}}}{B - \varphi P_{\text{q·b}}}$ 可知，当 φ = 常数，B 增大，d 则减少，反之 d 则增加，绘制出的等 φ 线也不同，如图4-5所示。所以，在实际应用中，应采用符合当地大气压力的 h-d 图。当大气压力的差值小于 2kPa 时，相对湿度 φ 值的差别一般小于 2%，这时大气压力不同的地区允许采用同一个 h-d 图。

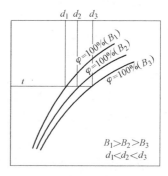

图4-5　相对湿度线随大气压力变化图

二、湿球温度和露点温度

1. 湿球温度

（1）湿球温度介绍　图4-6所示是两只测量空气温度的温度计，其中一只温度计的感温包上裹有纱布，纱布的下端浸在盛有水的容器中，在纱布纤维的毛细作用下，纱布处于湿润状态，此温度计称为湿球温度计，所测量的温度称为空气的湿球温度。另一只没有包裹纱布的温度计称为干球温度计，所测量的温度称为空气的干球温度，也就是空气的实际温度。

湿球温度计的读数实际上反映了湿球纱布中水的温度。假如开始时纱布上的水温和空气温度一样，那么湿球温度计的读数和干球温度计的读数一样，这时空气的相对湿度达到 100%。但是，当空气的相对湿度 φ < 100% 时，纱布上的水分就会蒸发，吸收汽化热，使纱

布上的水温下降。一旦纱布的温度低于空气的温度，热量就会从温度高的空气传给温度低的纱布。当湿球纱布上的水温降低到某一温度时，空气对纱布的传热量正好等于蒸发一定水分所需要的汽化热，这时，纱布上的水温不再继续下降，这一热平衡下的水温就称为该状态空气的湿球温度。

（2）湿球温度在 h-d 图上的表示 当空气流经湿球时，湿球表面的水与空气存在热湿交换。该热湿交换过程中，空气状态发生变化，热湿比为

$$\varepsilon = \frac{\Delta h}{\Delta d} = 4.19 t_s \tag{4-15}$$

在 h-d 图上 $\varepsilon = 4.19 t_s$ 的过程线即为等湿球温度线。

在空调工程中，$t_s \leqslant 30℃$ 时，热湿比 $\varepsilon = 4.19 t_s$ 的过程线与 $\varepsilon = 0$ 的等焓线非常接近，因此，用等焓线代替等湿球温度线所造成的计算误差很小，所以，实际工程中，可以近似认为等焓线即为等湿球温度线，如图 4-7 所示。

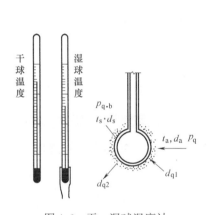

图 4-6 干、湿球温度计

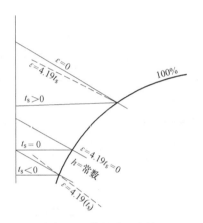

图 4-7 等湿球温度线

【例 4-4】 已知 $B = 101325\text{Pa}$，用通风式干、湿球温度计测得 $t = 40℃$，$t_s = 25℃$，试在 h-d 图上确定该湿空气的状态（h、d、φ）。

【解】 在 $B = 101325\text{Pa}$ 的 h-d 图上，由 $t_s = 25℃$ 和 $\varphi = 100\%$ 的饱和线相交得到 B 点，过 B 点作等焓线与 $t = 40℃$ 的等温线相交于 A 点，该点即是所求湿空气的状态点（图 4-8），由 h-d 图可知 $\varphi_A = 30\%$，$h_A = 76\text{kJ/kg}$，$d_A = 0.014\text{kg/kg}$（干空气）。

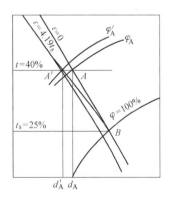

图 4-8 根据干、湿球温度确定空气状态

A 点实际上是近似的空气状态点。过 B 点作 $\varepsilon = 4.19 t_s = (4.19 \times 25)\text{kJ/kg} = 104.75\text{kJ/kg}$ 的热湿比线与 $t = 40℃$ 的等温线相交于 A' 点，A' 点才是真正的状态点。由 h-d 图可查得 $\varphi'_A = 29.9\%$，$h'_A = 75\text{kJ/kg}$，$d'_A = 0.0138\text{kg/kg}$（干空气）。

比较所得结果发现，两者之间的误差很小。在工程计算中为方便起见，用近似方法即可。

2. 露点温度

湿空气的露点温度是指在含湿量不变的条件下，湿空气达到饱和时的温度。将未饱和的空气冷却，并保持其含湿量不变，随着空气温度的降低，所对应的饱和含湿量也降低，因此空气的相对湿度增大，当温度降低至 t_1 时，空气的相对湿度达到100%，此时，空气的含湿量达到饱和，如果空气的温度继续下降，则会有凝结水出现。把 t_1 称为该状态空气的露点温度，即在 $h\text{-}d$ 图上由 A 沿等 d 线向下与 $\varphi = 100\%$ 线交点的温度，如图4-9所示。

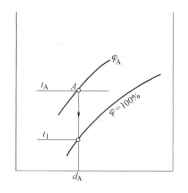

图4-9 露点温度在焓湿图上的表示

第三节 焓湿图的应用

湿空气的焓湿图不仅能表示空气的状态和各状态参数，同时还能表示湿空气状态的变化过程，并能方便地求得两种或多种湿空气的混合状态。

一、湿空气状态变化过程在 $h\text{-}d$ 图上的表示

1. 等湿加热过程

空气调节中常用表面式加热器或电加热器对空气进行加热处理，空气温度升高而含湿量不变。因此，空气状态变化是等湿、增焓、升温的过程。在 $h\text{-}d$ 图上这一过程可表示为 $A\to B$ 的过程（图4-10），其热湿比为

$$\varepsilon = \frac{\Delta h}{\Delta d} = \frac{h_B - h_A}{d_B - d_A} = \frac{h_B - h_A}{0} = +\infty$$

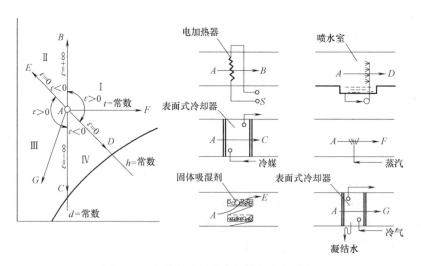

图4-10 几种典型的湿空气状态变化过程

2. 等湿冷却过程

利用冷冻水或其他冷媒，通过冷表面对湿空气进行冷却处理，当冷表面温度高于或等于湿空气的露点温度时，空气的温度降低，但含湿量不变。空气状态变化是等湿、减焓、降温的过程。在 h-d 图（图4-10）上这一过程可表示为 $A \rightarrow C$ 的过程，其热湿比为

$$\varepsilon = \frac{\Delta h}{\Delta d} = \frac{h_C - h_A}{d_C - d_A} = \frac{h_C - h_A}{0} = -\infty$$

3. 等焓加湿过程

用喷水室喷循环水处理空气时，水吸收空气的热量蒸发形成水蒸气进入空气，使空气在失去部分显热的同时，增加了潜热量，空气的焓值基本不变，只是略增加了水带入的液体热，近似于等焓过程，因此称为等焓加湿过程。在 h-d 图（图4-10）上这一过程可表示为 $A \rightarrow D$的过程，其热湿比为

$$\varepsilon = \frac{\Delta h}{\Delta d} = \frac{h_D - h_A}{d_D - d_A} = \frac{0}{d_D - d_A} = 0$$

4. 等焓减湿过程

用固体吸湿剂干燥空气时，水蒸气被吸湿剂吸附，空气含湿量降低，而水蒸气凝结时放出的汽化热使空气的温度升高，空气的焓值基本不变，只是略减少了水带走的液体热，其过程近似于等焓减湿过程。在 h-d 图（图4-10）上这一过程可表示为 $A \rightarrow E$ 的过程，其热湿比为

$$\varepsilon = \frac{\Delta h}{\Delta d} = \frac{h_E - h_A}{d_E - d_A} = \frac{0}{d_E - d_A} = 0$$

5. 等温加湿过程

通过向空气中喷入蒸汽而实现。空气中增加水蒸气后，焓值和含湿量都将增加，焓的增加值为加入蒸汽的全热量，即

$$\Delta h = \Delta d \cdot h_q$$

式中 Δd——每千克干空气增加的含湿量 [kg/kg(干空气)]；

h_q——水蒸气的焓（kJ/kg），$h_q = 2500 + 1.84t_q$。

此过程的热湿比为

$$\varepsilon = \frac{\Delta h}{\Delta d} = \frac{\Delta d \cdot h_q}{\Delta d} = h_q = 2500 + 1.84t_q$$

如果喷入蒸汽的温度为100℃左右，则 $\varepsilon \approx 2684$，该过程近似于沿等温线变化，故为等温加湿过程。在 h-d 图（图4-10）上这一过程可表示为 $A \rightarrow F$ 的过程。

6. 减湿冷却过程

利用喷水室或表面式冷却器处理空气时，若冷水温度或冷表面温度低于湿空气的露点温度，空气中的水蒸气将凝结为水，使空气的含湿量降低，空气的状态变化过程为减湿冷却过程或冷却干燥过程。在 h-d 图（图4-10）上这一过程可表示为 $A \rightarrow G$ 的过程，其热湿比为

$$\varepsilon = \frac{\Delta h}{\Delta d} = \frac{h_G - h_A}{d_G - d_A} > 0$$

以上介绍了空气调节中常见的六种典型空气状态变化过程。从图4-10可看出，具有代

表性的两条过程线 $\varepsilon = \pm\infty$ 和 $\varepsilon = 0$ 将 h-d 图分为 4 个象限，每个象限内空气状态变化过程都有各自的特征，详见表4-2。

表4-2　h-d 图上各象限内空气状态变化过程的特征

象限	热湿比	状态参数变化趋势			状态变化的特征
		h	d	t	
Ⅰ	$\varepsilon > 0$	+	+	±	增焓，加湿
Ⅱ	$\varepsilon < 0$	+	−	+	增焓，减湿，升温
Ⅲ	$\varepsilon > 0$	−	−	±	减焓，减湿
Ⅳ	$\varepsilon < 0$	−	+	−	减焓，加湿，降温

二、不同状态空气的混合在 h-d 图上的确定

在空气调节中，经常遇到不同状态的空气相互混合的情况（图4-11），因此，必须研究空气混合的计算规律。

若有两种不同状态的空气 A 与 B，其质量分别为 G_A 与 G_B，混合后的状态为 C，根据质量与能量守恒原理，有

$$G_A h_A + G_B h_B = G_C h_C = (G_A + G_B)h_C \tag{4-16}$$

$$G_A d_A + G_B d_B = G_C d_C = (G_A + G_B)d_C \tag{4-17}$$

由式（4-16）及式（4-17）可得

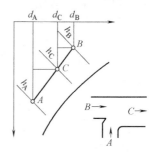

图4-11　两种状态空气的混合

$$\frac{G_A}{G_B} = \frac{h_C - h_B}{h_A - h_C} = \frac{d_C - d_B}{d_A - d_C} \tag{4-18}$$

$$\frac{h_C - h_B}{d_C - d_B} = \frac{h_A - h_C}{d_A - d_C} \tag{4-19}$$

在 h-d 图上，由式（4-19）可知，直线 $\overline{BC}$ 和 $\overline{CA}$ 具有相同的斜率，两条直线斜率相同并且有公共点，所以 A、B、C 三点在同一直线上，且有

$$\frac{\overline{BC}}{\overline{CA}} = \frac{G_A}{G_B} = \frac{h_C - h_B}{h_A - h_C} = \frac{d_C - d_B}{d_A - d_C} \tag{4-20}$$

从上式可得出结论，参与混合的两种空气的质量比与混合点 C 分割两状态连线的线段长度成反比，并且混合点靠近质量大的空气状态一端。

【例4-5】某空调系统采用两种状态空气混合。已知 $G_A = 3000\text{kg/h}$，$t_A = 20℃$，$\varphi_A = 55\%$，$G_B = 600\text{kg/h}$，$t_B = 33℃$，$\varphi_B = 80\%$。求混合后空气的状态（当地大气压 $B = 101325\text{Pa}$）。

【解】（1）在 $B = 101325\text{Pa}$ 的 h-d 图上，根据已知条件确定空气状态点 A、B，并用直线相连，如图4-12所示。

（2）混合点 C 的位置应满足

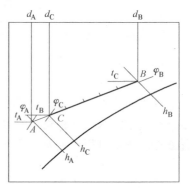

图4-12　例4-5图

$$\frac{\overline{BC}}{\overline{CA}} = \frac{G_A}{G_B} = \frac{3000}{600} = \frac{5}{1}$$

（3）将 $\overline{AB}$ 线段分成 6 等分，混合点 C 应在靠近 A 状态的一等分处。查图得 $t_C = 22℃$，$\varphi_C = 65\%$，$h_C = 50.3\text{kJ/kg}$（干空气），$d_C = 10.9\text{g/kg}$（干空气）。

混合空气状态也可由计算确定。先在 $h\text{-}d$ 图上查出 $h_A = 40.5\text{kJ/kg}$（干空气），$d_A = 8\text{g/kg}$（干空气），$h_B = 99.2\text{kJ/kg}$（干空气），$d_B = 25.8\text{g/kg}$（干空气），按式（4-16）和式（4-17）计算可得

$$h_C = \frac{G_A h_A + G_B h_B}{G_A + G_B} = \left(\frac{3000 \times 40.5 + 600 \times 99.2}{3000 + 600}\right)\text{kJ/kg（干空气）} = 50.3\text{kJ/kg（干空气）}$$

$$d_C = \frac{G_A d_A + G_B d_B}{G_A + G_B} = \left(\frac{3000 \times 8 + 600 \times 25.8}{3000 + 600}\right)\text{kJ/kg（干空气）} = 11.0\text{kJ/kg（干空气）}$$

本 章 小 结

本章介绍了湿空气焓湿图的组成，并着重阐述了湿空气热湿比的含义、计算方法以及在 $h\text{-}d$ 图上的表示方法；着重阐述了不同状态空气的混合在 $h\text{-}d$ 图上的确定方法；同时，还介绍了湿空气的状态参数；阐述了湿球温度、露点温度的含义以及在 $h\text{-}d$ 图上的表示方法；介绍了六种湿空气状态变化过程在 $h\text{-}d$ 图上的表示及其实现途径。

习题与思考题

1. 湿空气是由哪些成分组成的？为什么要把含量很少的水蒸气当做一个重要成分来考虑？

2. 相对湿度和含湿量有什么区别和联系？

3. 试解释下列现象：

（1）为什么浴室在夏天不像冬天那样雾气腾腾？

（2）冬季室内供暖，为什么会导致空气干燥？应采取什么措施方可使空气湿润些？

4. 两种空气环境的相对湿度一样，但一个温度高，一个温度低，试问从吸湿能力上看，能说它们是同样干燥吗？为什么？

5. 已知空气的温度 $t = 25℃$，含湿量 $d = 9\text{g/kg}$（干空气），大气压力 $B = 101325\text{Pa}$，计算该空气的焓和相对湿度。

6. 已知空气的大气压力 $B = 101325\text{Pa}$，试利用 $h\text{-}d$ 图确定下列各空气状态的其他状态参数。

（1）$t = 22℃$，$\varphi = 60\%$。

（2）$h = 60\text{kJ/kg}$（干空气），$d = 11\text{g/kg}$（干空气）。

（3）$t = 30℃$，$t_1 = 20℃$。

（4）$t = 34℃$，$t_s = 23℃$。

7. 已知空气的温度 $t = 35℃$，相对湿度 $\varphi = 60\%$，利用 $h\text{-}d$ 图确定空气的湿球温度和露点温度。如果相对湿度 φ 变为 85%，湿球温度和露点温度有什么变化？

8. 有一冷水管道（未保温）穿过空气温度 $t = 30℃$，相对湿度 $\varphi = 70\%$ 的房间，如果要防止管壁产生凝结水，则管道表面温度应为多少（当地大气压力 $B = 101325\text{Pa}$）？

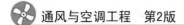

9. 已知大气压力 $B = 101325 \text{Pa}$，空气温度 $t_1 = 18℃$，相对湿度 $\varphi_1 = 50\%$，该空气吸收了热量 $Q = 3.89 \text{kW}$ 和湿量 $W = 0.000056 \text{kg/s}$ 后，温度 $t_2 = 25℃$。试利用 $h\text{-}d$ 图求出状态变化后空气的其他参数。

10. 某空调系统采用新风与回风混合，新风量 $G_W = 250 \text{kg/h}$，新风参数 $t_W = 33℃$，$t_s = 26℃$，回风量 $G_N = 1000 \text{kg/h}$，回风参数 $t_N = 23℃$，$\varphi_N = 55\%$，所在地区大气压力 $B = 101325 \text{Pa}$，试求新、回风混合后空气的温度、含湿量和焓。

11. 欲将 $t_1 = 15℃$，$\varphi_1 = 80\%$ 与 $t_2 = 28℃$，$\varphi_2 = 50\%$ 的两种空气混合至状态 3，$t_3 = 22℃$，总风量为 12000 kg/h，试求两种不同状态的空气量各为多少？

第五章　空调房间的冷(热)、湿负荷的计算

【学习目标】

1. 了解空调基数和空调精度的含义，了解舒适性空调和工艺性空调的区别。
2. 了解空调室外计算参数的确定方法。
3. 了解太阳辐射热对建筑物的热作用。
4. 理解得热量与冷负荷的区别与联系，掌握用冷负荷系数法计算空调冷负荷的方法。
5. 掌握空调房间送风状态及送风量的确定方法，掌握新风量的确定原则。

空调房间的冷（热）、湿负荷是确定空调系统的送风量和空调设备容量的基本依据。

在室内外热、湿扰量的作用下，某一时刻进入一个恒温恒湿房间内的总热量和总湿量称为在该时刻的得热量和得湿量。当得热量为负值时称为耗（失）热量。在某一时刻为保持房间恒温恒湿，需向房间供应的冷量称为冷负荷；反之，为补偿房间失热而需向房间供应的热量称为热负荷；为维持室内相对湿度所需由房间除去或向房间增加的湿量称为湿负荷。

房间冷（热）、湿负荷的计算必须以室外气象参数和室内要求维持的空气参数为依据。

第一节　室内外空气计算参数

一、室内空气设计参数

1. 空调基数和空调精度

空调房间室内温度、湿度通常用两组指标来规定，即温湿度基数和空调精度。

室内温、湿度基数是指在空调区域内所需保持的空气基准温度与基准相对湿度；空调精度是指在空调区域内，在工件旁一个或数个测温（或测相对湿度）点上水银温度计（或相对湿度计）在要求的持续时间内所示的空气温度（或相对湿度）偏离室内温（湿）度基数的最大偏差。例如，$t_N = (25 \pm 0.5)℃$，$\varphi_N = 50\% \pm 5\%$，表示室内空调温、湿度基数 $t_N = 25℃$，$\varphi_N = 50\%$，而空调精度 $\Delta t_N = \pm 0.5℃$，$\Delta \varphi_N = \pm 5\%$。

2. 室内空气设计参数介绍

室内空气设计参数的确定，除了要考虑室内参数综合作用下的人体舒适和工艺特定需要外，还应根据室外气象、经济条件和节能要求等进行综合考虑。

（1）舒适性空调　舒适性空调是以民用建筑和工业企业辅助建筑中保证人体舒适、健康和提高工作效率为目的的空调。

空气调节室内热舒适性采用预计平均热感觉指数 PMV 和预计不满意者的百分数 PPD 评价，其值宜为：$-1 \leqslant PMV \leqslant +1$，$PPD \leqslant 27\%$。PMV 指数是以人体热平衡的基本方程式以及心理生理学主观热感觉的等级为出发点，综合考虑了热舒适条件下人体活动程度，着衣情况，空气温度，湿度等诸多有关因素的全面评价指标。它是表明群体对于（$-3 \sim +3$）7 个等级热感觉投票的平均指数。它可以代表绝大多数人对同一热环境的舒适感觉。但由于人与人之间的生理差别，总有少数人对该热环境并不满意，对此还需使用预计不满意者的百分数（PPD）指标来加以反映。

根据《实用供热空调设计手册》规定，舒适性空调室内计算参数见表 5-1。

表 5-1 舒适性空调室内计算参数

参　数	夏　季	冬　季
温度/℃	≤25（室内外温差≤10）	18~20
风速/(m/s)	0.15~0.3	0.1~0.2
相对湿度（%）	40~65	30~60

（2）工艺性空调　工艺性空调室内温、湿度基数及其允许波动范围，应根据工艺需要并考虑必要的卫生条件确定。工艺性空调可分为一般降温性空调、恒温恒湿空调和净化空调等。

1）降温性空调对温、湿度的要求是夏季工人操作时手不出汗，不使产品受潮。因此，一般只规定温度或湿度的上限，不再注明空调精度。如电子工业的某些车间，规定夏季室温不大于 28℃，相对湿度不大于 60% 即可；再如棉纺工业有关车间夏季温度一般在 27~31℃范围，工艺上的特殊要求只是相对湿度不能太低，一般在 50%~75% 的范围，可随着生产工艺性质不同取高值或取低值。这主要是因为纯棉纤维具有吸湿和放湿性能，对湿度比较敏感，直接影响纤维强度和纤维相互摩擦时产生的静电大小。

2）恒温恒湿空调室内空气的温、湿度基数和精度都有严格要求，如某些计量室，室温要求全年保持（20±0.1）℃，相对湿度保持 50%±5%。

3）净化空调不仅对空气温、湿度提出一定要求，而且对空气中所含尘粒的大小和数量有严格要求。

必须指出，确定工艺性空调室内计算参数时，一定要了解实际工艺生产过程对温、湿度的要求。

各种建筑物空调室内空气设计参数的具体规定详见《实用供热空调设计手册》。

二、室外空气计算参数

空调工程设计与运行中所用的一些室外气象参数人们习惯称之为室外空气计算参数。我国部分城市室外空气计算参数见附录 D。

室外气象参数就某一地区而言，随季节、昼夜或时刻在不断变化着，如全国各地大多在 7~8 月气温最高，而 1 月份气温最低；一天当中，一般在凌晨 3~4 点气温最低，而在下午 14~15 点气温最高。空气相对湿度取决于干球温度和含湿量，若一昼夜里含湿量视作近似不变，相对湿度的变化规律与干球温度的变化规律相反。

室外空气计算参数的取值，直接影响室内空气状态和设备投资。如果按当地冬、夏最不利情况考虑，那么这种极端最低、最高温、湿度要若干年才出现一次而且持续时间较短，这将使设备容量庞大而造成投资浪费。因此，设计规范中规定的室外计算参数是按全年少数时间不保证室内温、湿度标准而制定的。当室内温、湿度必须全年保证时，应另行确定空气调节室外计算参数。

1. 夏季室外空气计算参数

夏季空调室外计算干球温度，应采用历年平均不保证 50h 的干球温度。

夏季空调室外计算湿球温度，应采用历年平均不保证 50h 的湿球温度。

夏季空调室外计算日平均温度，应采用历年平均不保证 5d 的日平均温度。

夏季空调室外计算逐时温度，按下式计算确定

$$t_{sh} = t_{wp} + \beta \Delta t_r \tag{5-1}$$

$$\Delta t_r = \frac{t_{wg} - t_{wp}}{0.52} \tag{5-2}$$

式中 t_{sh}——室外计算逐时温度（℃）；

     t_{wp}——夏季空调室外计算日平均温度（℃）；

     β——室外温度逐时变化系数，按表 5-2 确定；

     Δt_r——夏季室外计算平均日较差；

     t_{wg}——夏季空调室外计算干球温度（℃）。

表 5-2 室外温度逐时变化系数

时刻	1	2	3	4	5	6
β	-0.35	-0.38	-0.42	-0.45	-0.47	-0.41
时刻	7	8	9	10	11	12
β	-0.28	-0.12	0.03	0.16	0.29	0.40
时刻	13	14	15	16	17	18
β	0.48	0.52	0.51	0.43	0.39	0.28
时刻	19	20	21	22	23	24
β	0.14	0.00	-0.10	-0.17	-0.23	-0.26

2. 冬季室外空气计算参数

由于空调系统冬季加热、加湿所需费用远小于夏季冷却、减湿的费用，冬季围护结构传热量可按稳定传热计算，不考虑室外气温的波动。因而，只给定一个冬季空调室外计算温度作为计算新风负荷和围护结构传热的依据。

冬季空调室外计算温度，应采用历年平均不保证 1d 的日平均温度。

由于冬季室外空气含湿量远小于夏季，且变化也很小，因此不给出湿球温度，只给出冬季室外计算相对湿度。

冬季空调室外计算相对湿度，应采用累年最冷月平均相对湿度。

第二节 太阳辐射热对建筑物的热作用

一、太阳辐射强度

当太阳辐射穿过大气层时，一部分辐射能量被大气层中的臭氧、水蒸气、二氧化碳和尘埃等吸收；另一部分被云层中的尘埃、冰晶、微小水珠及各种气体分子等反射或折射，形成漫无方向的散射辐射，也称天空辐射；其余未被吸收和散射的辐射能，则按原来的辐射方向，透过大气层直达地面，此部分为直射辐射。所以到达地面的太阳辐射能是直射辐射和散射辐射能量之和。

太阳辐射强度是指 $1m^2$ 黑体表面在太阳辐射下所获得的热量值，单位为 kW/m^2 或 W/m^2。

地面所接收的太阳辐射强度受太阳高度角、大气透明度、地理纬度、云量和海拔高度等因素影响。

二、太阳辐射热对建筑物的热作用

一个建筑物受到的太阳辐射热，有太阳的直射辐射和散射辐射。而散射辐射包括下列三项：

（1）天空散射辐射 指来自天空各方向反射、散射的散乱光，其中以短波辐射为主。

（2）地面反射辐射 指太阳光线射到地面上后，其中一部分被地面反射到建筑物表面，以中短波辐射为主。

（3）大气长波辐射 指大气中的水蒸气吸收太阳光的部分热量和来自地面、围护结构外表面的反射辐射热后，温度上升，对地面发出的长波辐射。

建筑物不同朝向的外表面所受到的辐射热强度各不相同。附录 E 和附录 F 列出了北纬 40°建筑物各朝向垂直面与水平面的太阳总辐射照度和透过标准窗玻璃的太阳辐射照度，供空调负荷计算时采用。其他纬度的太阳辐射照度详见规范。

应用附录 E 和附录 F 时，当地的大气透明度等级，应根据夏季空气调节大气透明度分布图及夏季大气压力按表5-3确定。

表5-3 大气透明度等级

大气透明度等级	下列大气压力（$\times 10^5$Pa）时的透明度等级							
	650	700	750	800	850	900	950	1000
1	1	1	1	1	1	1	1	—
2	1	1	1	1	1	2	2	2
3	1	2	2	2	2	3	3	3
4	2	2	3	3	3	4	4	4
5	3	3	4	4	4	4	5	5
6	4	4	4	5	5	5	6	6

当太阳射线照射到围护结构外表面时，一部分被反射，另一部分被吸收，二者的比例取决于围护结构表面的粗糙度和颜色，表面越粗糙，颜色越深，则吸收的太阳辐射热越多。各种材料的围护结构外表面对太阳辐射热的吸收系数不同，见附录G。为此，建筑物外表的色调采用白色或浅色有利于减少辐射热。对于外窗采用吸热和反射玻璃，增大玻璃的吸收率或反射率，能减少进入室内的太阳辐射热。建筑物的内外遮阳都是有效减少辐射热的手段。

三、室外空气综合温度

由于围护结构外表面同时受到太阳辐射和室外空气温度的热作用，建筑物外表面单位面积上得到的热量应取决于其表面换热量与吸收的太阳辐射热之和，即

$$q_{W} = \alpha_{W}(t_{W} - \tau_{W}) + \rho I = \alpha_{W}\left[\left(t_{W} + \frac{\rho I}{\alpha_{W}}\right) - \tau_{W}\right] = \alpha_{W}(t_{Z} - \tau_{W}) \tag{5-3}$$

式中　α_{W}——围护结构外表面的传热系数$[W/(m^2 \cdot K)]$；

$\quad\quad t_{W}$——室外空气计算温度（℃）；

$\quad\quad \tau_{W}$——围护结构外表面温度（℃）；

$\quad\quad \rho$——围护结构外表面太阳辐射吸收系数，见附录G；

$\quad\quad I$——围护结构外表面接受的总太阳辐射照度（W/m^2）。

上式中为了计算方便而引入一个相当的室外温度，称 $t_{Z} = t_{W} + \dfrac{\rho I}{\alpha_{W}}$ 为综合温度。所谓综合温度，相当于室外空气温度由原来的 t_{W} 增加了一个太阳辐射的等效温度 $\rho I/\alpha_{W}$ 值。

式（5-3）只考虑了来自太阳对围护结构的短波辐射，没有反映围护结构外表面与天空和周围物体之间存在的长波辐射。因此，需进行以下修正：

$$t_{Z} = t_{W} + \frac{\rho I}{\alpha_{W}} - \frac{\varepsilon \Delta R}{\alpha_{W}} \tag{5-4}$$

式中　ε——围护结构外表面的长波辐射系数；

$\quad\quad \Delta R$——围护结构外表面向外界发射的长波辐射照度和由天空和周围物体向围护结构外表面发射的长波辐射照度之差（W/m^2）。

ΔR 值可近似取用：

垂直表面　$\Delta R = 0$

水平面　$\dfrac{\varepsilon \Delta R}{\alpha_{W}} = 3.5 \sim 4.0℃$

可见，综合温度 t_{Z} 主要受 t_{W}、ρ 和 I 值变化的影响，所以采用不同表面材料的建筑物屋顶和不同朝向的外墙表面应当具有不同的逐时综合温度值。并且，当考虑长波辐射作用后，t_{Z} 值可能有所下降。

第三节　空调房间冷（热）、湿负荷的计算

一、得热量和冷负荷

房间得热量是指在某一时刻由室外和室内热源散入房间的热量的总和。根据性质的不同，得热量可分为潜热和显热两类，而显热又包括对流热和辐射热两种成分。

瞬时冷负荷是指为了维持室温恒定，空调设备在单位时间内必须自室内取走的热量，也即在单位时间内必须向室内空气供给的冷量。

冷负荷与得热量有时相等，有时则不等。围护结构热工特性及得热量的类型决定了得热和负荷的关系。瞬时得热中的潜热得热及显热得热中的对流成分是直接放散到房间空气中的热量，立即构成瞬时冷负荷；而显热得热中的辐射成分被室内各种物体的表面所吸收和储存，当这些物体的表面温度高于室内空气温度时，它们又以对流方式将储存的热量再次散发给空气。

可见，得热量转化为冷负荷的过程中，存在着衰减和延迟现象，如图5-1所示。这是由建筑物的蓄热能力所决定的。蓄热能力越强，则冷负荷衰减越大，延迟时间也越长。图5-2所示为不同重量围护结构的蓄热能力对冷负荷的影响。

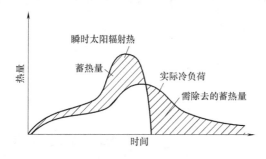

图5-1 瞬时太阳辐射得热与房间
实际冷负荷之间的关系

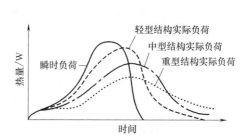

图5-2 瞬时太阳辐射得热与轻、中、
重型建筑实际冷负荷的关系

二、冷负荷系数法计算空调冷负荷

我国在借鉴国外研究成果的基础上，提出了两种空调设计冷负荷计算法，即谐波反应法和冷负荷系数法。冷负荷系数法是便于工程中进行手算的一种简化方法，本教材将着重介绍此方法。

1. 外墙、屋面或外窗的传热冷负荷

在太阳辐射和室外气温的综合作用下，通过围护结构传入的非稳态传热形成的逐时冷负荷可按式（5-5）~式（5-7）计算，即

$$CL_{Wq} = KF(t_{wlq} - t_n) \tag{5-5}$$
$$CL_{Wm} = KF(t_{wlm} - t_n) \tag{5-6}$$
$$CL_{Wc} = KF(t_{wlc} - t_n) \tag{5-7}$$

式中　CL_{Wq}——外墙传热形成的逐时冷负荷（W）；

$\quad\quad CL_{Wm}$——屋面传热形成的逐时冷负荷（W）；

$\quad\quad CL_{Wc}$——外窗传热形成的逐时冷负荷（W）；

$\quad\quad K$——外墙、屋面或外窗的传热系数［W/（$m^2 \cdot$ K）］，查附录H、附录I和附录J；

$\quad\quad F$——外墙、屋面或外窗的传热面积（m^2）；

$\quad\quad t_{wlq}$——外墙的逐时冷负荷计算温度（℃），查附录K；

$\quad\quad t_{wlm}$——屋面的逐时冷负荷计算温度（℃），查附录L；

$\quad\quad t_{wlc}$——外窗的逐时冷负荷计算温度（℃），查附录M；

t_n——夏季空调区设计温度（℃）。

2. 外窗的太阳辐射冷负荷

透过玻璃窗进入的太阳辐射得热形成的逐时冷负荷可按式（5-8）计算，即

$$CL_C = C_{cl}C_z D_{Jmax}F_C \tag{5-8}$$

$$C_z = C_w C_n C_s \tag{5-9}$$

式中　CL_C——透过玻璃窗进入的太阳辐射得热形成的逐时冷负荷（W）；

　　　C_{cl}——透过无遮阳标准玻璃太阳辐射冷负荷系数，查附录 N；

　　　C_z——外窗综合遮挡系数；

　　D_{Jmax}——夏季太阳辐射得热因数最大值（W/m²），查附录 O；

　　　F_C——窗玻璃净面积（m²），为窗口面积乘以有效面积系数；

　　　C_w——外遮阳修正系数；

　　　C_n——内遮阳修正系数；

　　　C_s——玻璃修正系数。

3. 室内热源散热引起的冷负荷

室内热源主要指照明散热、人体散热及工艺设备散热三部分。室内热源散热包括显热和潜热两部分。显热散热中的对流热成为瞬时冷负荷，辐射热部分则先被围护结构等物体表面所吸收，然后再缓慢散出，形成滞后冷负荷。潜热散热属于瞬时冷负荷。因此，可采用相应的冷负荷系数计算。

（1）人体散热形成的逐时冷负荷　人体散热与人的性别、年龄、衣着、劳动强度及周围环境条件等多种因素有关。人体散发的热量中的潜热和对流热直接形成瞬时冷负荷，而辐射热形成滞后冷负荷。

由于性质不同的建筑物中有不同比例的成年男子、女子和儿童，为了实际计算方便，以成年男子为基础，乘以考虑了不同建筑内各类人员组成比例的系数，称为群集系数，见表5-4。

人体散热引起的逐时冷负荷计算公式为

$$CL_{rt} = C_{cl_{rt}}\Phi Q_{rt} \tag{5-10}$$

式中　CL_{rt}——人体散热形成的逐时冷负荷（W）；

　　$C_{cl_{rt}}$——人体冷负荷系数，可查附录 P；

　　　Φ——群集系数，见表5-4；

　　　Q_{rt}——人体散热量（W），一名成年男子的散热量可查表5-5。

表 5-4　群集系数 Φ

工作场所	影剧院	百货商店	旅馆	体育馆	图书阅览室	银行	工厂轻劳动	工厂重劳动
群集系数	0.89	0.89	0.93	0.92	0.96	1.0	0.90	1.0

（2）照明散热形成的逐时冷负荷　照明设备所散发的热量由对流和辐射两部分组成。照明设备散热形成的逐时冷负荷与灯具种类和安装方式有关，其计算式为

$$CL_{zm} = C_{cl_{zm}}C_{zm}Q_{zm} \tag{5-11}$$

式中　CL_{zm}——照明散热形成的逐时冷负荷（W）；

　　$C_{cl_{zm}}$——照明冷负荷系数，可查附录 Q；

C_{zm}——照明修正系数；

Q_{zm}——照明散热量（W）。

表5-5 一名成年男子的散热量和散湿量

体力活动性质		热湿量	室内温度/℃										
			20	21	22	23	24	25	26	27	28	29	30
静坐	影剧院 会堂 阅览室	显热/W	84	81	78	74	71	67	63	58	53	48	43
		潜热/W	26	27	30	34	37	41	45	50	55	60	65
		全热/W	110	108	108	108	108	108	108	108	108	108	108
		湿量/(g/h)	38	40	45	50	56	61	68	75	82	90	97
极轻劳动	旅馆 体育馆 手表装配 电子元件	显热/W	90	85	79	75	70	65	61	57	51	45	41
		潜热/W	47	51	56	59	64	69	73	77	83	89	93
		全热/W	137	135	135	134	134	134	134	134	134	134	134
		湿量/(g/h)	69	76	83	89	96	102	109	115	123	132	139
轻度劳动	百货商店 化学实验室 电子计算 机房	显热/W	93	87	81	76	70	64	58	51	47	40	35
		潜热/W	90	94	100	106	112	117	123	130	135	142	147
		全热/W	183	181	181	182	182	181	181	181	182	182	182
		湿量/(g/h)	134	140	150	158	167	175	184	194	203	212	220
中度劳动	纺织车间 印刷车间 机加工车间	显热/W	117	112	104	97	88	83	74	67	61	52	45
		潜热/W	118	123	131	138	147	152	161	168	174	183	190
		全热/W	235	235	235	235	235	235	235	235	235	235	235
		湿量/(g/h)	175	184	196	207	219	227	240	250	260	273	283
重度劳动	炼钢车间 铸造车间 排练厅 室内运动场	显热/W	169	163	157	151	145	140	134	128	122	116	110
		潜热/W	238	244	250	256	262	267	273	279	285	291	297
		全热/W	407	407	407	407	407	407	407	407	407	407	407
		湿量/(g/h)	356	365	373	382	391	400	408	417	425	434	443

（3）设备散热形成的冷逐时负荷　设备散热形成的逐时冷负荷计算公式为

$$CL_{sb} = C_{cl_{sb}} C_{sb} Q_{sb} \tag{5-12}$$

式中　CL_{sb}——设备散热形成的逐时冷负荷（W）；

$C_{cl_{sb}}$——设备冷负荷系数，可查附录R；

C_{sb}——设备修正系数；

Q_{sb}——设备散热量（W）。

4. 隔墙、楼板等内围护结构传热形成的冷负荷

当空调房间与邻室的温差大于3℃，可按式（5-13）计算通过隔墙、楼板等内围护结构传热形成的冷负荷，即

$$CL_{Wn} = KF(t_{wp} + \Delta t_{ls} - t_n) \tag{5-13}$$

式中　CL_{Wn}——内围护结构传热形成的冷负荷（W）；

K——内围护结构的传热系数［W/（m²·K）］；

F——内围护结构的面积（m^2）；

t_{wp}——夏季空调室外计算日平均温度（℃）；

Δt_{ls}——邻室计算平均温度与夏季空调室外计算日平均温度的差值（℃），见表5-6。

表5-6 温差 Δt_{ls} 值

邻室散热量/（W/m^2）	Δt_{ls}/℃
很少（如办公室、走廊等）	0 ~ 2
< 23	3
23 ~ 116	5

三、湿负荷的计算

1. 人体散湿量

$$W = 0.001 \Phi n w \tag{5-14}$$

式中 W——人体散湿量（kg/h）；

Φ——群集系数；

n——空调区内总人数；

w——成年男子的散湿量（g/h），可查表5-5。

2. 敞开水槽表面散湿量

$$W = \beta (P_{q \cdot b} - P_q) F \frac{B}{B'} \tag{5-15}$$

$$\beta = (a + 0.00363v) 10^{-5} \tag{5-16}$$

式中 W——敞开水槽表面散湿量（kg/s）；

$P_{q \cdot b}$——相应于水表面温度下的饱和空气的水蒸气分压力（Pa）；

P_q——空气中水蒸气分压力（Pa）；

F——蒸发水槽表面积（m^2）；

B——标准大气压力，其值为101325Pa；

B'——当地大气压力（Pa）；

β——蒸发系数 [kg/（N·s）]；

a——周围空气温度为15~30℃时，不同水温下的扩散系数 [kg/（N·s）]，其值见表5-7；

v——水面上周围空气流速（m/s）。

表5-7 不同水温下的扩散系数 a

水温/℃	< 30	40	50	60	70	80	90	100
a/[kg/（N·s）]	0.0043	0.0058	0.0069	0.0077	0.0088	0.0096	0.0106	0.0125

地面积水蒸发量的计算方法与敞开水槽表面散湿量的计算方法相同。

【例5-1】 计算北京某办公楼一房间夏季空调冷负荷。房间位于建筑物的顶层，层高3.2m。房间内压力稍高于室外大气压力。

已知条件：

1）屋顶：构造同附录 I 中类型 1，保温层为挤塑聚苯板（厚度 35mm），传热系数 K = 0.49W/(m² · K)，面积 $F = 33.6\text{m}^2$。

2）南外墙：构造同附录 H 中类型 1，墙厚 265mm，传热系数 $K = 0.83\text{W}/(\text{m}^2 \cdot \text{K})$，面积 $F = 6.6 \text{ m}^2$。

3）南外窗：双层 PA 断热桥铝合金窗，3mm 厚普通玻璃，空气间隔层厚 12mm，75% 玻璃，内挂深色布窗帘，外窗综合遮挡系数 $C_z = 0.56$，面积 $F = 6\text{m}^2$。

4）内墙：邻室包括走廊，均与该房间温度相同。

5）人员：房间内有 4 人，在房间内总小时数为 10h，从 8：00 到 18：00。

6）照明：白炽灯 360W，明装，照明修正系数 $C_{zm} = 0.7$。

7）室内设计参数：温度 24℃，相对湿度 60%。

8）该房间类型为轻型。

【解】 根据本题条件，分项计算如下：

（1）屋顶逐时冷负荷

由附录 L 查得屋面逐时冷负荷计算温度，按式（5-6）计算屋顶逐时冷负荷，计算结果列于表 5-8 中。

表 5-8 屋顶逐时冷负荷

时　　间	8：00	9：00	10：00	11：00	12：00	13：00	14：00	15：00	16：00	17：00	18：00
t_{wln}/℃	41.7	41.0	40.4	39.8	39.4	39.1	39.1	39.2	39.6	40.1	40.8
t_n/℃	24										
K/[W/(m² · K)]	0.49										
F/m²	33.6										
CL_{Wm}/W	291.4	279.9	270.0	260.1	253.5	248.6	248.6	250.3	256.8	265.1	276.6

（2）南外墙逐时冷负荷

由附录 K 查得外墙逐时冷负荷计算温度，按式（5-5）计算南外墙逐时冷负荷，计算结果列于表 5-9 中。

表 5-9 南外墙逐时冷负荷

时　　间	8：00	9：00	10：00	11：00	12：00	13：00	14：00	15：00	16：00	17：00	18：00
t_{wlq}/℃	32.4	32.2	32.1	32.1	32.3	32.7	33.1	33.7	34.2	34.7	35.1
t_n/℃	24										
K/[W/(m² · K)]	0.83										
F/m²	6.6										
CL_{Wq}/W	46.0	44.9	44.4	44.4	45.5	47.7	49.8	53.1	55.9	58.6	60.8

（3）南外窗温差传热冷负荷

根据附录 J 查得玻璃窗的传热系数 $K = 3.3\text{W}/(\text{m}^2 \cdot \text{℃})$，窗框修正系数为 1.05，根据附录 M 查得外窗逐时冷负荷计算温度，按式（5-7）计算南外窗温差传热冷负荷，计算结果列于表 5-10。

表5-10　南外窗温差传热冷负荷

时　　间	8:00	9:00	10:00	11:00	12:00	13:00	14:00	15:00	16:00	17:00	18:00
t_{wlc}/℃	28.5	29.3	30.0	30.8	31.5	32.1	32.4	32.4	32.3	32.0	31.5
t_n/℃	24										
$K/[W/(m^2 \cdot K)]$	$3.3 \times 1.05 = 3.465$										
F/m^2	6										
CL_{Wc}/W	93.6	110.2	124.7	141.4	155.9	168.4	174.6	174.6	172.6	166.3	155.9

（4）南外窗日射得热引起的冷负荷

由附录O查得北京夏季日射得热因数最大值 $D_{Jmax} = 312W/m^2$，窗玻璃净面积 $F_c = 75\% F$。由附录N查得北京地区轻型房间南向外窗透过无遮阳标准玻璃太阳辐射冷负荷系数值，根据式（5-8）进行计算，计算结果列入表5-11中。

表5-11　南外窗日射得热引起的冷负荷

时　　间	8:00	9:00	10:00	11:00	12:00	13:00	14:00	15:00	16:00	17:00	18:00
C_{clC}	0.16	0.24	0.34	0.46	0.44	0.63	0.65	0.62	0.54	0.28	0.24
$D_{Jmax}/(W/m^2)$	312										
F_C/m^2	$6 \times 0.75 = 4.5$										
C_z	0.56										
CL_C/W	125.8	188.7	267.3	361.7	345.9	495.3	511.1	487.5	424.6	220.1	188.7

（5）人体散热引起的冷负荷

办公楼的活动强度为极轻活动强度，查表5-5可知，当室温为24℃时，一名成年男子散发的全热量为134W，由表5-4查得群集系数 $\Phi = 0.93$，由附录P查得人体冷负荷系数，按式（5-10）进行计算，计算结果列于表5-12中。

表5-12　人体散热引起的冷负荷

时　　间	8:00	9:00	10:00	11:00	12:00	13:00	14:00	15:00	16:00	17:00	18:00
C_{clrt}	0.03	0.47	0.79	0.84	0.86	0.88	0.9	0.91	0.92	0.93	0.94
Q_{rt}/W	$134 \times 4 = 536$										
Φ	0.93										
CL_{rt}/W	15.0	234.3	393.8	418.7	428.7	438.7	448.6	453.6	458.6	463.6	468.6

（6）照明散热引起的冷负荷

由附录Q查得照明散热冷负荷系数，按式（5-11）进行计算，计算结果列于表5-13中。

表5-13　照明散热引起的冷负荷

时　　间	8:00	9:00	10:00	11:00	12:00	13:00	14:00	15:00	16:00	17:00	18:00
C_{clzm}	0.81	0.4	0.72	0.78	0.81	0.83	0.86	0.87	0.89	0.9	0.92
C_{zm}	0.7										
Q_{zm}/W	360										
CL_{zm}/W	204.1	100.8	181.4	196.6	204.1	209.2	216.7	219.2	224.3	226.8	231.8

由于室内压力高于大气压力，所以不需计算室外空气渗透所引起的冷负荷。

将上述各分项计算结果汇总，并逐项相加，列入表5-14中。

表5-14 各项冷负荷汇总表 （单位：W）

时　间	8:00	9:00	10:00	11:00	12:00	13:00	14:00	15:00	16:00	17:00	18:00
屋顶	291.4	279.9	270.0	260.1	253.5	248.6	248.6	250.3	256.8	265.1	276.6
外墙	46.0	44.9	44.4	44.4	45.5	47.7	49.8	53.1	55.9	58.6	60.8
窗传热	93.6	110.2	124.7	141.4	155.9	168.4	174.6	174.6	172.6	166.3	155.9
窗日射	125.8	188.7	267.3	361.7	345.9	495.3	511.1	487.5	424.6	220.1	188.7
人体	15.0	234.3	393.8	418.7	428.7	438.7	448.6	453.6	458.6	463.6	468.6
照明	204.1	100.8	181.4	196.6	204.1	209.2	216.7	219.2	224.3	226.8	231.8
合计	775.9	958.8	1281.6	1422.9	1433.6	1607.9	1649.4	1638.3	1592.8	1400.5	1382.4

从表5-14可以看出，此客房最大冷负荷值出现在14:00时，其值为1649.4W。

第四节　空调房间送风状态及送风量的确定

一、夏季送风状态及送风量的确定

图5-3所示为一个空调房间的送风示意图。室内余热量（冷负荷）为Q(W)，余湿量（湿负荷）为W(kg/s)。为了消除余热余湿，保持室内空气状态为$N(h_N, d_N)$点，送入G(kg/s)的空气，其状态为$O(h_0, d_0)$。送入的空气吸收室内的余热、余湿后，由状态O变为状态N而排出，从而保证了室内空气状态为N。

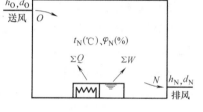

图5-3　空调房间送风

根据热平衡得

$$Gh_0 + Q = Gh_N \qquad (5\text{-}17)$$

根据湿平衡得

$$Gd_0 + W = Gd_N \qquad (5\text{-}18)$$

将上述两式整理后得

$$G = \frac{Q}{h_N - h_0}$$

或

$$G = \frac{W}{d_N - d_0} \qquad (5\text{-}19)$$

将式（5-19）中的两式相除，即得送入空气由O点变为N点的状态变化过程的热湿比

$$\varepsilon = \frac{Q}{W} = \frac{h_N - h_0}{d_N - d_0} \qquad (5\text{-}20)$$

这样，在$h\text{-}d$图上就可利用热湿比ε的过程线来表示送入空气状态变化过程的方向。这就是说，只要送风状态点O位于通过室内空气状态点N的热湿比线上，那么将一定量具有这种状态的空气送入室内，就能同时吸收余热和余湿，从而保证室内要求的状态N。

由此，在过室内状态点 N 的热湿比线上确定出一个送风状态点 O，即可根据式(5-19)求出所需要的送风量。

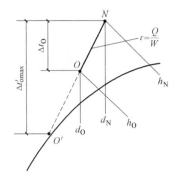

但是，从图 5-4 可以看出，凡是位于 N 点以下该过程线上的点均可作为送风状态点，只不过 O 点距 N 点越近，送风量越大，距 N 点越远则送风量越小。因此，送风状态点 O 的选择就涉及一个经济技术的比较问题。

图 5-4 送风空气的状态变化过程

从经济上讲，一般总是希望送风温差 Δt_0 尽可能大，这样，需要的送风量就小，空气处理设备也可以小一些。既可以节约初投资，又可以节省运行能耗。但是从效果上看，送风量太小时，空调房间的温度场和速度场的均匀性和稳定性都会受到影响。同时，由于送风温差大，t_0 较低，冷气流会使人感到不舒适。此外，t_0 太低时，还会使天然冷源的利用受到限制。

暖通空调规范根据空调房间恒温精度的要求给出了夏季送风温差的建议值，还推荐了换气次数，见表 5-15。换气次数是空调工程中常用的衡量送风量的指标，它的定义是：房间通风量 $L(\mathrm{m^3/h})$ 和房间体积 $V(\mathrm{m^3})$ 的比值，即换气次数 $n = \dfrac{L}{V}$（次/h）。如用表中送风温差计算所得的送风量折合的换气次数大于表中推荐的换气次数，则符合要求。

表 5-15 送风温差与换气次数

室温允许波动范围	送风温差	换气次数/(次/h)
±0.1~0.2℃	2~3℃	15~20
±0.5℃	3~6℃	>8
±1.0℃	6~10℃	≥5
>±1.0℃	人工冷源：≤15℃	—
	天然冷源：可能的最大值	

选定送风温差之后，即可按以下步骤确定送风状态和计算送风量：

1）在 h-d 图上确定出室内空气状态点 N。
2）由热湿比 ε 作出过 N 点的热湿比线。
3）根据所选取的送风温差，在热湿比线上定出送风状态点 O。
4）按式(5-19)计算送风量，并校核换气次数。

【例 5-2】 某空调房间总余热量 $Q = 3314\mathrm{W}$，总余湿量 $W = 0.263\mathrm{g/s}$，要求室内全年维持空气状态参数为：$t_N = (22 \pm 1)℃$，$\varphi_N = 55\% \pm 5\%$，当地大气压力为 101325Pa，求送风状态和送风量。

【解】 （1）求热湿比

$$\varepsilon = \frac{Q}{W} = \frac{3314}{0.263}\mathrm{kJ/kg} = 12600\mathrm{kJ/kg}$$

（2）在 h-d 图（图 5-5）上确定出室内状态点 N，过 N 点作 $\varepsilon = 12600$ 的过程线。取送风温差 $\Delta t_0 = 8℃$，则送风温度 $t_0 = (22 - 8)℃ = 14℃$，由送风温度与热湿比线的交点，可确定送风状态点 O，在 h-d 图上查得

$$h_O = 36 \text{kJ/kg}, \quad h_N = 46 \text{kJ/kg}$$
$$d_O = 8.5 \text{g/kg(干空气)}, \quad d_N = 9.3 \text{g/kg(干空气)}$$

（3）计算送风量

按消除余热计算

$$G = \frac{Q}{h_N - h_O} = \frac{3314 \times 10^{-3}}{46 - 36} \text{kg/s} = 0.33 \text{kg/s}$$

按消除余湿计算

$$G = \frac{W}{d_N - d_O} = \frac{0.263}{9.3 - 8.5} \text{kg/s} = 0.33 \text{kg/s}$$

按消除余热和余湿求出的送风量相同，说明计算正确。

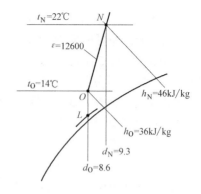

图 5-5　例 5-2 图

二、冬季送风状态和送风量的确定

1. 采用与夏季不同的送风量

在冬季，通过围护结构的温差传热往往是由内向外传递，只有室内热源向室内散热，因此冬季室内余热量往往比夏季少得多，有时甚至为负值，而余湿量则冬夏一般相同。这样，冬季的热湿比值常小于夏季，也可能是负值。所以空调送风温度 t'_O 往往高于室温 t_N。由于送热风时送风温差可比送冷风时的送风温差大，所以冬季送风量可以比夏季小。这样可以节约电能，尤其对较大的空调系统减少风量的经济意义更为突出。当然减少风量也是有所限制的，它必须满足最少换气次数的要求，同时送风温度也不宜过高，一般以不超过 45℃ 为宜。

采用与夏季不同的送风量时，冬季送风量的确定方法和步骤与夏季相同。

2. 采用与夏季相同的送风量

在工程上，应用较多的是全年固定送风量，即在先确定了夏季送风量后，冬季采用与夏季相同的送风量，这样，全年运行时只需调节送风参数即可，因而比较方便。这时可根据式(5-19)反求出冬季送风状态 (h'_O, d'_O)，即

$$h'_O = h_N - \frac{Q}{G}$$
$$d'_O = d_N - \frac{W}{G} \tag{5-21}$$

实际上，由所求出的 (h'_O, d'_O) 确定的冬季送风状态点 O' 与室内状态点 N 的连线就是冬季工况的热湿比线。

当冬季采用与夏季相同的送风量 G 时，如果全年散湿量 W 不变，则由式(5-19) 可知，Δd 是个常数，则过夏季送风状态点 O 的等含湿量线 d_O 与冬季热湿比线 ε' 的交点就是所求的冬季送风状态点。

【例 5-3】　仍按【例 5-2】的基本条件，如冬季余热量 $Q = -1.102 \text{kW}$，余湿量 $W = 0.263 \text{g/s}$，试确定冬季送风状态及送风量。

【解】　（1）取与夏季相同的送风量

1）求冬季热湿比 $\varepsilon = \dfrac{Q}{W} = \dfrac{-1102}{0.263} \text{kJ/kg} = -4190 \text{kJ/kg}$。

2）由于冬、夏室内散湿量相同，因而，冬季送风的含湿量应与夏季相同，即

$$d'_0 = d_0 = 8.5\text{g/kg（干空气）}$$

过 N 点作 $\varepsilon = -4190$ 的过程线，与 8.5g/kg（干空气）的等含湿量线的交点即是冬季送风状态点 O'。

$$h'_0 = 49.3\text{kJ/kg}, \quad t'_0 = 28.5℃$$

其实，在全年送风量不变的条件下，送风量是已知数，可直接算出送风状态点的焓值

$$h'_0 = h_N - \frac{Q}{G} = \left(46 + \frac{1.102}{0.33}\right)\text{kJ/kg} = 49.3\text{kJ/kg}$$

由 $h\text{-}d$ 图查得：$t'_0 = 28.5℃$

（2）取与夏季不同的送风量

如希望冬季提高送风温度、减少送风量，例如使 $t''_0 = 36℃$，则在 $\varepsilon = -4190$ 的过程线上可得到 O'' 点

$$h''_0 = 54.9\text{kJ/kg}, \quad d''_0 = 7.2\text{g/kg（干空气）}$$

送风量为

$$G = \frac{Q}{h_N - h''_0} = \frac{-1.102}{46 - 54.9}\text{kg/s} = 0.124\text{kg/s}$$

三、新风量的确定

为了保证空调房间的空气品质，必须向空调房间送入一定量的室外新鲜空气。然而，新风量的多少将直接影响空调系统的能耗，使用的新风量越少，空调系统就越经济。但空调系统的新风量不能无限制地减少，新风量的确定要考虑以下几方面的因素：

1. 卫生要求

在人们长期停留的空调房间内，新鲜空气的多少对健康有直接影响。人体总要不断地吸入氧气，呼出二氧化碳，如果新风量不足，就不能供给人体足够的氧气，影响人体健康。表5-16给出了人体在不同状态下的二氧化碳呼出量，而表5-17则规定了各种场合下室内二氧化碳的允许含量。

表5-16　人体在不同状态下的二氧化碳呼出量

工作状态	CO_2 呼出量 /[L/(h·人)]	CO_2 呼出量 /[g/(h·人)]	工作状态	CO_2 呼出量 /[L/(h·人)]	CO_2 呼出量 /[g/(h·人)]
安静时	13	19.5	中等劳动	46	69
极轻的工作	22	33	重劳动	74	111
轻劳动	30	45			

表5-17　各种场合下室内二氧化碳的允许含量

房间性质	CO_2 的允许含量 L/m³	CO_2 的允许含量 g/kg	房间性质	CO_2 的允许含量 L/m³	CO_2 的允许含量 g/kg
人长期停留的地方	1.0	1.5	人周期性停留的地方(机关)	1.25	1.75
儿童和病人停留的地方	0.7	1.0	人短期停留的地方	2.0	3.0

根据以上条件，可利用确定全面通风量的基本原理来计算某一房间消除二氧化碳所需的新鲜空气量。在实际工程中，一般可按规范来确定空调系统的新风量。

2. 补充局部排风量

当空调房间内有排风柜等局部排风装置时，为了不使房间产生负压，在系统中必须有相应的新风量来补偿排风量。

3. 保持空调房间的正压要求

为了防止外界环境空气渗入空调房间，干扰空调房间内温、湿度或破坏室内洁净度，需要在空调系统中用一定量的新风来保持房间的正压。一般情况下，室内正压值 ΔH 在 5 ~ 10Pa 即可满足要求，过大的正压不但没有必要，而且还降低了系统运行的经济性。

不同窗缝结构情况下内外压差为 ΔH 时，经窗缝的渗透风量可参考图 5-6 确定。因此，可以根据室内需要保持的正压值确定系统新风量。

在实际工程中，如果按上述方法所确定的空调系统的新风量不足总风量的10%时，新风量应按总风量的10%计算，以确保室内空气的卫生和安全。

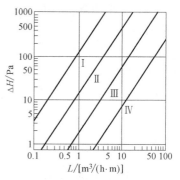

图 5-6 内外压差作用下，每米窗缝的渗透风量

四、室内空气的平衡

在冬夏季室外设计计算参数下规定最小新风百分数，是出于经济和节能方面的考虑。多数情况下，在春、秋过渡季节，可以提高新风比例，从而利用新风所具有的冷量或热量以节约系统的运行费用。为了保持室内恒定的正压和调节新风量，必须进一步讨论空调系统中的空气平衡问题。

1. 单风机系统

图 5-7 所示为单风机空调系统的平衡关系。从图中可以看出，当把系统中的送、回风口调节阀调节到使送风量 L 大于从房间吸走的回风量（如 $0.9L$）时，房间即呈正压状态，而送、回风量差 L_s 通过门窗的不严密处（包括门的开启）或从排风孔渗出。室内正压随新风多少而变化。

2. 双风机系统

对于全年新风量可变的系统，在室内要求正压并借助门窗缝隙渗透排风的情况下，空气平衡关系如图 5-8 所示。设房间送风量为 L，从回风口吸走的风量为 L_x，门窗渗透排风量为 L_s，进空调箱的回风量为 L_h，新风量为 L_w，机械排风量为 L_p，则

对房间来说，送风量 $L = L_x + L_s$
对空调箱来说，送风量 $L = L_h + L_w$

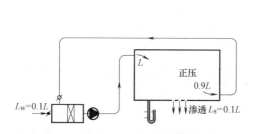

图 5-7 单风机空调系统的平衡关系

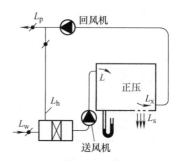

图 5-8 双风机空调系统的平衡关系

当过渡季节采用较额定新风比大的新风量而要求室内恒定正压时，则在上两式中必然要求 $L_x > L_h$，即 $L_w > L_s$，而 $L_x - L_h = L_p$。通常在回风管路上装回风机和排风机进行排风，根据新风量的多少来调节排风量，这就可能保持室内恒定的正压。

本 章 小 结

本章着重阐述了如何用冷负荷系数法计算空调房间冷负荷，以及在此基础上确定空调房间送风状态及送风量的方法；阐述了空调房间新风量的确定原则；简要介绍了舒适性空调与工艺性空调的区别，以及空调室外计算参数的确定方法；简要阐述了太阳辐射热对建筑物的热作用，提出了综合温度的概念。

习题与思考题

1. 按照我国现行暖通空调设计规范，夏季空调室外计算干球温度和湿球温度是如何确定的？

2. 冬季空调室外计算参数是否与夏季相同？为什么？

3. 什么是室外空气综合温度？

4. 什么是空调房间的得热量和冷负荷？两者有什么区别和联系？

5. 舒适性空调和工艺性空调有什么区别？

6. 为什么根据送风温差确定送风量之后，还要根据空调精度校核换气次数？

7. 确定空调房间新风量的原则是什么？

8. 在空调系统中，新风量多一些好还是少一些好？为什么？

9. 位于天津市一个四层的办公楼，外墙构造同附录 H 中序号 2，面积为 20m²；南向外窗为 6mm 厚普通玻璃双层塑钢窗，面积为 3m²，窗框比为 30%，内挂浅蓝色布窗帘，外窗综合遮挡系数 $C_z = 0.52$；40W 荧光灯 4 只，暗装，照明修正系数为 0.42；室内有 6 人，人员及灯具工作时间为上午 8 点到下午 5 点；邻室和走廊均为全天空调，室内压力稍高于室外大气压。试计算第三层南向一个房间的夏季空调冷负荷。

10. 某空调车间夏季空调设计冷负荷 $Q = 3000W$，余湿量 $W = 1.5kg/h$，车间内设计温度 $t_N = (20 \pm 1)℃$，相对湿度 $\varphi_N = 55\% \pm 5\%$，当地大气压力为 101325Pa，试确定该空调车间的送风状态和送风量。

11. 已知某空调房间夏季总余热量 $Q = 3100W$，总余湿量 $W = 0.25g/s$，要求室内全年维持温度 $t_N = (22 \pm 1)℃$，相对湿度 $\varphi_N = 60\% \pm 5\%$，当地大气压力为 101325Pa，试确定该空调房间的夏季送风状态和送风量。若冬季围护结构耗热量为 2570W，余湿量与夏季相同，冬季送风量仍按夏季风量计算，试确定冬季送风状态。

第六章　空气的热湿处理

【学习目标】

1. 熟悉空气热湿处理的途径及设备类型。
2. 理解空气与水直接接触时的热湿交换原理，理解并掌握空气与水直接接触时的热湿交换过程的特点。
3. 了解喷水室的结构和类型，掌握喷水室处理空气的优缺点。
4. 了解表面式换热器的构造，理解并掌握表面式换热器的安装要求。
5. 掌握表面式换热器处理空气的优缺点，掌握表面式换热器热湿交换过程的特点。
6. 了解空气的其他热湿处理方法。

为满足空调房间送风温、湿度的要求，在空调系统中必须有相应的热湿处理设备以便能对空气进行各种热湿处理，达到所要求的送风状态。

第一节　概　　述

一、空气热湿处理的途径

由 h-d 图分析可知，在空调系统中，为得到同一送风状态点，可以有不同的空气处理途径。以全新风空气处理系统为例，一般夏季需对室外空气进行冷却减湿处理，而冬季则需对空气进行加热加湿处理。假设夏季室外空气状态点为 W，冬季室外空气状态点为 W'，如何处理到送风状态点 O，则可能有如图6-1所示的各种不同的空气处理方案。表6-1是对这些空气处理方案的说明。

表6-1中列举的各种空气处理方案都是一些简单空气处理过程的组合。由此可见，可以通过不同的途径，即采用不同的空气处理方案而得到同一种送风状态。至于究竟采用哪种途径，则须结合各种空气处理方案及使用设备的特点，经过分析比较才能最后确定。

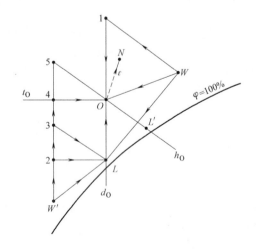

图6-1　空气处理方案

表 6-1　空气处理方案的说明

季节	空气处理途径	处理方案说明
夏季	$(1) W \rightarrow L \rightarrow O$	喷水室喷冷水（或用表面冷却器）冷却减湿→加热器再热
	$(2) W \rightarrow 1 \rightarrow O$	固体吸湿剂减湿→表面冷却器等湿冷却
	$(3) W \rightarrow O$	液体吸湿剂减湿冷却
冬季	$(1) W' \rightarrow 2 \rightarrow L \rightarrow O$	加热器预热→喷蒸汽加湿→加热器再热
	$(2) W' \rightarrow 3 \rightarrow L \rightarrow O$	加热器预热→喷水室绝热加湿→加热器再热
	$(3) W' \rightarrow 4 \rightarrow O$	加热器预热→喷蒸汽加湿
	$(4) W' \rightarrow L \rightarrow O$	喷水室喷热水加热加湿→加热器再热
	$(5) W' \rightarrow 5 \rightarrow L' \atop \quad\quad\searrow O \atop \quad 5$	加热器预热→一部分经喷水室绝热加湿→与另一部分未加湿的空气混合

二、空气热湿处理设备的类型

在空调工程中，实现不同的空气处理过程需要不同的空气处理设备，如空气的加热、冷却、加湿、减湿设备等。有时，一种空气处理设备能同时实现空气的加热加湿、冷却干燥或者升温干燥等过程。

尽管空气的热湿处理设备种类繁多、构造多样，然而它们大多是使空气与其他介质进行加热、湿交换的设备。

作为与空气进行热湿交换的介质有水、水蒸气、冰、各种盐类及其水溶液、制冷剂及其他物质。

根据各种热湿交换设备的特点不同可将它们分成两大类：接触式热湿交换设备和表面式热湿交换设备。前者包括喷水室、蒸汽加湿器、局部补充加湿装置以及使用液体吸湿剂的装置等；后者包括光管式和肋管式空气加热器及空气冷却器等。有的空气处理设备如喷水式表面冷却器则兼有这两类设备的特点。

接触式热湿交换设备的特点是，与空气进行热湿交换的介质直接与空气接触，通常是使被处理的空气流过热湿交换介质表面，通过含有热湿交换介质的填料层或将热湿交换介质喷洒到空气中去，形成具有各种分散液滴的空间，使液滴与流过的空气直接接触。

表面式热湿交换设备的特点是，与空气进行热湿交换的介质不与空气接触，二者之间的热湿交换是通过分隔壁面进行的。根据热湿交换介质的温度不同，壁面的空气侧可能产生水膜（湿表面），也可能不产生水膜（干表面）。分隔壁面有平表面和带肋表面两种。

在所有的热湿交换设备中，喷水室和表面式换热器应用最广，所以本章对其做重点介绍。

第二节　用喷水室处理空气

一、空气与水直接接触时的热湿交换原理

空气与水直接接触时，根据水温不同，可能仅发生显热交换，也可能既有显热交换又有

潜热交换,即同时伴有质交换(湿交换)。

如图6-2所示,当空气与敞开水面或水滴表面接触时,由于水分子做不规则运动的结果,在贴近水表面处存在一个温度等于水表面温度的饱和空气边界层,而且边界层的水蒸气分压力取决于水表面温度。空气与水之间的热湿交换和远离边界层的空气(主体空气)与边界层内饱和空气间温差及水蒸气分压力差的大小有关。

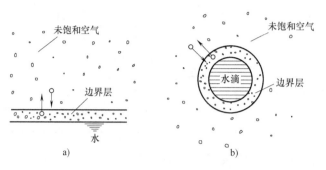

图6-2 空气与水的热、湿交换
a) 敞开的水面　b) 飞溅的水滴

如果边界层内空气温度高于主体空气温度,则由边界层向周围空气传热;反之,则由主体空气向边界层传热。

如果边界层内水蒸气分压力大于主体空气的水蒸气分压力,则水蒸气分子将由边界层向主体空气迁移;反之,则水蒸气分子将由主体空气向边界层迁移。所谓"蒸发"与"凝结"现象就是这种水蒸气分子迁移的结果。在蒸发过程中,边界层中减少了的水蒸气分子由水面跃出的水分子补充;在凝结过程中,边界层中过多的水蒸气分子将回到水面。

如上所述,温差是热交换的推动力,而水蒸气分压力差则是湿(质)交换的推动力。

质交换有两种基本形式:分子扩散和紊流扩散,其机理分别类似于热交换过程中的导热和对流作用。

在紊流流体中,除有层流底层中的分子扩散外,还有主流中因紊流脉动而引起的紊流扩散,这两者的共同作用称为对流质交换,它的机理与对流换热相类似。以空气掠过水表面为例,水蒸气先以分子扩散的方式进入水表面上的空气层底层(即饱和空气边界层),然后再以紊流扩散的方式和主体空气混合,形成对流质交换。

二、空气与水直接接触时的热湿交换过程

空气与水直接接触时,水表面形成的饱和边界层与主流空气不断混掺,从而使主流空气状态发生变化。因此,空气与水的热湿交换过程可以视为主体空气与边界层空气不断混合的过程。

为分析方便起见,假定与空气接触的水量无限大,接触时间无限长,即在所谓的假想条件下,全部空气都能达到具有水温的饱和状态点。也就是说,

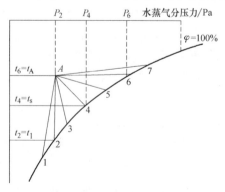

图6-3 用喷水室处理空气时的状态变化过程

此时空气的终状态点将位于 $h\text{-}d$ 图的饱和曲线上，且空气终温将等于水温。与空气接触的水温不同，空气的状态变化过程也将不同。所以，在上述假想条件下，随着水温不同可以得到图 6-3 所示的七种典型空气状态变化过程。表 6-2 列举了这七种典型过程的特点。

表 6-2　空气与水直接接触时各种过程的特点

过程线	水温特点	空气温度或显热	空气含湿量或潜热	空气焓或全热
A—1	$t_w < t_1$	减	减	减
A—2	$t_w = t_1$	减	不变	减
A—3	$t_1 < t_w < t_s$	减	增	减
A—4	$t_w = t_s$	减	增	不变
A—5	$t_s < t_w < t_A$	减	增	增
A—6	$t_w = t_A$	不变	增	增
A—7	$t_w > t_A$	增	增	增

注：t_w 为水温，t_1 为空气露点温度，t_s 为空气湿球温度，t_A 为空气干球温度。

在上述七种过程中，A—2 过程是空气增湿和减湿的分界线，A—4 过程是空气增焓和减焓的分界线，而 A—6 过程是空气升温和降温的分界线。

实际上，空气与水直接接触时，水量是有限的，接触时间也是有限的，因此，空气状态的实际变化过程既不是直线，也难于达到与水的终温或初温相等的饱和状态。然而在工程中人们关心的只是空气处理的结果，而并不关心空气状态变化的轨迹，所以在已知空气终状态时仍可用连接空气初、终状态点的直线来表示空气状态的变化过程。

三、喷水室的类型和结构

在空调工程中，用喷水室处理空气的方法得到了普遍应用。喷水室的主要优点是能够实现多种空气处理过程，具有一定的净化空气的能力，耗金属量少，容易加工。但是，它也有对水质要求高、占地面积大、水泵耗能多等缺点。所以，在民用建筑中不再采用，但在以调节湿度为主要目的的纺织厂、卷烟厂等空调中仍大量使用。

喷水室有卧式和立式、单级和双级、低速和高速之分。

图 6-4 所示是应用比较广泛的单级、卧式、低速喷水室，它由喷嘴排管、挡水板、底池及附属管道、喷水室外壳等组成。前挡水板有挡住飞溅出来的水滴和使进风均匀流动的双重作用，后挡水板能将空气中夹带的水滴分离出来，以减少喷水室的"过水量"。在喷水室中通常设置 1~3 排喷嘴，最多 4 排。喷水方向根据与空气流动方向相同与否分为顺喷、逆喷和对喷。

喷水室的工作过程是：被处理的空气以一定的速度（一般为 2~3m/s）经过前挡水板进入喷水空间，与喷嘴中喷出的水滴相接触进行热湿交换，然后经后挡水板分离所带的水滴后流出。从喷嘴喷出的水滴完成与空气的热湿交换后，落入底池中。底池的作用是收集喷淋水。池中的滤水器和循环水管以及三通调节阀组成了循环水系统。

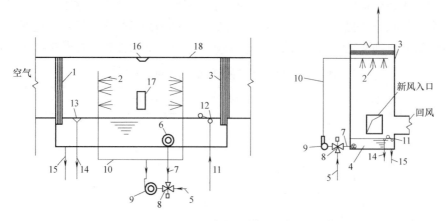

图 6-4　喷水室的构造

1—前挡水板　2—喷嘴与排管　3—后挡水板　4—底池　5—冷水管
6—滤水器　7—循环水管　8—三通混合阀　9—水泵　10—供水管
11—补水管　12—浮球阀　13—溢水器　14—溢水管　15—泄水管
16—防水灯　17—检查门　18—外壳

循环水管道有四种管道，它们是：

（1）循环水管　底池通过滤水器与循环水管相连，使落到底池的水能重复使用。滤水器的作用是清除水中杂物，以免喷嘴堵塞。

（2）溢水管　底池通过溢水器与溢水管相连，以排除水池中维持一定水位后多余的水。在溢水器的喇叭口上有水封罩，可将喷水室内、外空气隔绝，防止喷水室内产生异味。

（3）补水管　当用循环水对空气进行绝热加湿时，底池中的水量将逐渐减少，泄漏等原因也可能引起水位降低。为了保持底池水面高度一定，且略低于溢水口，需设补水管并经浮球阀自动补水。

（4）泄水管　为了检修、清洗和防冻等目的，在底池的底部需设泄水管，以便在需要泄水时，将池内的水全部泄至下水道。

喷嘴是喷水室最重要的部件，其作用是将水喷成小的水滴和雾滴，喷嘴性能决定着喷水室空气的热湿处理效果。国内开发研制的 PY 系列、FD 系列以及 PX 系列大孔径离心式喷嘴已在空调工程中得到了广泛应用，近年来，新型喷嘴如靶式喷嘴的研发将进一步推动高效节能喷水室的设计与应用。

挡水板是影响喷水室处理空气效果的又一重要部件。它由多折的或波浪形的平行板组成。当夹带水滴的空气通过挡水板的曲折通道时，由于惯性作用，水滴就会与挡水板表面发生碰撞，并聚集在挡水板表面上形成水膜，然后沿挡水板下流到底池。板材一般为玻璃板和塑料板。

第三节　用表面式换热器处理空气

在空调工程中广泛使用的冷却、加热盘管统称为表面式换热器。表面式换热器具有构造简单、占地少、水质要求不高、水系统阻力小等优点。表面式换热器包括空气加热器和表面式冷却器两类，前者以热水或蒸汽为热媒，后者以冷水或制冷剂为冷媒。

一、表面式换热器的构造与安装

1. 表面式换热器的构造

表面式换热器有光管式和肋管式两种。光管式表面换热器由于传热效率低已很少应用。肋管式表面换热器由管和肋片构成。为了使表面式换热器性能稳定，应力求使管与肋片间接触紧密，减小接触热阻，并保证长久使用后也不会松动。

根据加工方法不同，肋片管又分为绕片管、串片管和轧片管等。

将铜带或钢带用绕片机紧紧地缠绕在管上可制成皱褶式绕片管（图6-5a），皱褶的存在既增加了肋片与管间的接触面积，又增加了空气流过时的扰动性，因而能提高传热系数。但是，皱褶的存在也增加了空气阻力，而且容易积灰，不便清理。

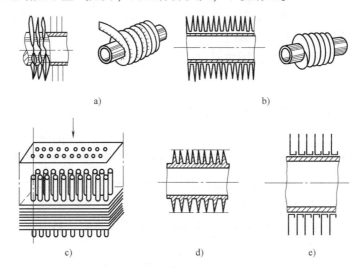

图 6-5　各种肋片管式换热器的构造

a）皱褶绕片　b）光滑绕片　c）串片　d）轧片　e）二次翻边片

光滑绕片管不带皱褶，它们是用延展性好的铝带绕在钢管上制成的，如图6-5b所示。

将事先冲好管孔的肋片与管束串在一起，经过胀管之后可制成串片管，如图6-5c所示。串片管生产的机械化程度可以很高。

用轧片机在光滑的铜管或铝管外表面上轧出肋片便成了轧片管，如图6-5d所示。由于轧片管的肋片和管是一个整体，没有缝隙，所以传热性能更好，但是轧片管的肋片不能太高，管壁不能太薄。

为了进一步提高传热性能，增加气流的扰动性以提高外表面换热系数，换热器的片型出现了二次翻边片（图6-5e）、波形片、条缝片、波形冲缝片等。

2. 表面式换热器的安装

表面式换热器可以垂直安装，也可以水平安装或倾斜安装。但是，以蒸汽作为热媒的空气加热器最好不要水平安装，以免聚集凝结水而影响传热性能。此外，垂直安装的表面式冷却器必须使肋片处于垂直位置，否则将因肋片上部积水而增加空气阻力。

表面式冷却器下部应安装滴水盘和排水管，这是因为表面式冷却器工作时表面常有凝结水产生。

按空气流动方向来说，表面式换热器可以并联，也可以串联或者既有并联又有串联。到底采用什么样的组合方式，应按通过空气量的多少和需要的换热量大小来决定。一般是通过空气量多时采用并联，需要空气温升（或温降）大时采用串联。

表面式换热器的冷、热媒管路也有并联与串联之分，不过使用蒸汽作热媒时，各台换热器的蒸汽管只能并联，而用水作热媒或冷媒时，水管串联、并联均可。通常的做法是相对于空气来说并联的换热器其冷、热媒管路也应并联，串联的换热器其冷、热媒管路也应串联。管路串联可以增加水流速，有利于水力工况的稳定和提高传热系数，但是系统阻力有所增加。为了使冷、热媒与空气之间有较大温差，最好让空气与冷、热媒之间按逆交叉流型流动，即进水管路与空气出口应在同一侧。

为了便于使用和维修，冷、热媒管路上应设阀门、压力表和温度计。在蒸汽加热器的管路上还应设蒸汽压力调节阀和疏水器。为了保证换热器正常工作，水系统最高点应设排空气装置，而在最低点应设泄水和排污阀门。

如果表面式换热器冷热两用，则热媒以用65℃以下的热水为宜，以免因管内壁积垢过多而影响换热器的出力。

二、表面式换热器热湿交换过程的特点

表面式换热器的热湿交换是在主体空气与紧贴换热器外表面的边界层空气之间的温差和水蒸气分压力差作用下进行的。根据主体空气与边界层空气的参数不同，表面式换热器可以实现三种空气处理过程：当边界层空气温度高于主体空气温度时，将发生等湿加热过程；当边界层空气温度虽低于主体空气温度，但高于其露点温度时，将发生等湿冷却过程或称干冷过程（干工况）；当边界层空气温度低于主体空气的露点温度时，将发生减湿冷却过程或称湿冷过程（湿工况）。

由于在等湿加热和冷却过程中，主体空气和边界层空气之间只有温差，并无水蒸气分压力差，所以只有显热交换；而在减湿冷却过程中，由于边界层空气与主体空气之间不但存在温差，也存在水蒸气分压力差，所以通过换热器表面不但有显热交换，也有伴随湿交换的潜热交换。由此可知，湿工况下的表冷器比干工况下有更大的热交换能力。

第四节　空气的其他热湿处理方法

在空调系统中，除了利用喷水室和表面式换热器对空气进行热湿处理外，还采用下面一些加热和加湿方法。

一、用电加热器加热空气

电加热器是让电流通过电阻丝发热而加热空气的设备。它具有结构紧凑、加热均匀、热量稳定、控制方便等优点。但是由于电加热器利用的是高品位能源，所以只适宜在一部分空调机组和小型空调系统中采用。在恒温精度要求较高的大型空调系统中，也常用电加热器控制局部加热量或作为末级加热器使用。

常用的电加热器有：裸线式、管式、PTC电加热器等。

裸线式电加热器（图6-6）由裸露在气流中的电阻丝构成。通常做成抽屉式以便检修。裸线式电加热器的优点是热惰性小、加热迅速且结构简单；缺点是电阻丝容易烧断，安全性差。

管式电加热器（图6-7）由管状电热元件组成。这种电热元件是将电阻丝装在特制的金属套管中，中间填充导热性好的电绝缘材料。其优点是加热均匀、热量稳定、使用安全；缺点是热惰性大、结构复杂。

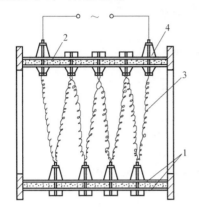

图6-6 裸线式电加热器

1—钢板 2—隔热层 3—电阻丝 4—瓷绝缘子

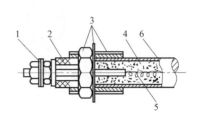

图6-7 管式电加热器

1—接线端子 2—瓷绝缘子 3—紧固装置
4—绝缘材料 5—电阻丝 6—金属套管

PTC电加热器采用半导体陶瓷加热元件，最高温度为240℃，无明火，是比较安全的电加热器。

二、空气的加湿处理

在冬季和过渡季节，室外空气含湿量一般比室内空气含湿量低，为了保证相对湿度的要求，有时需要向空气中加湿。空气的加湿可以在空气处理室（空调箱）或送风管道内对送入房间的空气集中加湿，也可以在空调房间内部对空气进行局部补充加湿。

空气的加湿方法有多种：喷水加湿、喷蒸汽加湿、电加湿、超声波加湿、远红外线加湿等。利用外热源使水变成蒸汽与空气混合的方法在h-d图上表现为等温加湿过程；水吸收空气本身的热量变成蒸汽使空气加湿的过程，在h-d图上表现为等焓加湿过程或绝热加湿过程。

1. 等温加湿

（1）蒸汽喷管和干蒸汽喷管 蒸汽喷管是最简单的加湿装置。它由直径略大于供汽管的管段组成，管段上开有多个直径为2~3mm的小孔。蒸汽在管网压力的作用下由这些小孔喷出，混到流经喷管周围的空气中去。小孔数目及直径大小应根据需要的加湿量大小确定。

蒸汽喷管虽然构造简单、容易加工，但喷出的蒸汽中往往夹带冷凝水滴，影响加湿效果的控制。为了避免蒸汽喷管内产生冷凝水及蒸汽管网中的凝结水流入喷管，可在蒸汽喷管外面加上一个保温套管，做成所谓的干蒸汽喷管。这种干蒸汽喷管上的小孔直径为8~10mm。

（2）干蒸汽加湿器 干蒸汽加湿器由干蒸汽喷管、分离室、干燥室和电动或气动调节阀等组成。如图6-8所示，蒸汽由蒸汽进口1进入外套2内，它对喷管内蒸汽起加热、保温、防止蒸汽冷凝的作用。由于外套的外表面直接与被处理的空气接触，所以外套内将产生少量凝结水并随蒸汽进入分离室4，由于分离室断面大，使蒸汽减速，再加上惯性作用及分离挡板3的阻挡，冷凝水便被分离下来。分离出冷凝水的蒸汽经由分离室顶端的调节阀孔5减压后，再进入干燥室6，残存在蒸汽中的水滴在干燥室中汽化，最后从小孔8喷出的是干蒸汽。

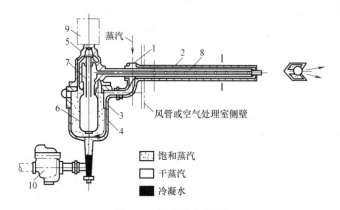

图 6-8　干蒸汽加湿器

1—进口　2—外套　3—挡板　4—分离室　5—调节阀孔　6—干燥室
7—消声腔　8—喷管　9—电动或气动执行机构　10—疏水器

（3）电热式加湿器　电热式加湿器是用管状电热元件置于水盘中做成的，如图6-9所示。元件通电之后便能将水加热而产生蒸汽。补水靠浮球阀自动控制，以免发生断水空烧现象。这种电热式加湿器的加湿量大小取决于水温和水表面积。加湿量也可按敞开水槽表面散湿量的公式计算。

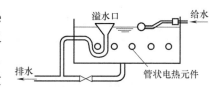

图 6-9　电热式加湿器

（4）电极式加湿器　电极式加湿器的构造如图6-10所示。它是利用三根铜棒或不锈钢棒插入盛水的容器中作电极，将电极与三相电源接通之后，就有电流从水中通过。水是电阻，因而能被加热蒸发成蒸汽。

由于水位越高，导电面积越大，通过的电流也越强，因而发热量也越大。所以，产生的蒸汽量多少可以用水位高低来调节。

电极式加湿器结构紧凑，而且加湿量也容易控制，所以用得较多。它的缺点是耗电量大，电极上易积水垢和腐蚀，因此，宜用在小型空调系统中。

2. 等焓加湿

直接向空调房间空气中喷水的加湿装置有：压缩空气喷雾器、电动喷雾机和超声波加湿器。

压缩空气喷雾器是用压力为0.03MPa（工作压力）左右的压缩空气将水喷到空气中去，可分为固定式和移动式两种。电动喷雾机由风机、电动机和给水装置组成。这两种加湿装置在一般的空气调节工程中应用很少。

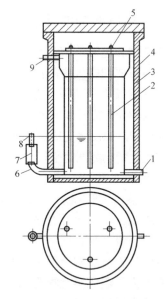

图 6-10　电极式加湿器的构造

1—进水管　2—电极　3—保温层
4—外壳　5—接线柱　6—溢水管
7—橡胶短管　8—溢水嘴　9—蒸汽管

超声波加湿器的工作原理，是利用高频电力从水中向水面发射具有一定强度的、波长相当于红外线波长的超声波，在这种超声波作用下，水表面将产生直径为几个微米的微细粒子，这些粒子吸收空气热量蒸发成水蒸气，从而对空气进行加湿。超声波加湿器的主要优点是产生的水滴颗粒细，运行安静可靠，但容易在墙壁或设备表面上留下白点，因此要求对水进行软化处理。目前这种产品应用很广。

在空调工程中还使用一种离心式加湿器。这种加湿器有一个圆筒形外壳，封闭电动机驱动一个圆盘和水泵管高速旋转。水泵管从储水器中吸水并送至旋转的圆盘上面形成水膜。水由于离心力作用被甩向破碎梳，并形成细小水滴。干燥空气从圆盘下部进入，吸收雾化了的水滴从而被加湿。这种加湿器可与通风机组配合，成为大型的空气加湿设备。

三、空气的减湿处理

1. 冷冻减湿机

冷冻减湿机（除湿机）是由制冷系统和风机等组成的除湿装置，其工作原理如图 6-11 所示。减湿过程中的空气状态变化如图 6-12 所示。需要减湿的空气由状态 1，经过蒸发器后达到状态 2，再经过冷凝器达到状态 3，所以经过冷冻减湿机后得到的是高温、干燥的空气。由此可见，在既需要减湿又需要加热的地方使用冷冻减湿机比较合适。相反，在室内产湿量大、产热量也大的地方，最好不采用冷冻减湿机。

冷冻减湿机的优点是使用方便、效果可靠，缺点是使用条件受到一定限制、运行费用较高。

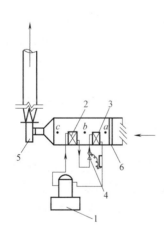

图 6-11 除湿机工作原理
1—压缩机 2—冷凝器 3—蒸发器
4—膨胀阀 5—风机 6—空气过滤器

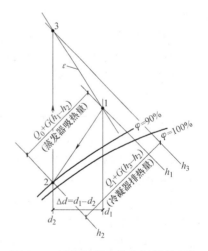

图 6-12 减湿过程中的空气状态变化

2. 氯化锂转轮除湿机

氯化锂转轮除湿机利用一种特制的吸湿纸来吸收空气中的水分。吸湿纸是以玻璃纤维滤纸为载体，将氯化锂等吸湿剂和保护加强剂等液体均匀地吸附在滤纸上烘干而成。存在于吸湿纸内的氯化锂等晶体吸收水分后生成结晶体而不变成盐水溶液。常温时吸湿纸上的水蒸气分压力比空气中的水蒸气分压力低，所以能够从空气中吸收水蒸气；而高温时吸湿纸上的水蒸气分压力高于空气中的水蒸气分压力，因此又将吸收的水蒸气释放出来。如此反复循环使用可达到连续除湿的目的。

图 6-13 所示是氯化锂转轮除湿机的工作原理图。这种除湿机由吸湿转轮、传动机构、外壳、风机及再生加热器（电加热器或热媒为蒸汽的空气加热器）等组成。转轮是由交替放置的平吸湿纸和压成波纹的吸湿纸卷绕而成。在转轮上形成了许多蜂窝状通道，因而也形成了相当大的吸湿面积。转轮的转速非常缓慢，潮湿空气由转轮一侧的 3/4 部分进入干燥区，再生空气从转轮另一侧的 1/4 部分进入再生区。

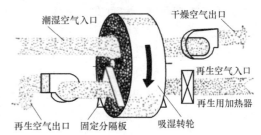

图 6-13　氯化锂转轮除湿机工作原理

氯化锂转轮除湿机吸湿能力较强，维护管理方便，是一种较理想的除湿设备。

3. 液体吸湿剂减湿

某些盐类的水溶液对空气中的水蒸气具有强烈的吸收作用，在空调工程中也利用它们达到减湿目的。这类盐水溶液又称为液体吸湿剂。

液体吸湿剂减湿是利用盐水溶液喷淋空气来实现的。在温度一定时，盐水溶液浓度越高，其表面水蒸气分压力就越低，吸湿能力越强。盐水溶液吸收了空气中的水分后，浓度下降，吸湿能力也逐渐降低。因此，为了重复使用稀释了的盐水溶液，需要将其再生处理，除去其中的部分水分，提高溶液的浓度。

常用的液体吸湿剂有氯化钙、氯化锂、三甘醇等。其中，氯化钙溶液对金属有较强的腐蚀作用，但因其价格便宜有时也采用；氯化锂溶液对金属也有一定的腐蚀作用，但因其吸湿性能较好，所以国外用得较多；三甘醇的主要优点是没有腐蚀性，而且吸湿能力较强，因而有一定发展前途。

4. 固体吸湿剂减湿

固体吸湿剂本身具有大量的孔隙，因此具有极大的孔隙内表面积。固体吸湿剂各孔隙内的水表面呈凹面，凹面上的水蒸气分压力比空气中的水蒸气分压力低，空气中的水蒸气就向凹面迁移，由气态变为液态并释放出汽化潜热。

在空调工程中广泛采用的固体吸湿剂是硅胶。硅胶有原色和变色之分，原色硅胶在吸湿过程中不变色，而变色硅胶，如氯化钴硅胶，吸湿后颜色由蓝变红逐渐失去吸湿能力。变色硅胶价格高，通常是利用它作原色硅胶吸湿程度的指示剂。硅胶失去吸湿能力后可加热再生，使吸附的水分蒸发，再生后的硅胶仍能重复使用。

采用固体吸湿剂干燥空气，可使空气含湿量变得很低。但干燥过程中释放出来的吸附热又加热了空气。所以对需要干燥又需要加热空气的地方最宜采用。

5. 膜法除湿

膜法除湿是利用膜的选择透过性对空气进行脱湿的一种方法，经过多年研究，膜技术在除湿方面取得了广泛应用。膜法除湿是依靠膜两侧的温度差和压力差而造成一定的浓度差，以膜两边的水蒸气分压力差作为驱动力，使水

图 6-14　原料加压膜法空气除湿系统

蒸气透过膜而散发到环境中去。图 6-14 所示为典型的原料加压膜法空气除湿系统。该系统中，外界的新鲜空气经压缩机加压后进入膜组件，由于进气侧总压提高，其中水蒸气的分压力也相应提高，水蒸气在膜进出侧压力差的作用下优先透过膜而被除去，干燥的空气进入房间。

本 章 小 结

　　本章着重介绍了喷水室与表面式换热器处理空气时的热湿交换过程的原理和特点；简要介绍了热湿交换设备的两大类型，喷水室和表面式换热器的构造及各自特点；简要介绍了空气加热、加湿、减湿的其他处理方法和设备。

习题与思考题

　　1. 简述空气与水直接接触时，空气状态变化的七个典型理想过程的特点及实现条件。

　　2. 采用喷水室处理空气时，如果后挡水板性能不好，造成过水量太多，会给空调房间带来什么影响？

　　3. 采用喷水室对空气进行热湿处理有哪些优、缺点？它应用于什么场合？而表面式换热器又有哪些优、缺点？

　　4. 用表面式换热器处理空气能实现哪些过程？试说明每个过程的水温特点。

　　5. 表面式换热器在什么情况下串联，什么情况下并联？

　　6. 使用水作热媒或冷媒时，水管与表面式换热器可以串联也可以并联，通常的做法是什么？

　　7. 空气的加湿方法有哪几种？需要哪些设备来实现？

　　8. 空气的减湿方法有哪几种？

第七章　空气调节系统

【学习目标】

1. 掌握空调系统的组成与各种分类方法。
2. 掌握一次回风空调系统的特点及处理过程，并能进行简单的计算。
3. 熟悉二次回风空调系统的特点及处理过程。
4. 熟悉风机盘管系统、诱导器系统及辐射板系统的特点及工作原理。
5. 掌握分散式空调系统的特点和分类。
6. 掌握变风量空调系统的工作原理，熟悉变风量空调系统末端装置的工作特点。

第一节　空调系统的组成与分类

一、空调系统的组成

空调系统是指需要采用空调技术来实现的具有一定温、湿度等参数要求的室内空间及所使用的各种设备的总称，通常由以下几部分组成：

1. 工作区（也称为空调区）

工作区通常是指距地面 2m、距墙面 0.5m 以内的空间。在此空间内，应该保持所要求的室内空气参数。

2. 空气处理设备

空气处理设备是对空气进行加热、冷却、加湿、减湿等热湿处理和净化的设备，如喷水室、表面式换热器、电加热器、加湿器、冷冻减湿机、空气过滤器等。

3. 空气输送和分配设备

空气输送设备的作用是不断地将空气处理设备处理好的空气输送到空调房间，并不断地从空调房间排出空气，主要由送风机、回风机、送风管、回风管及风量调节装置组成。

空气分配设备的作用是合理地组织空调房间的空气流动，保证空调房间工作区内的空气温度、湿度均匀一致，主要由送风口和回风口等组成。

4. 处理空气所需要的冷热源

处理空气所需要的冷热源是指为空气处理提供冷量和热量的设备，主要有锅炉、冷冻站、冷水机组等。冷热能量的输送和分配设施由水泵、冷热水管道、阀门等组成。

二、空调系统的分类

随着空调技术的不断发展和新的空调设备不断推出，空调系统的种类日益增多。在工程上应根据空调对象的性质和用途、热湿负荷特点、室内设计参数要求、温湿度调节和控制要求、空调机房的面积和位置、初投资和运行维修费用等许多方面的因素，经过分析和比较，选择合理的空调系统。

（一）按空气处理设备的设置情况分类

1. 集中式空调系统

该系统的特点是所有的空气处理设备（加热器、冷却器、过滤器、加湿器等）以及通风机等设备都设在一个集中的空调机房内，处理后的空气经风道输送到各空调房间。集中式空调系统处理的空气量大、有集中的冷源和热源、运行可靠、便于管理和维修，但机房占地面积较大。

2. 半集中式空调系统

该系统除了设有集中在空调机房的空气处理设备可以处理一部分空气外，还有分散在被调房间内的空气处理设备。它们可以对室内空气进行就地处理或对来自集中处理设备的空气进行补充处理，以满足不同房间对送风状态的不同要求。诱导器系统、风机盘管系统等均属此类。

3. 分散式空调系统

分散式空调系统又称局部空调系统，该系统的特点是将冷（热）源、空气处理设备和空气输送设备全部或部分集中在一个空调机组内，组成整体式或分散式等空调机组，可以根据需要，灵活、方便地布置在各个不同的空调房间或邻室内。分散式空调系统又可以分为窗式空调器系统、分体式空调器系统、柜式空调器系统等。

（二）按负担室内负荷所用的介质分类

1. 全空气系统

全空气系统是指空调房间的室内负荷全部由经过处理的空气来承担的空调系统，如图7-1a所示。由于空气的比热容较小，需要用较多的空气量才能达到消除余热余湿的目的，因此要求有较大断面的风道，占用建筑空间较多。全空气系统可以分为定风量式系统（单风道式、双风道式）和变风量式系统。

2. 全水系统

全水系统是指空调房间的热湿负荷全部靠水作为冷热介质来承担的空调系统，如图7-1b所示。由于水的比热容比空气大得多，所以在相同条件下只需较小的水量，这样输送管道所占用的空间较少。但是仅靠水来消除余热余湿并不能解决房间的通风换气问题，室内空气品质较差，因而通常不单独采用这种方法。

3. 空气-水系统

由空气和水共同负担空调房间热湿负荷的空调系统称为空气-水系统，如图7-1c所示。

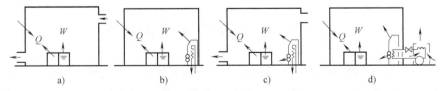

a)　　　　　　　b)　　　　　　　c)　　　　　　　d)

图7-1　按负担室内负荷所用的介质分类的空调系统示意图

a）全空气系统　b）全水系统　c）空气-水系统　d）冷剂系统

Q—热负荷　W—湿负荷

该系统有效地解决了全空气系统占用建筑空间大和全水系统中空调房间通风换气的问题。

4. 冷剂系统

冷剂系统是将制冷系统的蒸发器直接放在空调房间来吸收余热余湿，常用于分散安装的局部空调机组，如图 7-1d 所示。

（三）按所使用空气的来源分类

1. 封闭式系统

封闭式系统全部使用室内再循环空气，没有室外空气补充，因此房间和空气处理设备之间形成了一个封闭环路，如图 7-2a 所示。这种系统最节能，但卫生条件也最差。它只适合于无人或很少有人进出但又需保持一定温湿度的库房等场所。

2. 直流式系统

直流式系统使用的空气全部来自室外（又称室外新风），经热湿处理后送入空调房间，吸收余热余湿后又全部排至室外，如图 7-2b 所示。该系统耗能最多，但室内空气得到了百分之百的交换。它适合于产生剧毒物质、病菌及散发放射性有害物的空调房间。

3. 混合式系统

由于直流式系统不经济，而封闭式系统又不卫生，所以上述两种系统只能在特定情况下使用。对于绝大多数场合，往往需要综合两者的利弊，即采用室外空气（又称新风）与室内再循环空气（又称回风）相混合的系统，如图 7-2c 所示。

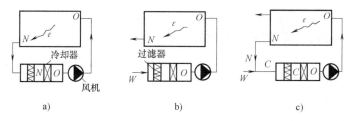

图 7-2　按所使用空气的来源分类的空调系统示意图

a）封闭式系统　b）直流式系统　c）混合式系统

N—室内空气　W—室外空气　C—混合空气　O—冷却后达到送风状态的空气

（四）其他分类方法

上面介绍了空调系统的三种主要的分类方法，实际上空调系统还可以根据另外一些原则进行分类。按风道中空气流速的不同，可分为高速和低速空调系统；按空调系统的风量固定与否，可分为定风量和变风量空调系统；按空调系统的用途不同，可分为工艺性和舒适性空调系统；按空调系统的运行时间不同，可分为全年性和季节性空调系统。

第二节　普通集中式空调系统

普通集中式空调系统是低速、单风道集中式空调系统，属于典型的全空气系统。该空调系统服务面积大，处理的空气量多，便于集中管理，在一些大型建筑（体育场馆、剧场、商场等）中采用较多。

普通集中式空调系统可以分为封闭式系统、直流式系统和新、回风混合式系统。由于直流式和封闭式系统仅在特定情况下使用，本节只介绍适合于绝大多数场合的新、回风混合式系统。新、回风混合式系统又包括一次回风式系统和二次回风式系统两种。

一、一次回风空调系统

一次回风空调系统是将回风与室外新风在喷水室（或表面式冷却器）前混合，经过处理再送到室内的空调系统。由于这种系统兼顾了卫生和经济两个方面，故应用最广泛。

1. 夏季空气处理过程

（1）过程概述及其在 h-d 图上的确定　一次回风系统的装置示意图如图 7-3a 所示。状态为 W 的室外新风与状态为 N 的室内回风混合为状态 C，经喷水室（或表面式冷却器）冷却减湿到点 L（点 L 称机器露点，它一般位于 $\varphi = 90\% \sim 95\%$ 线上），再从 L 加热到送风状态点 O，然后送入房间，吸收房间的余热余湿后变为室内状态 N，一部分空气被排到室外，另一部分返回到空调机组与新风混合。因此整个处理过程可写成

$$\begin{array}{c} W \\ \\ N \end{array} \!\!\searrow\!\! \xrightarrow{\text{混合}} C \xrightarrow{\text{冷却减湿}} L \xrightarrow{\text{加热}} O \;\rightsquigarrow\; \varepsilon \rightarrow N$$

该过程在 h-d 图上的表示如图 7-3b 所示，其作图步骤如下：

1）在 h-d 图上找出室内状态点 N 和室外状态点 W。

2）过室内状态点 N 画出热湿比线 ε。

3）由空调精度选取送风温差 Δt_0，并由此求出送风温度 t_0，t_0 等温线与热湿比线的交点即送风状态点 O。

4）根据新风量与总送风量的比例关系：$\dfrac{\overline{NC}}{\overline{NW}} = \dfrac{G_W}{G} = m\%$，确定混合状态点 C 的位置。

5）过 O 点作等含湿量线与 $\varphi = 95\%$ 线相交可得机器露点 L。

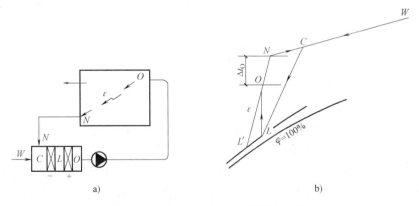

图 7-3　一次回风空调系统夏季处理过程

a）系统图示　b）h-d 图

（2）系统冷量分析　系统冷量是指由冷源系统通过制冷剂或载冷剂提供给空气处理设备的冷量。根据 h-d 图上的分析，系统夏季设计工况所需的冷量为

$$Q_0 = G(h_C - h_L) \tag{7-1}$$

从空调系统热量平衡与风量平衡的角度来分析这个冷量，它应包括以下三部分：

1) 室内冷负荷 Q。即风量为 G、状态为 O 的空气送入房间吸收室内的余热余湿，沿热湿比线 ε 变化到室内状态 N 所需的冷量为

$$Q = G(h_N - h_O) \tag{7-2}$$

2) 新风负荷 Q_W。新风 G_W 进入系统时的焓为 h_W，排出时为 h_N，这部分冷量称为新风冷负荷，即

$$Q_W = G_W(h_W - h_N) \tag{7-3}$$

3) 再热负荷 Q_{zr}。把空气从状态 L 加热到送风状态 O，这部分热量称为再热量，其值为

$$Q_{zr} = G(h_O - h_L) \tag{7-4}$$

抵消这部分热量也是由冷源负担的，故称其为再热负荷。

由于混合过程中有 $\dfrac{G_W}{G} = \dfrac{h_C - h_N}{h_W - h_N}$ 这一关系，则可以得到

$$Q_O = Q + Q_W + Q_{zr} = G(h_C - h_L) \tag{7-5}$$

上述转换体现了几种负荷之间的内在关系，同时进一步证明了系统冷量用 $h\text{-}d$ 图计算和热平衡概念之间的一致性。

对于空调精度要求不高的系统，如舒适性空调系统可以采用最大送风温差送风，即露点送风（即如图 7-3b 所示中的 L' 点），则不需要消耗再热量，而且还可以减少抵消这部分再热的冷量，有利于节能。

2. 冬季空气处理过程

一次回风空调系统冬季处理过程系统示意图如图 7-4a 所示。设冬季室内空气状态点仍为 N，则冬季的空调过程可简述为：状态为 W' 的室外新风与状态为 N 的室内回风混合为状态 C'，经绝热加湿（也即等焓加湿）到机器露点 L'（点 L' 由 d_0 线与 $\varphi = 95\%$ 线的交点确定，点 L' 与夏季过程的点 L 也可能相同，也可能不相同），再从点 L' 加热到送风状态点 O'，然后送入房间吸收室内的余热余湿后变为室内状态 N，一部分空气被排到室外，另一部分返回到空调机组与新风混合。因此整个处理过程可写成

$$\begin{array}{c} W' \\ \\ N \end{array} \!\!\! \Big\rangle \xrightarrow{\text{混合}} C' \xrightarrow{\text{绝热加湿}} L' \xrightarrow{\text{再热}} O' \stackrel{\varepsilon'}{\rightsquigarrow} N$$

该过程在 $h\text{—}d$ 图上的表示如图 7-4b 所示。采用这种方法，由状态为 W' 的室外新风与状态为 N 的室内回风混合而成的状态 C' 的空气的焓值必须等于机器露点 L' 的焓值，即 $h_{C'} = h_{L'}$，这是因为需要把状态为 C' 的空气等焓加湿到机器露点 L'。但是，按最小新风量确定的最小新风比不一定能使混合点 C' 的焓值恰好等于机器露点 L' 的焓值。

当按最小新风比混合后 $h_{C'} > h_{L'}$ 时，应增大新风量，以使混合后的点 C' 正好落在等 $h_{L'}$ 线上。这样做不但可以改善卫生条件，而且不需增加能耗，此时新风比 m' 为

$$\frac{G_{W'}}{G} = \frac{h_N - h_{C'}}{h_N - h_{W'}} = m'$$

反之，当按最小新风比混合后 $h_{C'} < h_{L'}$ 时，则应对新风预热。这时，空气处理过程如图 7-4c 所示，可表示为

$$W' \xrightarrow{\text{预热}} W_1 \begin{array}{c} \\ \\ \end{array}\!\!\!\Big\rangle \!\!\! \begin{array}{c} \\ N \end{array} \xrightarrow{\text{混合}} C_1 \xrightarrow{\text{绝热加湿}} L' \xrightarrow{\text{再热}} O' \stackrel{\varepsilon'}{\rightsquigarrow} N$$

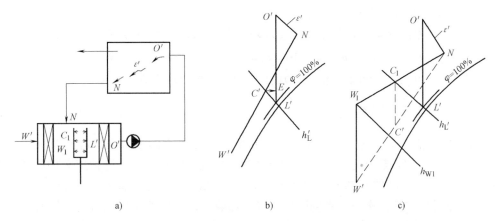

图 7-4 一次回风空调系统冬季处理过程

新风预热后的熵值 h_{W_1} 可以用下式计算，即

$$h_{W_1} = h_N - \frac{h_N - h_{L'}}{m'} \tag{7-6}$$

所以，当 $h_{W_1} > h_{W'}$ 时说明需要预热，而当 $h_{W_1} \leqslant h_{W'}$ 时则不需预热。因此，式（7-6）也是一次回风系统冬季是否需要预热器的判别式。

在上述一次回风系统中是用绝热加湿的方法增加含湿量的，除此之外，还可用喷蒸汽的方法加湿空气，即从点 C' 等温加湿到点 E（图7-4b）。

【例7-1】 室内要求参数 $t_N = 23℃$，$\varphi_N = 60\%$（$h_N = 49.8kJ/kg$）；室外参数 $t_W = 35℃$，$h_W = 92.2kJ/kg$，新风百分比为 15%，已知室内余热量 $Q = 4.89kW$，余湿量很小可以忽略不计，送风温差 $\Delta t_0 = 4℃$，采用水冷式表面冷却器，试求夏季设计工况下所需冷量。

【解】（1）计算室内热湿比：

$$\varepsilon = \frac{Q}{W} = \frac{4.89}{0} = \infty$$

（2）确定送风状态点，过 N 点作 $\varepsilon = \infty$ 的直线与设定的 $\varphi = 90\%$ 的曲线相交得 L 点（图7-5）：$t_L = 16.4℃$，$h_L = 43.1kJ/kg$。又已知送风温差 $\Delta t_0 = 4℃$，得送风状态点 O 为：$t_0 = 19℃$，$h_0 = 45.6kJ/kg$。

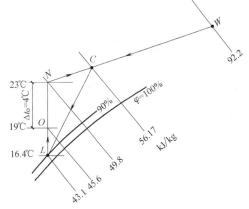

图 7-5 例题7-1图

（3）求送风量：$G = \dfrac{Q}{h_N - h_0} = \dfrac{4.89}{49.8 - 45.6}kg/s = 1.164kg/s(4190kg/h)$

（4）由新风比 0.15（即 $G_W = 0.15G$）和混合空气的比例关系可直接确定出混合点 C 的位置：$h_C = 56.17kJ/kg$。

（5）空调系统所需的冷量为：

$$Q_0 = G(h_C - h_L) = 1.164 \times (56.17 - 43.1)kW = 15.21kW$$

（6）冷量分析：

$$Q = 4.89 \text{kW}$$

$$Q_W = G_W (h_W - h_N) = 1.164 \times 0.15 \times (92.2 - 49.8) \text{kW} = 7.40 \text{kW}$$

$$Q_{zr} = G(h_O - h_L) = 1.164 \times (45.6 - 43.1) \text{kW} = 2.91 \text{kW}$$

$$Q_O = (4.89 + 7.40 + 2.91) \text{kW} = 15.2 \text{kW},\ 与前面的计算一致。$$

二、二次回风空调系统

一次回风系统夏季空气处理过程中，一方面将状态为 C 的混合空气冷却减湿到机器露点 L，另一方面又用再热器将状态为 L 的空气加热到送风状态点 O，这种用冷热抵消的方法来解决送风温差受限制的问题显然是很不经济的。二次回风正是基于这一考虑，在喷水室（或空气冷却器）前后两次引入室内回风，以冷却减湿设备后的回风代替再热器对空气再加热，达到节省热量和冷量的目的。由于这一过程采用了两次回风，所以称为二次回风空调系统。

1. 夏季空气处理过程

（1）系统图示及空气处理过程　二次回风系统的夏季处理过程如图7-6所示，其处理过程为

$$W \atop N \quad \xrightarrow{混合} C \xrightarrow{冷却减湿} L \quad \substack{\quad \\ \xrightarrow{混合} O \rightsquigarrow \varepsilon \rightarrow N \\ N}$$

（2）回风量的确定

1）二次回风量 G_2 和通过喷水室（或表冷器）的风量 G_L 的确定。由混合规律可知

$$\frac{G_2}{G} = \frac{h_O - h_L}{h_N - h_L}$$

则可以得出二次回风量 G_2 为

$$G_2 = G \frac{h_O - h_L}{h_N - h_L} \qquad (7\text{-}7)$$

又因为 $G = G_L + G_2$，则通过喷水室（或表冷器）的风量为

$$G_L = G - G_2 \qquad (7\text{-}8)$$

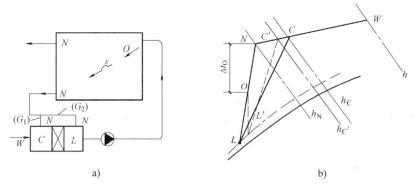

图 7-6　二次回风系统夏季空调过程

a）系统图示　b）h-d 图

2）一次回风量的确定。由于通过喷水室（或表冷器）的风量是一次回风量和室外新风量之和，即

$$G_L = G_1 + G_W$$

则可得

$$G_1 = G_L - G_W \qquad (7\text{-}9)$$

3）一次回风混合点 C 的确定。由新风 G_W 和通过喷水室（和表冷器）的风量 G_L 的比例关系有

$$\frac{G_W}{G_L} = \frac{h_C - h_N}{h_W - h_N}$$

则一次回风混合点 C 的焓值为

$$h_C = h_N + (h_W - h_N)\frac{G_W}{G_L} \qquad (7\text{-}10)$$

（3）冷量的确定　把一次回风混合点 C 处理到机器露点 L 的焓差就是空气在冷却去湿过程所消耗的冷量，大小为

$$Q_0 = G_L(h_C - h_L) \qquad (7\text{-}11)$$

2. 冬季空气处理过程

假定冬季室内余湿量及室内状态与夏季一样，送风量也与夏季相同，则冬季送风状态的含湿量也与夏季相同（图7-7）。如果再考虑二次回风混合比与夏季相同，则机器露点也与夏季相同。在这种情况下，只需将原夏季工况送风状态点 O 通过加热提高到冬季送风状态点 O' 即可。

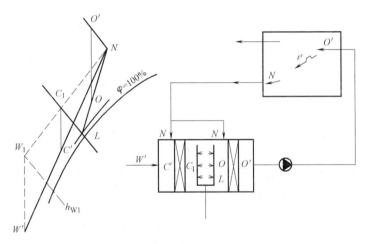

图 7-7　二次回风系统冬季空气处理过程

二次回风冬季空气处理过程也有先预热新风后混合及先混合后预热两种方案，这两种预热方案的空气调节过程分别为

$$W' \xrightarrow{\text{预热}} W_1 \quad \atop N \xrightarrow{\text{混合}} C_1 \xrightarrow{\text{加湿}} L \quad \atop N \xrightarrow{\text{混合}} O \xrightarrow{\text{再热}} O' \xrightarrow{\varepsilon'} N$$

$$W' \xrightarrow[N]{} \text{混合} \to C' \xrightarrow{\text{预热}} C_1 \xrightarrow{\text{加湿}} L \xrightarrow[N]{} \text{混合} \to O \xrightarrow{\text{再热}} O' \rightsquigarrow \varepsilon' \to N$$

冬季空气处理过程所需要的加热量由预热量和再热量两部分组成，即

$$Q = Q_1 + Q_2 = G_W(h_{W1} - h_{W'}) + G(h_{O'} - h_O) \tag{7-12}$$

与一次回风系统一样，二次回风系统冬季是否需要预热器也可事先判断，其判别式为

$$h_{W1} = h_N - \frac{h_N - h_0}{m} \tag{7-13}$$

当 $h_{W_1} > h_{W'}$ 时说明需要预热，而当 $h_{W_1} \le h_{W'}$ 时则不需预热。

【例7-2】 某生产车间需要设置空调系统，已知条件如下：

(1) 室外计算条件：夏季：$t_W = 35℃$，$t_S = 28.9℃$；冬季：$t_W = -4℃$，$\varphi_W = 40\%$；当地大气压力为101325Pa。

(2) 室内空气参数：$t_N = 25℃ \pm 1℃$，$\varphi_N = 60\%$。

(3) 按建筑、人、工艺设备及照明等计算得出的夏季、冬季的室内热、湿负荷：

夏季：$Q = 20.5kW$，$W = 0.0024kg/s$；

冬季：$Q = -4.5kW$，$W = 0.0024kg/s$。

(4) 车间内设有局部排风设备，排风量为 $0.417m^3/s$。

现拟采用二次回风系统，试进行夏、冬季空调过程计算。

【解】 根据夏季和冬季的室外空调计算参数，可在 $h\text{-}d$ 图上分别确定出夏季和冬季的室外状态点 W 和 W'，并可查得 $h_W = 93.8kJ/kg$，$h_{W'} = -1.1kJ/kg$，如图7-8所示。

1. 夏季空气处理过程

(1) 计算室内热湿比：

$$\varepsilon = \frac{Q}{W} = \frac{20.5}{0.0024}kJ/kg = 8542kJ/kg$$

(2) 确定送风状态点：在 $h\text{-}d$ 图上根据 $t_N = 25℃ \pm 1℃$，$\varphi_N = 60\%$ 确定 N 点，$h_N = 55.5kJ/kg$，$d_N = 11.9g/kg$。过 N 点作 $\varepsilon = 8542$ 线，与 $\varphi = 95\%$ 的曲线相交得 L 点（图7-8）：$t_L = 15.1℃$，$h_L = 41.0kJ/kg$。根据空调精度取送风温差 $\Delta t_0 = 7℃$，得送风状态点 O 为：$t_0 = 18℃$，$h_0 = 45.2kJ/kg$，$d_0 = 10.8g/kg$。

(3) 求送风量 G：

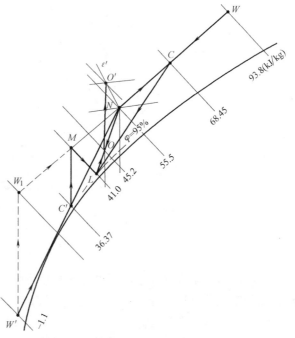

图7-8 例7-2图

$$G = \frac{Q}{h_N - h_O} = \left(\frac{20.5}{55.5 - 45.2}\right) \text{kg/s} = 1.99 \text{kg/s} (7164 \text{kg/h})$$

(4) 计算二次回风量 G_2：

$$G_2 = G(h_O - h_L)/(h_N - h_L)$$
$$= [1.99 \times (45.2 - 41.0)/(55.5 - 41.0)] \text{kg/s} = 0.576 \text{kg/s} (2074 \text{kg/h})$$

(5) 计算通过喷水室的风量 G_L：

$$G_L = G - G_2 = (1.99 - 0.576) \text{kg/s} = 1.414 \text{kg/s} (5090 \text{kg/h})$$

(6) 确定空调房间的新风量 G_W：

由于室内有局部排风，补充排风所需的新风量所占风量的百分数为：

$$m = \frac{G_W}{G} \times 100\% = \frac{0.417 \times 1.146}{1.99} \times 100\% = 24\%$$

式中，1.146 是 35℃时空气的密度。

计算出的新风比已满足一般卫生要求，同时注意当新风量根据排风量确定时，车间并未考虑保持正压。

(7) 确定一次回风量 G_1：

$$G_1 = G_L - G_W = (1.414 - 0.417 \times 1.146) \text{kg/s} = 0.936 \text{kg/s}$$

(8) 确定一次回风混合点 C：

$$h_C = \frac{G_1 h_N + G_W h_W}{G_1 + G_W} = \frac{0.936 \times 55.5 + 0.478 \times 93.8}{0.936 + 0.478} \text{kJ/kg} = 68.45 \text{kJ/kg}$$

h_C 线与 $\overline{NW}$ 连线的交点 C 就是一次回风混合点。

(9) 计算空调系统所需的冷量 Q：

$$Q = G_L(h_C - h_L) = [1.414 \times (68.45 - 41)] \text{kW} = 38.81 \text{kW}$$

2. 冬季空气处理过程

(1) 确定冬季室内热湿比 ε' 和送风状态点 O'：

$$\varepsilon' = \frac{Q}{W} = \frac{-4.5}{0.0024} \text{kJ/kg} = -1875 \text{ kJ/kg}$$

由于冬、夏季室内散湿量相同，当冬、夏季采用相同的送风量时，冬、夏季的送风含湿量应相同，即

$$d_{O'} = d_O = d_N - \frac{W \times 1000}{G} = \left(11.9 - \frac{0.0024 \times 1000}{1.99}\right) \text{g/kg} = 10.69 \text{g/kg}$$

送风含湿量线 $d_{O'} = 10.69 \text{g/kg}$ 与 $\varepsilon' = -1875$ 的交点就是冬季送风状态点 O'。该送风状态点的 $h_{O'} = 58.2 \text{kJ/kg}$，$t_{O'} = 30.2℃$。

(2) 由于 N、O、L 点的参数与夏季相同，即一次混合过程与夏季相同。因此可按夏季相同的一次回风混合比来确定冬季一次回风混合状态点 C'。

由混合定律，一次回风混合状态点 C' 的焓值为

$$h_{C'} = \frac{G_1 h_N + G_W h_{W'}}{G_1 + G_W} = \left[\frac{0.936 \times 55.5 + 0.478 \times (-1.1)}{0.936 + 0.478}\right] \text{kJ/kg} = 36.37 \text{kJ/kg}$$

由于 $h_{C'}=36.37\text{kJ/kg}<h_L=41.0\text{kJ/kg}$，一次回风混合状态点位于过机器露点的等焓线的下方，所以应设置预热器。

（3）确定加热器的加热量：

一次混合后的预热量：$Q_1=G_L(h_L-h_{C'})=1.414\times(41.0-36.37)\text{kW}=6.55\text{kW}$

二次混合后的再热量：$Q_2=G(h_{O'}-h_O)=1.99\times(58.2-45.2)\text{kW}=25.87\text{kW}$

所以冬季所需要的总加热量：$Q=Q_1+Q_2=(6.55+25.87)\text{kW}=32.42\text{kW}$

三、应用特点

由上述空调过程分析可知，一次回风和二次回风空调系统在空气处理、新风利用及运行管理等方面独具优势，全年能耗介于直流式和封闭式系统之间，属于传统的主要的集中式空调系统形式。

一次回风空调系统的优点是处理流程简单，操作管理方便；缺点是当有送风温差要求时，需采用再热过程，有冷、热抵消的现象，会造成能量浪费。对于室内状态和送风温差没有严格要求的系统，特别是对于允许采用机器露点送风的场合，采用一次回风系统节能效果明显。因此，一次回风空调系统尤其适用于使用舒适性空调的工程。

二次回风空调系统的优点是用二次混合过程代替了再热过程，节能效果明显；缺点是处理流程复杂，给运行管理带来不便。因此，该系统只适用于对室内温度、湿度要求严格、送风温差较小、风量较大的恒温恒湿或净化空调之类的工程。

四、系统划分与分区处理

1. 普通集中式空调系统的划分原则

1）属于下列情况之一的空气调节区，宜分别或独立设置空调系统：

① 使用时间不同的空气调节区。

② 温湿度基数和允许波动范围不同的空气调节区。

③ 对空气的洁净要求不同的空气调节区。

④ 有消声要求和产生噪声的空气调节区。

⑤ 空气中含有易燃易爆物质的空气调节区。

⑥ 在同一时间内必须分别进行供热和供冷的空气调节区，如不同朝向的空气调节区、周边区与内区等。

2）尽量减少风管长度和风管的重叠，便于施工安装和运行调试。

3）空调系统不宜过大，应当使用经济、灵活，运行管理和维修方便。一个系统的风量一般不超过 $30000\sim50000\text{m}^3/\text{h}$。

2. 普通集中式空调系统的分区处理

系统划分时有时可把室内参数和热湿比相近的房间划分在一个系统里，由于各个房间的热、湿负荷情况不可能完全相同，因此，在多个房间空调系统中，为了使送风状态满足空调房间的精度要求，有时需要采用下面几种分区处理的方法。

（1）各房间室内设计参数相同，热湿比不同，送风温差不同　如图7-9所示，假设有处于一个空调系统中的甲、乙两个房间，室内状态点均为 N，热湿比分别为 ε_1 和 ε_2，为满足每个房间的温、湿度要求，可以采用末端再热的方法对空气进行处理。

具体做法：保证甲室的送风状态 O_1（根据甲室的室内状态点、热湿比和送风温差求得）不变，送往甲室的空气经过集中处理后即达到送风状态 O_1，而送往乙室的空气则在经过集中处理后需再进一步进行局部加热达到送风状态 O_2，如图 7-9 所示。

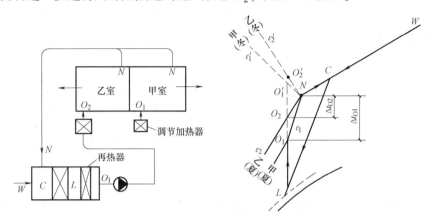

图 7-9　用末端再热方式满足两个房间的送风要求

　　（2）要求室内温度相同，相对湿度允许有偏差，而各房间热湿比不同　假定有甲、乙两室，其室内温度相同，相对湿度允许有偏差，而各房间热湿比不同，如果相对湿度偏差在允许的范围内，两房间可以用同一送风状态点，而不必做个别处理，如图 7-10 所示。

　　如果以甲室的送风状态点 O_1 作为二者的共同送风状态，则送入的空气进入甲室消除室内的余热余湿后，显然能达到甲室的温湿度（t_N，φ_N）要求，而无任何偏差。但由于乙室的热湿比 ε_2 与甲室的热湿比 ε_1 不同，在保证乙室的室内温度 t_N 要求的前提下，其相对湿度 φ 必然有偏差。如果偏差在允许范围之内，则这样做是允许的。一般以甲、乙两室中比较重要者的送风状态作为共同的送风状态。如果两室的重要性

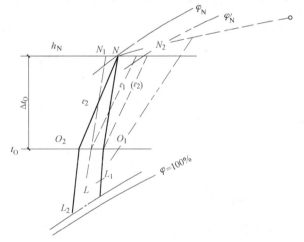

图 7-10　用同一送风状态点送风满足
两个热湿比不同的房间

相同，则可取甲室的机器露点与乙室的机器露点的中间值作为二者共同的露点，把空气从此点加热到共同的送风状态，这样甲室和乙室相对湿度都有较小的偏差。

　　（3）房间室内设计参数相同，热湿比不同，但要求送风温差相同　在这种情形下，可以采用分区空调的方式，满足各个房间的要求，如图 7-11 所示。

　　两个房间（或两个区）的空气处理过程分别表示如下：

甲室：

$$W \longrightarrow L$$
$$N \nearrow \longrightarrow C_1 \longrightarrow O_1 \rightsquigarrow \stackrel{\varepsilon_1}{\longrightarrow} N$$

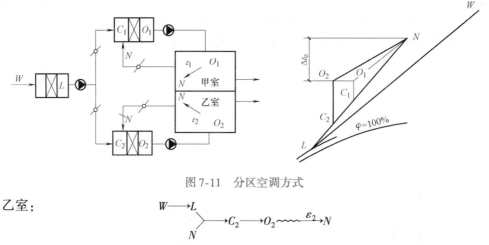

图 7-11　分区空调方式

乙室：

$$W \longrightarrow L \longrightarrow C_2 \longrightarrow O_2 \overset{\varepsilon_2}{\rightsquigarrow} N$$

（其中 W、L、N 处有连线）

在以上几种系统方案的处理分析中，为了简化问题，没有在 h-d 图上反映出空气经风道的传热温升（夏季）或温降（冬季），以及由风机功率的转化而引起的温升（通常冬季风道内的风机转化热产生的温升和管壁温降相抵消，而夏季二者均称为不利因素而相互叠加）。但是对于管道长、管内风速高，因而风机压头大的系统——高速风道系统，这种温度的变化必须考虑并且把它反映在 h-d 图的处理过程中。风机温升和管道温升的具体计算，可参考相关文献。

第三节　半集中式空调系统

半集中式空调系统除了有集中的空气处理室外，还在空调房间内设有二次空气处理设备。该系统克服了集中式空调系统空气处理量大，设备、风道断面积大等缺点，同时具有局部式空调系统便于独立调节的优点。半集中式空调系统因二次空气处理设备种类不同分为风机盘管系统、诱导器系统和辐射板系统。

一、风机盘管系统

风机盘管系统在每个空调房间内设有风机盘管机组。风机盘管机组既是空气处理输送设备，又是末端装置，再加上经集中处理后的新风送入房间，由两者结合运行。该系统在办公楼、商用建筑及小型别墅中采用较多。

1. 风机盘管机组的构造、分类和特点

（1）风机盘管机组的构造　风机盘管机组是由冷热盘管（一般 2～4 排铜管串片式）和风机（多采用前向多翼离心式风机或贯流风机）组成。室内空气直接通过机组内盘管进行冷却减湿或加热处理。风机的电动机多采用单相电容调速低噪声电动机。与风机盘管相连接的有冷、热水管路和凝结水管路。

（2）风机盘管机组的分类　风机盘管机组按结构形式可分为立式（图 7-12a）、卧式（图 7-12b）、卡式和壁挂式；按安装形式分为暗装和明装；按特征分为单盘管和双盘管；按出口静压分为低静压型和高静压型等。

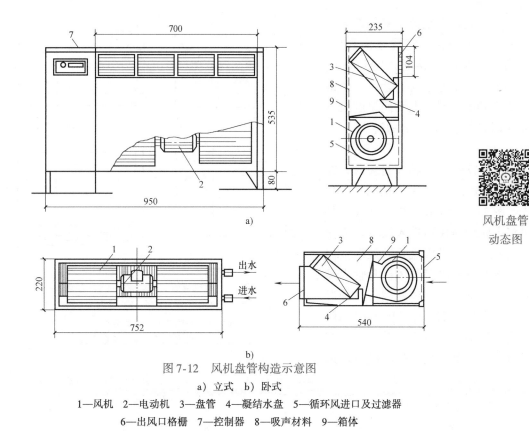

风机盘管
动态图

图 7-12 风机盘管构造示意图
a) 立式 b) 卧式
1—风机 2—电动机 3—盘管 4—凝结水盘 5—循环风进口及过滤器
6—出风口格栅 7—控制器 8—吸声材料 9—箱体

（3）风机盘管机组的特点 风机盘管机组的优点是布置灵活方便，容易与装饰装修工程配合；各房间可以独立调节室温，当房间无人时可方便地关掉机组而不影响其他房间的使用，有利于节省运行费用；各房间之间空气互不串通；系统占用建筑空间少。

风机盘管机组的缺点是布置分散，维护管理不方便；当机组没有新风系统同时工作时，冬季室内相对湿度偏低，故不能用于全年室内湿度有要求的地方；空气的过滤效果差；必须采用高效低噪声风机；水系统复杂，容易漏水；盘管冷热兼用时，容易结垢，不易清洗。

2. 风机盘管机组的新风供给方式

如图 7-13 所示，风机盘管机组的新风供给方式主要有三种。

（1）靠室内机械排风渗入新风（图 7-13a） 室内不设新风系统，靠设在卫生间、浴室等处的机械排风在房间内形成负压，促使新风经门窗缝隙渗入室内。该方法的特点是初投资和运行费用低，但室内卫生条件差；受无组织渗风的影响，室内温度场分布不均匀。这种方式仅适用于室内人少的场合，特别适用于旧建筑增设风机盘管机组且布置新风管困难的场合。

（2）墙洞引入新风（图 7-13b） 把风机盘管机组设在外墙窗台下，立式明装，在盘管机组背后的墙上开洞，把室外新风用短管引入机组内。这种方式初投资少且节约建筑空间，但要使风机盘管适应新风负荷的变化比较困难。故这种系统只适用于室内参数要求不太严格的场合。另外，新风口还会破坏建筑立面，增加污染和噪声，所以要求高的地方也不宜采用。

（3）独立新风系统　室外新风通过新风机组处理到一定状态参数后，由送风风道系统直接送入空调房间（图7-13c），或送入风机盘管空调机组（图7-13d），使其与房间里的风机盘管共同负担空调房间的冷（热）、湿负荷。

当风机盘管机组卧式暗装时，在工程上常采用图7-14所示的两种安装方式。图7-14a所示的新风直入式是经过集中处理新风不进入风机盘管而直接送入室内，风机盘管只处理室内回风，将新风送风口与风机盘管出风口并列，上罩一个整体格栅。这种形式管路简单，占地少，卫生条件好，和装饰易于结合，故应用较多。也有将新风口设在离风机盘管出风口较远

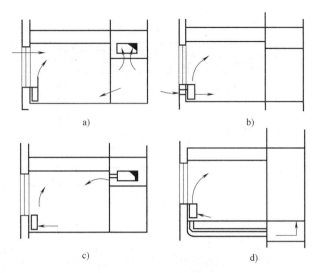

图7-13　风机盘管机组的新风供给方式

a）靠室内机械排风渗入新风　b）墙洞引入新风

c）独立新风系统（上部送入）

d）独立新风系统（送入风机盘管机组）

处，新风口为独立的单个喷口的送风方式。图7-14b所示的串接式虽然增加了盘管的负担，但新、回风的混合较好，而且当部分房间不需空调时也可节省处理新风的费用。

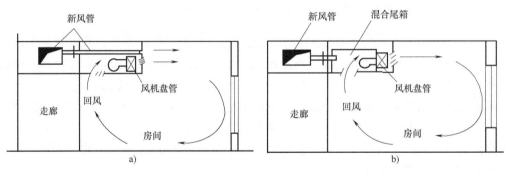

图7-14　两种由独立新风系统供给新风的方式

a）新风直入式　b）串接式

3. 风机盘管系统的夏季空气处理过程分析

在风机盘管空调系统中，一般应采用风机盘管加独立新风系统的空调方式。因此，这里主要对这种系统进行分析。

（1）新风直入式的夏季空气处理过程　新风直入式的夏季空气处理过程可表示为

由独立新风系统供给新风的方式：新风直入式

由独立新风系统供给新风的方式：串接式

$$W \xrightarrow{\text{冷却减湿}} L$$
$$N \xrightarrow{\text{冷却}} M$$
$$\xrightarrow{\text{混合}} O \sim \varepsilon \to N$$

根据新风处理的状态不同，其 h-d 图如图7-15所示。

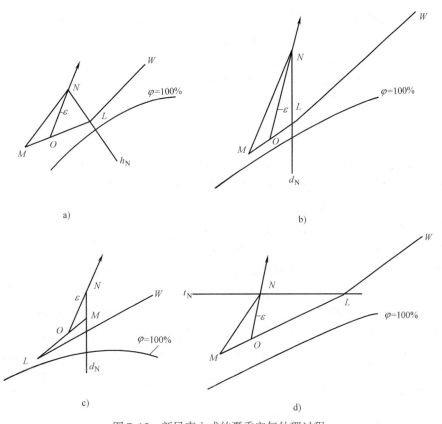

图 7-15 新风直入式的夏季空气处理过程

a）新风处理到 h_N 线（$h_L = h_N$） b）新风处理到 d_N 线 c）新风处理到 d_L 线（$d_L < d_N$） d）新风处理到 t_N 线

图 7-15a 所示是把新风处理到室内状态的等焓线（$h_L = h_N$）上。在这种情况下，新风不承担室内冷负荷，即新风机组承担新风冷负荷，风机盘管除了承担房间冷负荷外，还要承担一部分新风的湿负荷，风机盘管机组在湿工况下工作，可用风机盘管的出水作为新风机组的进水。

图 7-15b 所示是把新风处理到 d_N 线上。在这种情况下，风机盘管机组只承担室内的部分冷负荷和湿负荷，而新风机组不仅承担新风冷负荷，还承担部分室内冷负荷和湿负荷。此时，对新风机组提供的冷冻水温约为 $7 \sim 9℃$。

图 7-15c 所示是把新风处理到 $d_L < d_N$。在这种情况下，风机盘管机组只承担一部分室内显热冷负荷（人、照明、日照），可实现等湿冷却。而新风机组不仅承担新风冷负荷，还负担部分室内显热冷负荷和全部潜热冷负荷，新风处理的焓差大，水温要求在 5℃ 以下，国内一般不采用。

图 7-15d 所示是把新风处理到 t_N 线上。在这种情况下，风机盘管机组负担的负荷很大，特别是湿负荷很大，易发生水患，故建议不予采用。

（2）新回风串接式的夏季空气处理过程 新回风串接式是把新风送到风机盘管尾部与回风混合后再经风机盘管进行处理，然后送入空调房间。其夏季空调过程可表示为

$$W \xrightarrow{\text{冷却减湿}} L \underset{N}{\searrow} \xrightarrow{\text{混合}} C \xrightarrow{\text{冷却减湿}} O \rightsquigarrow \xrightarrow{\varepsilon} N$$

新回风串接式的新风处理也有处理到 t_N 线、h_N 线等几种情况，通常选择把新风处理到室内状态的等焓线上（$h_L = h_N$），如图 7-16 所示。在这种情况下，风机盘管机组处理的风量比新风直入式大（包括了新风）。当风机盘管不工作时新风从回风口送出，造成对过滤器反吹，对卫生不利。

4. 新风机组和风机盘管机组的选择

（1）新风机组的选择　对于独立式新风系统，新风机组处理的风量应等于各空调房间的新风量之和。新风机组冷、热容量的大小，就等于各空调房间处理新风所需要的冷、热量之和。由此，根据计算出的处理新风量所需要的冷量、热量和加湿量等，即可根据空调机组的产品样本选取合适的新风机组。

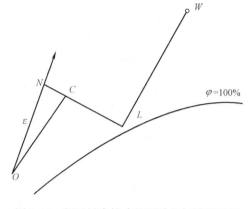

图 7-16　新回风串接式的夏季空气处理过程

（2）风机盘管机组的选择　根据风机盘管处理风量和所选风机盘管的风量选择风机盘管的型号和台数。选定机组后，应使机组在要求的水初温、水量和风量等条件下的显冷量和全冷量均满足空调过程的要求。如果产品不能同时满足两方面的要求，则应进行室内状态参数的校核。选择风机盘管时，应考虑到人体的舒适感范围比较宽。为了满足不同的人对温湿度的不同要求，需要有一个灵活调节的范围，而且机组使用一段时间后，阻力增加，风量减少，性能下降，因此宜按中档容量选择机组。

二、诱导器系统

1. 诱导器系统的工作原理

图 7-17 所示为诱导器系统的工作原理图。诱导器系统中有一个关键设备叫诱导器。诱导器也是一个末端装置，它由静压箱、喷嘴和冷热盘管等组成。经过集中处理的一次风首先进入诱导器的静压箱，然后以很高的速度自喷嘴喷出。由于喷出气流的引射作用，在诱导器内形成负压，室内回风（称为二次风）就被吸入，然后一次风与二次风混合构成了房间的送风。

诱导器的一个重要的性能指标是诱导比（图 7-18），它是指被诱导的室内回风量（称为二次风）与一次风量的比值，即

$$n = \frac{G_2}{G_1} \qquad (7\text{-}14)$$

式中　n——诱导比，一般在 2.5 ~ 5 之间；

　　　G_2——被喷嘴诱入的二次风量（kg/h）；

　　　G_1——通过静压箱送出的一次风量（kg/h）。

因为 　　　　　　　$G = G_1 + G_2 = G_1 + nG_1$

诱导器系统
工作原理图

图 7-17　诱导器系统工作原理图

所以

$$G_1 = \frac{G}{1 + n} \qquad (7\text{-}15)$$

式中　G——诱导器的总送风量（kg/h）。

由此可见，在一次风量相同的条件下，诱导比大的诱导器送风量大，室内换气次数高。

2. 诱导器系统的分类

按照诱导器内是否设置盘管，诱导器系统可以分为两类。

（1）全空气诱导器系统　采用这种系统时，室内所需的冷负荷全部由空气（一次风）负担，所以

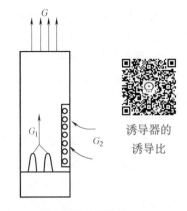

图 7-18　诱导器的诱导比

称为全空气诱导系统。这种诱导器不带二次冷却盘管，故又称简易诱导器。它实际上是一个特殊的送风装置，它能诱导一定数量的室内空气，达到增加送风量和减少送风温差的作用。有时也可在简易诱导器内安装电加热器以适应室内负荷变动的需要。

（2）"空气—水"诱导器系统　这种系统的一部分夏季室内冷负荷由空气（由集中空气处理箱处理得到的一次风）负担，另一部分由水（通过二次盘管加热或冷却二次风）负担。一次风和水分别负担的冷量可通过设计计算决定。

3. 诱导器系统的特点

（1）诱导器系统的优点　由于集中处理的仅仅是一次风，所以机房面积和风道尺寸都可以缩小，以节省建筑面积和空间；当一次风就是新风时（工程上多采用这种方案），可完全省去回风管道，房间之间也由于有阻力较大的盘管相隔，故交叉污染的可能性小；当冬季不使用一次风时，将盘管通上热水就成了自然对流的散热器，成功地把空调与供暖结合起来；诱导器中没有转动设备，所以用于产生有爆炸危险的气体或粉尘的房间不会有危险。

（2）诱导器系统的缺点　二次风无法过滤，所以对电气净化要求高的地方不宜使用；由于风道里只考虑通过一次风，所以即使季节合适也无法增加新风量，对节能不利；喷嘴处风速高时可能产生噪声；"空气—水"诱导器系统既有一次风管，又有冷、热水管和冷凝水管，所以管路复杂，施工不便。

三、辐射板系统

1. 辐射板系统的工作原理

辐射板空调系统是指降低围护结构内表面中一个或多个表面的温度，形成冷辐射面，依靠冷辐射面提供冷量，使室温下降，从而除去房间显热负荷的空调系统。

在辐射板空调系统中，冷辐射板与室内环境之间的传热方式是辐射和对流。冷媒水冷却辐射板，辐射板温度降低，然后冷辐射板与人体表面、非冷却表面、室内物体表面等表面进行辐射换热；当围护结构内表面和室内物体表面温度降低后，与人体进行辐射换热。辐射换热量取决于辐射板，维护结构表面，人体及室内热源的表面温度，各表面的几何形状、相对位置及它们的辐射特性。

空气是辐射的透明体，不能通过辐射换热的方式被降温，所以，辐射换热过程进行的同

时，通过与围护结构内表面和室内冷源的对流换热使室内空气温度降低，对流换热量取决于辐射冷板附近空气对流作用的强弱。

2. 辐射板系统的分类

根据辐射板安装位置，辐射板系统可以分为顶板辐射供冷、地板辐射供冷、墙壁辐射供冷系统等。

同样的条件下，如果辐射末端结构不同，表面温度不同，传热效果也是不一样的。根据末端装置的结构形式，辐射板主要可以分为三类：

（1）金属辐射板　金属辐射板是目前在工程中运用得最多的一种辐射空调系统末端，从原理上来讲，它可以算是一种管内通水，管外为空气的表面空气换热器。在实际工程中，金属辐射顶板一般被制成模块化产品，其面板材料通常以铜、铝或钢为主。这种结构占据空间小，安装方便，运行噪声低，而且启动时间很快，反应灵敏；缺点是辐射板价格高，辐射表面温度不均匀。

（2）毛细管辐射板　毛细管辐射板以塑料为材料，由比较密集的毛细管状水管组成，两端分别连接分水联箱和集水联箱，形成"冷网格"结构。这种结构可与金属板结合形成模块化辐射板，也可直接连接楼板或者安装在墙壁内。系统运行时噪声较低，表面温度分布均匀，布置灵活。

（3）混凝土辐射板　与其他模块化的辐射顶板不同，混凝土辐射板需要在楼板浇筑前就已经设计完成，并将供水管道按设计排列并固定在钢筋网上，最后使用混凝土浇筑而成。混凝土辐射板的制作方式导致采用该末端形式的辐射空调系统维修难度极大，所以该系统对埋管管材的要求较高，目前实际工程中主要使用的是具有耐热、耐压、抗腐蚀和抗老化的 PEX 管。这种结构工艺成熟，造价比较低，但是由于盘管所在的换热层的迟滞，启动过程比较长，需要比较长的预冷时间，且当辐射板温较低时，容易发生结露现象。

上面三种辐射板根据各自的特点分别应用于地板、顶板和墙壁辐射供冷系统中。

3. 辐射板系统的特点

辐射板空调系统有着传统空调系统无法比拟的优势，例如节能，具有良好的室内舒适性，冬、夏季可以共用一套室内系统，使初投资减少，具有"自调节"功能等。辐射板空调系统弥补了传统空调系统的不足，其存在着巨大的发展潜力，但是该系统也出现了如供冷能力不足、结露、单独使用时容易出现闷热感等问题。特别是辐射板表面结露会带来巨大的危害，比如影响建筑物的美观、使居住者有不舒适感以及室内环境污染等。

第四节　分散式空调系统

在一些建筑物中，如果只有少数房间有空调要求，这些房间又很分散，或者各房间负荷变化规律有很大不同，显然采用集中式或半集中式空调系统是不适宜的，此时宜采用分散式空调系统。

分散式空调系统是空调房间的负荷由制冷剂直接负担的系统，也称为局部空调机组。分散式空调系统实际上是一个小型空调系统（属制冷剂直接蒸发式空调系统），它将空气处理设备各部件（包括空气冷却器、加热器、加湿器、过滤器）与通风机、制冷机组组合成一个整体，具有结构紧凑、安装方便、使用灵活的特点，所以在空调工程中得以广泛应用。

一、分散式空调系统的特点

与集中式空调系统相比，分散式空调系统具有以下特点：

1）具有结构紧凑、体积小、占地面积小、自动化程度高等优点。

2）由于机组的分散布置，可以使各空调房间根据自己的需要停开各自的空调机组，以满足各种不同的使用要求，所以机组系统的操作简单，使用灵活方便；同时，各空调房间之间也不互相污染、串声，发生火灾时，也不会通过风道蔓延，对建筑防火非常有利。

3）机组系统对建筑外观有一定影响。安装房间空调机组后，经常破坏建筑物原有的建筑立面。另外，噪声、凝结水、冷凝器热风对环境会造成污染。

4）空调机组的制冷性能系数较小，一般在2.5～3范围之内。同时，机组系数不能按室外一般气象参数的变化和室内负荷实现全年多工况节能运行调节，过渡季也不能使用全新风。

二、分散式空调系统的分类

分散式空调系统形式很多，可以按照以下几个原则进行分类。

1. 按照容量大小分类

（1）窗式空调机　容量小，冷量一般在7kW以下，风量在0.33m³/s以下，属于小型空调机。一般安装在窗台上，蒸发器朝向室内，冷凝器朝向室外，如图7-19所示。

（2）壁挂式（吊装式）空调机　容量较小，冷量一般在13kW以下，风量在0.33m³/s以下，如图7-20所示。

窗式空调机

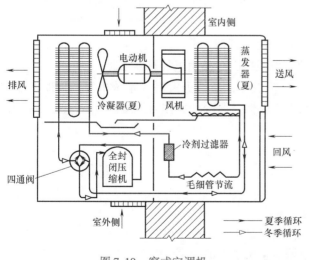

图7-19　窗式空调机

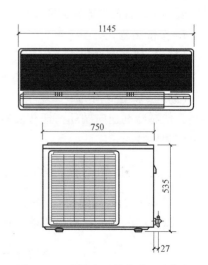

图7-20　壁挂式（吊装式）空调机

（3）立柜式空调机　容量较大，冷量一般在70kW以下，风量在5.55m³/s以下，立柜式空调机组通常落地安装，机组可以放在室外，如图7-21所示。

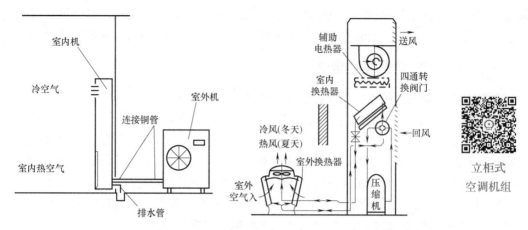

图 7-21　立柜式空调机组（冷凝器分开安装，热泵式）

2. 按机组的整体性分类

（1）整体式空调机组　将空气处理部分、制冷部分和电控部分等安装在一个罩壳内形成一个整体。结构紧凑，操作灵活，但噪声振动较大。

（2）分体式空调机组　将蒸发器和室内风机作为室内机组，把制冷系统蒸发器之外的部分置于室外，称为室外机组。两者用冷剂管道相连接，这样可使室内的噪声降低。在目前的产品中也有用一台室外机与多台室内机相匹配的。

3. 按制冷设备冷凝器的冷却方式分类

（1）水冷式空调机组　水冷式空调机组中的制冷系统以水作为冷却介质，用水带走其冷凝热。为了节约用水，用户一般要设置冷却塔，冷却水循环使用，通常不允许直接使用地下水或自来水。

（2）风冷式空调机组　风冷式空调机组中的制冷系统以空气作为冷却介质，用空气带走其冷凝热。不需要冷却塔和冷却水泵，不受水源条件的限制，在任何地区都可以使用。

4. 按供热方式分类

（1）冷风型空调机组　仅用作夏季供冷的空调器。

（2）电热型空调机组　夏季由制冷系统供冷，冬季由电加热器供暖。

（3）热泵型空调机组　夏季由制冷系统供冷，冬季仍由制冷系统供暖。借助四通阀的转换，使制冷剂逆向循环，把蒸发器当作冷凝器，原冷凝器作为蒸发器，空气流过冷凝器被加热作为供暖用。

三、空调机组的性能和应用

1. 空调机组的能效比（EER）

空调机组的能耗指标可用能效比来评价。

$$能效比 = \frac{机组的名义工况制冷量(W)}{空调器整机消耗的功率(W)}$$

机组的名义工况（又称额定工况）制冷量是指国家标准规定的进风湿球温度、风冷冷凝器进口空气的干球温度等检验工况下测得的制冷量。随着产品质量和性能的提高，目前EER值一般在 2.8 ~ 3.2 之间。

2. 空调机组的选定

空调机组的选定应该考虑以下几个方面：

1）确定空调房间的室内参数，计算热、湿负荷，确定新风量。

2）根据用户的实际条件与要求、空调房间的总负荷（包括新风负荷）和空气在 h-d 图上实际处理过程的要求，查机组的特性曲线和性能表（不同进风湿球温度和不同冷凝器进水温度或进风干球温度下的制冷量），使冷量和出风温度符合工程设计要求。不能只根据机组的名义工况来选择机组。

3. 空调机组的应用

空调机组的开发和应用应满足人们生产和生活不断发展的需要，力求产品多样化、系列化、机组结构优化和控制自动化。

从目前来看，空调机组的应用大致有以下几种：

（1）个别方式 作为典型的局部地点使用。在建筑物内个别房间设置，彼此独立工作，相互没有影响。住宅建筑中多数采用该空调方式。

（2）多台合用方式 对于较大的空间，使用多台空调机联合工作。这种空调方式可以接风管，也可以不接风管，只要使空调房间内空气分布均匀，噪声水平低，满足温湿度要求即可。通常在会议室、食堂、车间及电影院等场合使用。

（3）集中化使用方式 为有效利用空调机组的冷热量，提高运转水平，在建筑物内大量使用时，由个别方式发展为集中系统方式。

第五节 变风量空调系统

普通集中式空调系统的送风量是全年固定不变的，并且按房间最大热湿负荷确定送风量，称为定风量系统（CAV）。实际上房间热湿负荷不可能经常处于最大值，而是在全年的大部分时间低于最大值。当室内负荷减少时，定风量系统是靠调节再热量以提高送风温度（减小送风温差）来维持室温不变的。这样既浪费热量，又浪费冷量。由此，变风量（VAV）系统就应运而生了。

变风量空调系统是 20 世纪 70 年代发展起来的。当室内负荷降低时，它不需改变送风状态，而只需减少送风量就可以维持室内温度不变。这种系统不仅节省了提高送风温度所需的能量，而且由于处理风量的减少，降低了风机功率电耗以及制冷机的冷量。对于大容量的空调装置节能效果尤为明显。

一、变风量空调系统的末端装置

从设备设置来看，变风量空调系统除有集中空调机房外，在送风的末端还设有变风量装置，称为末端装置。集中空调机房把空气处理到送风状态后，由风道把空气输送到各个房间，各房间送风量的大小由变风量末端装置调节，以适应冷负荷的变化，维持室温不变。

变风量末端送风装置有三种基本类型，即节流型、旁通型和诱导型。其中以节流型的节能效果为好。

1. 节流型末端装置

节流型末端装置的风量调节原理是通过改变流通空气的通道截面面积而改变风量。图 7-22a 所示是一种典型的节流型变风量末端装置。其阀体呈文氏管状，故又称文氏管型变风量装置。它具有两个独立的动作部分：一部分是"变风量机构"，即随着室内负荷变化由室内恒温调节器的信号控制锥体位置，改变锥体与管道之间的通道面积，从而调节风量；另一部分是"定风量机构"，即依靠锥体构件内弹簧的补偿作用来平衡上游风管内静压的变化，使风口的风量保持不变。

还有一种性能良好的节流型末端装置就是条缝型变风量装置，如图 7-22b 所示。该装置的送风口呈条缝型，并可多个串联在一起，与建筑配合形成条缝型送风，送风气流可形成贴附于顶棚的射流并具有良好的诱导室内气流的特性。此外风口本身就是静压箱，可内贴吸声材料，也可均匀的静压出风。这种装置由室内感温元件——皮囊来变化风口流通部分的截面面积，以达到调节风量的目的；另外根据静压箱压力通过调节器也能控制弹性皮囊的伸胀和收缩来起定风量作用。图 7-23 所示为节流型变风量系统的工作原理图。

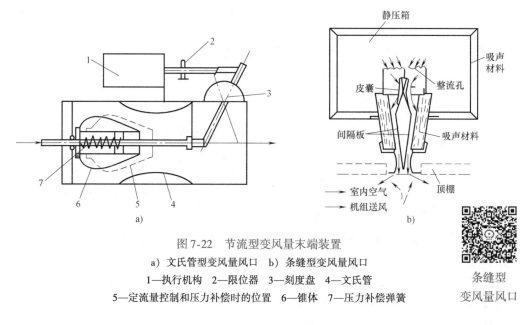

图 7-22 节流型变风量末端装置

a）文氏管型变风量风口 b）条缝型变风量风口

1—执行机构 2—限位器 3—刻度盘 4—文氏管

5—定流量控制和压力补偿时的位置 6—锥体 7—压力补偿弹簧

条缝型
变风量风口

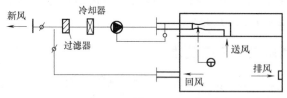

图 7-23 节流型变风量系统工作原理

节流型变风
量系统工作
原理

节流型末端装置有如下特点：

1）节流型变风量末端装置一般都有定风量装置，能够自动平衡管道内的压力变化，故实际上不需进行风道阻力平衡，设计和施工得以简化。

2）当风量过小时，会产生以下不利影响：新风量不易保证；对于散湿量大的房间，难以保持一定的相对湿度；室内气流组织会受到一定的影响。

3）要克服上述缺点，需要增加房间风量控制、系统风量及最小新风量控制，致使自动控制系统较复杂，造价较贵。

4）送风口节流后，风机与风道联合工作的特性变化了，使管内静压升高，为了进一步节能，应在风道内设静压控制器调节风机风量。

2. 旁通型末端装置

图7-24所示是旁通型变风量末端装置。该系统风机的风量是一定的，当室内负荷减少时，通过送风口的分流机构来减少送入室内的空气量，其余部分则送入顶棚内转而进入回风管循环。其系统工作原理如图7-25所示。

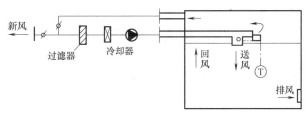

图7-24 旁通型变风量末端装置

旁通型末端装置的特点是：

1）即使负荷变化，风道的静压大致不变化，也不会增加噪声，风机不需要调节。

2）当室内负荷减少时，不必增加再热量（与定风量系统相比较），但风机动力没有节约且需要增设回风道。

3）大容量的装置采用旁通型时经济性不强，它适合于小型的并采用直接蒸发式冷却器的空调装置。

图7-25 旁通型变风量系统工作原理

3. 诱导型末端装置

图7-26所示是诱导型变风量系统的工作原理图。这种系统可以利用吊顶内的热风加热房间，必要时也可与照明灯具结合，直接利用照明的热量。由变风量系统送来的一次风诱导吊顶内的空气作为二次风，一次风与二次风混合后再送入室内。室内负荷减少时，逐渐开大二次风阀门，提高送风温度，以维持要求的室温。

诱导型末端装置的特点是：

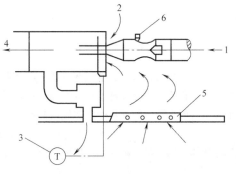

图7-26 诱导型变风量系统工作原理
1——次风 2—二次风 3—室内感温元件
4—混合空气 5—灯罩 6—定风量装置

诱导型变风量系统工作原理

1）由于一次风温度可以很低，所需要的风量少，同时采用高速，所以风道断面面积小，然而要达到诱导作用必须提高风机压头。

2）由于可以利用室内热量，特别是照明热量，故适用于高照度的办公大楼等场合。

3）室内空气（二次风）不能进行有效的过滤。

4）即使负荷减少，房间风量变化也不大，对气流分布的影响较节流型末端装置小。

二、变风量系统的特点和适用性

变风量空调系统具有如下特点：

1）运行经济，由于风量随负荷的减小而降低，所以冷量、风机功率能接近建筑物空调负荷的实际需要，在过渡季节也可以尽量利用室外新风冷量。

2）各个房间的室内温度可以个别调节，每个房间的风量调节直接受装在室内的恒温器控制。

3）具有一般低速集中空调系统的优点，如可以进行较好的空气过滤、消声等，便于集中管理。

4）不像其他系统那样，始终能保持室内换气次数、气流分布和新风量，当风量过低而影响气流分布时，则只能以末端装置再热来代替进一步减少风量。

在高层和大型建筑物中的内区，由于没有多变的建筑传热、太阳辐射等负荷，室内全年或多或少有余热，全年需要送冷风，用变风量系统比较合适。但在建筑物的外区有时仍可以用定风量系统或空气—水系统等，以满足冬季和夏季内区和外区的不同要求。

本 章 小 结

本章首先介绍了空气调节系统的各种分类方法，然后对常用的几类空调系统进行了详细的讨论。详细阐述了一次回风和二次回风两种典型的普通集中式空调系统的特点及夏季、冬季的空气处理过程，比较了两者的应用特点，并且介绍了普通集中式空调系统划分的原则及分区处理方法；介绍了风机盘管系统、诱导器系统及辐射板系统三种半集中式空调系统的特点及工作原理，分析了风机盘管系统夏季空气处理过程；介绍了分散式空调系统的特点、分类及其应用；分析了变风量空调系统的工作原理，并且详细讨论了变风量空调系统末端装置的工作特点。

习题与思考题

1. 按照空气处理设备的设置情况，空气调节系统可分为哪几类？各类的特点是什么？

2. 按照负担室内负荷所用的介质种类，空气调节系统可分为哪几类？各类的特点是什么？

3. 按照所处理空气的来源，普通集中式空气调节系统可分为哪几类？各类的特点是什么？

4. 试绘出一次回风空调系统的简图及夏季工况空气处理过程的 h-d 图，并简单介绍其处理过程。

5. 什么是二次回风空调系统？试绘出二次回风空调系统的简图及夏季工况、冬季工况的空气处理过程的 h-d 图。

6. 同样条件下，二次回风系统与一次回风系统相比较，二次回风系统有什么特点？采用二次回风系统是否比一次回风节能？

7. 普通集中式空调系统的划分原则是什么？

8. 风机盘管空调系统有哪几种新风供给方式？

9. 诱导器系统的工作过程是什么？

10. 分散式空调系统有什么特点？有哪些应用方式？

11. 变风量空调系统有哪几种末端装置？

12. 变风量空调系统与定风量空调系统相比较有哪些特点？

13. 已知室内设计参数冬夏季均为 $t_N = 22℃ \pm 0.5℃$，$\varphi_N = 60\% \pm 10\%$；室内余热量夏季为 $Q = 11.6kW$，冬季为 $Q' = -2.3kW$，余湿量冬、夏季均为 $W = 0.0014kg/s$（5kg/h）；最小新风比为 30%。室外设计参数夏季为 $t_W = 33.2℃$，$t_{SW} = 26.4℃$，$h_W = 82.5kJ/kg$；冬季为 $t_{W'} = -12℃$，$\varphi_{W'} = 45\%$；$h_{W'} = -10.5kJ/kg$；大气压力 $B = 101325Pa$。试为某车间设计一次回风空调系统，并确定空气处理设备的容量。

14. 某生产车间需要设置空调系统，已知条件如下：

（1）室外计算条件：夏季：$t_W = 35℃$，$t_S = 26.9℃$；冬季：$t_{W'} = -4℃$，$\varphi_{W'} = 49\%$；当地大气压力为 101325Pa。

（2）室内空气参数：$t_N = 22℃ \pm 1℃$，$\varphi_N = 60\% \pm 5\%$。

（3）按建筑、人、工艺设备及照明等计算得出的夏季、冬季的室内热、湿负荷：

夏季：$Q = 11.63kW$，$W = 0.0014kg/s$；

冬季：$Q = -2.326kW$，$W = 0.0014kg/s$。

（4）车间内设有局部排风设备，排风量为 0.278m³/s（1000m³/h），排风温度为 35℃。

现拟采用二次回风系统，试进行夏、冬季空调过程计算。

第八章 空气的净化处理

【学习目标】

1. 掌握空气含尘浓度的表示方法；熟悉室内空气的净化标准。
2. 熟悉室内空气的净化技术。
3. 熟悉空气过滤器的主要形式；掌握空气过滤器性能指标。
4. 熟悉净化空调与一般空调的区别；掌握净化空调的三种类型。
5. 了解净化空调系统的节能措施。

空气的净化处理，主要是指以过滤器为主要处理设备除去空气中的悬浮尘埃、细菌、有毒有害气体、除臭、增加空气离子等，确保空调房间或空间空气净化度要求的空气处理方法。对于大多数以温、湿度要求为主的空调系统，设置一道粗效过滤器即可。有些场所对洁净度有一定的要求，但是没有明确的洁净度指标，这时可以设置两道过滤器，即加设一道中效过滤器便可满足要求。另外，还有一些场所有明确的洁净度要求，或兼有细菌控制要求，这些场所所设的空调称为洁净空调或净化空调。

第一节 室内空气的净化标准

一、空气含尘浓度的表示

空气中的含尘浓度有三种表示方法：

（1）质量浓度　是指单位体积空气中含有灰尘的质量，常用单位为 mg/m^3。

（2）计数浓度　是指单位体积空气中含有灰尘的颗粒数，常用单位为粒$/m^3$或粒/L。

（3）粒径颗粒浓度　是指单位体积空气中含有的某一粒径范围内的灰尘颗粒数，常用单位为粒$/m^3$或粒/L。

二、室内空气的净化标准

空气中的悬浮污染物包括粉尘、烟雾、微生物和花粉等。根据生产和生活的要求，通常将空气净化分为三类：一般净化、中等净化和超净净化。

1. 一般净化

一般净化对于以温、湿度要求为主的空调系统，通常无确定净化控制指标的具体要求。大多数舒适性空调工程均属于这种情况，采用粗效过滤器一次滤尘即可。

2. 中等净化

中等净化对空气中悬浮微粒的质量浓度有一定要求，如我国对大型公共建筑物空气中悬浮微粒的质量浓度一般要求不大于 $0.15mg/m^3$。一般除用粗效过滤器外，还应采用中效过滤器。

3. 超净净化

超净净化对空气中悬浮微粒的粒径和质量浓度均有严格要求。由于尘粒对工艺的有害程度与尘粒的大小和数量有关，所以洁净指标按照单位体积空气中含有的某一粒径范围内的灰尘颗粒数来确定，即以颗粒浓度来划分空气洁净度的等级。空气洁净度等级国际标准见表8-1。

表8-1　空气洁净度等级

空气洁净度等级 N	大于或等于表中粒径的最大浓度限值（pc/m³）					
	0.1 μm	0.2 μm	0.3 μm	0.5 μm	1 μm	5 μm
1	10	2				
2	100	24	10	4		
3	1000	237	102	35	8	
4	10000	2370	1020	352	83	
5	100000	23700	10200	3520	832	29
6	1000000	237000	102000	35200	8320	293
7				352000	83200	2930
8				3520000	832000	29300
9				35200000	8320000	293000

第二节　室内空气的净化技术及设备

一、室内空气的净化技术

目前，应用于民用建筑的空气净化技术主要有：机械过滤、吸附净化、静电净化、负离子净化、低温等离子净化和光催化等。市面上的空气净化器大多应用上述的一种或多种方式进行净化，种类纷繁复杂，形式多种多样。

1. 机械过滤

机械过滤是让室内空气经过风机加压后通过纤维过滤材料将空气中的颗粒污染物捕集下来的净化方式。捕集污染物的机理主要有：拦截、惯性碰撞、扩散、静电效应及重力沉淀等。机械过滤结构简单，在集中、半集中式空调系统中应用较广泛。其缺点是阻力大，能耗高，滤料需要定期更换。

2. 吸附净化

吸附净化是利用某些有吸附能力的物质，吸附空气中的有害成分从而消除有害污染物的净化方式。吸附法净化室内空气时，一般与过滤法一起使用。目前对室内空气污染物的吸附大多数采用多孔碳。吸附净化应用广泛，无论在居室、厨房、厕所、办公室还是公共娱乐场所都适用，而且操作起来非常方便可靠，价格便宜又不需要专门设备，不消耗能量，非常经济实用。但是吸附剂始终存在吸附容量有限、使用寿命短等问题，同时吸附达到饱和之后必须再生，操作过程必然间歇。

3. 静电净化

静电净化主要是利用高压电场形成电晕，在电晕区里自由电子和离子碰撞被吸附到尘埃颗粒上，从而使灰尘带上电荷，荷电后的粉尘微粒在电场力的作用下被吸到收集区并沉积滑落，从而除去空气中的颗粒物，达到洁净空气的目的。静电净化阻力小，效果好，但无法去除空气中的气态污染物。

4. 负离子净化

人造负离子主要是采用高压电场、高频电场、紫外线、放射线和水的撞击等方法使空气电离而产生。负离子在调节空气中正、负离子浓度比的同时还可吸附空气中的尘粒、烟雾、病毒、细菌等生物悬浮污染物，变成重离子而沉降，达到净化的目的。其缺点是容易扬灰，造成二次污染。

5. 低温等离子净化

低温等离子净化是利用外加电场使介质放电，产生大量携能电子轰击污染物分子，使其电离、离解和激发，然后引发一系列复杂的物理化学反应，使复杂的大分子污染物转变为简单的小分子安全物质，或使有毒有害物质转变成无毒无害或低毒低害的物质。此方法无法去除颗粒物，无法彻底降解污染物。

6. 光催化

光触媒在紫外光照射下，产生类似光合作用的光催化反应，生成氧化能力极强的氢氧自由基和活性氧，氧化分解各种有机化合物和部分无机物，杀死细菌，把有机污染物分解成无污染的水和二氧化碳，可以彻底降解有机污染物。光催化技术由于反应条件温和、经济等优点，同时既能去除气态污染物，又能去除微生物，有着巨大的应用潜能。但是光催化无法去除颗粒污染物，光催化效率不高。为了克服这些缺点，可采用光催化与吸附功能组合的方法。

二、空气过滤器

空气过滤器是对空调系统进风进行净化的设备，它的性能优劣直接影响室内空气的净化效果和洁净度等级。

1. 空气过滤器的形式

根据国家标准，空气过滤器按其过滤效率分为粗效、中效、高中效、亚高效和高效五种类型。其中高效过滤器又细分为 A、B、C、D 四类。工程中常见的有粗效、中效和高效过滤器。

（1）粗效过滤器 粗效过滤器的滤料多采用玻璃纤维、人造纤维、金属丝网、铁屑和粗孔聚氨酯泡沫塑料等。粗效过滤器过滤尘粒主要是利用惯性碰撞效应，为了便于更换，一般做成 500mm × 500mm × 50mm 的块状过滤器，如图 8-1 所示。

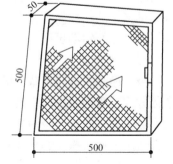

图 8-1 粗效过滤器

粗效过滤器适用于一般的空调系统，对尘粒较大的灰尘（大于 5μm）可以有效过滤。在空气净化系统中，一般作为高效过滤器的预滤，起到一定的保护作用。

（2）中效过滤器 中效过滤器的主要滤料是玻璃纤维

（比粗效过滤器的玻璃纤维直径小，约 $10\mu m$）、人造纤维（涤纶、丙纶、腈纶等）合成的无纺布和中细孔聚乙烯泡沫塑料等。为了提高过滤效率并能处理较大的风量，一般做成袋式和抽屉式，如图 8-2 所示。

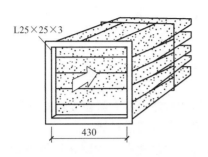
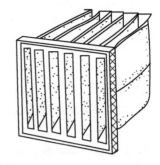

图 8-2　中效过滤器

中效过滤器主要用于过滤粒径大于或等于 $1.0\mu m$ 中等粒径的灰尘，在空气净化系统中用于高效过滤器的前级保护，也在一些要求较高的空调系统中使用。

（3）高效过滤器　高效过滤器必须在粗、中效过滤器的保护下使用。滤料多采用超细玻璃纤维、超细石棉纤维（直径大于 $1\mu m$）和微孔薄膜复合滤纸等。滤纸多做成薄膜状，为减少阻力，必须采用低滤速（每秒几厘米），因此为了增大过滤面积常将薄膜做成折叠状，如图 8-3 所示。

除上述各种过滤器外，为了减少过滤器的工作量，并提高维护运转水平，在工程中还可以使用自动清洗的浸油过滤器；在空气净化中还采用湿式过滤、静电过滤等其他类型的过滤装置。此外，在国外空气过滤技术中，还可以把不同过滤机理的空气过滤器组装在一起，以获得某一过滤效率供工程选用。

图 8-3　高效过滤器

2. 空气过滤器的性能指标

（1）过滤效率　过滤效率是衡量过滤器捕获尘粒能力的一个特性指标，是指在额定的风量下，过滤器捕获的灰尘量与过滤器前空气含尘量之比，即

$$\eta = \frac{C_1 - C_2}{C_1} \times 100\% = \left(1 - \frac{C_2}{C_1}\right) \times 100\% \tag{8-1}$$

式中　η——过滤效率；

C_1、C_2——分别为过滤器前后的含尘浓度。

净化空调中通常需要将不同类型的过滤器串联使用，一般净化为二级过滤，超净净化为三级过滤。两道过滤器的总效率为

$$\eta = 1 - (1 - \eta_1)(1 - \eta_2) \tag{8-2}$$

三道过滤器的总效率为

$$\eta = 1 - (1 - \eta_1)(1 - \eta_2)(1 - \eta_3) \tag{8-3}$$

式中　η_1，η_2，η_3——分别为粗效、中效、高效过滤器的过滤效率。

（2）穿透率 穿透率是指过滤后空气的含尘浓度与过滤前空气的含尘浓度之比的百分数，用 P 来表示。穿透率可以明确表示过滤器前后的空气含尘量，用它来评价比较高效过滤器的性能较直观。

$$P = \frac{C_2}{C_1} \times 100\% = 1 - \eta \tag{8-4}$$

穿透率与过滤效率关系为

$$P = 1 - \eta \tag{8-5}$$

3. 空气过滤器的设置

1）一般净化要求的空调系统，选用一道粗效过滤器将大颗粒尘粒滤掉即可。

2）对于中等净化要求的空调系统，可设粗、中效两道过滤。

3）有超净化要求的空调系统，则至少设置三道过滤器，为防止送风中带油，此时不宜选用浸油式粗、中效过滤器。

4）对中等净化和超净化系统，为了延长下道过滤器的使用寿命，必须设置相应的预过滤。

5）为了防止污染空气进入系统，中效过滤器应设置在系统的正压段。为防止管道对送入洁净空气的再污染，高效过滤器应设置在系统末端（送风口），并应十分严密，以保证室内的洁净度。

6）各空气过滤器都按照额定风量或低于额定风量选用。如低于额定风量选定数量，投资会有所增加，但延长了过滤器的清洗和更换周期，减少了系统阻力的增长速率，有利于系统风量的稳定。

第三节 净化空调系统

随着现代工业和科学技术的发展，为保证产品的质量、精度和高成品率等，需要有高洁净程度的生产环境，即洁净室。所谓洁净室，一般是指对空气的洁净度、温度、湿度、静压等参数根据需要实行控制的密闭性较好的空间，该空间的各项参数满足"洁净室级别"的规定。洁净室的应用非常广泛，如医院手术室、医学实验室、制药厂等。这些洁净室所设的空调系统称为洁净空调系统或净化空调系统。

一、净化空调与一般空调的区别

1. 设计参数

净化空调与普通舒适性空调有很大区别。从温湿度来说，舒适性空调室内温湿度的确定只考虑人员的舒适性要求，而净化空调不仅要考虑舒适性，更重要的是要保证工艺所要求的特殊的温度、湿度环境（包括减少静电荷）。除了温湿度以外，净化空调的设计参数还包括室内外的发尘量和发菌量。

2. 负荷特性

净化空调系统的负荷计算方法与一般空调的计算方法相同，但是洁净室的空调冷负荷的组成与一般建筑物不同。对一些高级别的洁净室，室内工艺设备的散热负荷和设备排风引起的新风负荷占主要部分，其次是空调系统中循环风机的动力负荷，维护结构传热、照明、人体散热等传统空调负荷只占总负荷的10%左右。

3. 送风量

洁净室的送风量应取下面三项的最大值：保证空气洁净度的送风量、根据热湿负荷计算确定的送风量、向洁净室内供给的新鲜的空气量。但是通常第一项总是最大的，这是净化空调的特点，洁净风量对于消除余热余湿是足够的。

二、净化空调系统的分类

净化空调系统可分为集中式净化空调系统、半集中式净化空调系统和分散式净化空调系统三种类型。

1. 集中式净化空调系统

集中式净化空调系统是指所有的空气净化处理设备都集中设置在空调机房内，被处理空气通过送回风管道输配到各洁净房间，并形成循环。它是净化空调系统中最基本的方式。

集中式净化空调系统主要靠大量的、经过处理的洁净空气送入各个洁净室，以不同的换气次数和气流形式来实现各洁净室不同的洁净级别。

由于集中式净化空调系统处理设备集中于空调机房内，对噪声和振动处理相对容易，同时该系统的处理设备控制多个洁净房间，故要求各洁净室的同时使用系数高，因此它适用于生产工序连续、洁净室面积较大、位置相对集中、噪声和振动控制要求严格的洁净厂房。

2. 半集中式净化空调系统

半集中式净化空调系统主要由集中送风处理室和室内局部处理设备（又称末端装置）组成。根据室内局部处理装置的不同，一般将它分为三大类型：具有热湿处理能力的末端装置系统、单纯具有净化作用的末端装置系统和风机过滤器单元送风系统。

3. 分散式净化空调系统

分散式净化空调系统是指把热湿处理设备和各级过滤器集中组合在一个箱体内，并将其分散设置在洁净室内或相邻的房间、走廊等处所形成的净化空调系统。该系统具有造价低、布置改造灵活等特点，经常在改造项目中采用。

三、净化空调系统的节能措施

1. 设计时应节能降耗

（1）优化洁净区域布局　净化空调系统的风量取决于洁净区域体积和换气次数，在满足生产工艺和人体舒适度的前提下，应优化洁净区域布局，尽量缩小洁净室空间。如可以用局部正压洁净区来代替全室高净化级别，而对洁净度级别要求高的操作部位，利用洁净工作台、自净器、层流罩、净化小室（洁净棚）等来满足局部气流净化的高级别要求。

（2）调低送风速度　风速也是确定风量的一个重要因素，只要送风速度减小，对应的送风量也就会减少。设法减小系统的送风速度，可有效地节省处理空气所耗用的能量，达到节能的目的。在满足洁净室内工艺条件的前提下，将室内横断面积平均风速降低20%（在要求范围内），此时房间的送风量大约可减少20%左右，风量降低，相应的系统空气处理所消耗的能量也会减少。

（3）控制排风量　洁净室内需要补充大量新风的主要原因是工艺需要而设置的排风系

统所造成的。排风量越大，补充新风量也越大，耗能越大。但在洁净室内的全天运行中，并非每时每刻都要进行排风，洁净室内的排风量应根据室内的工作情况进行必要调节，设计时也应将排风量控制在适当的范围，既可满足手术室对排风的要求，又可减少系统所消耗的新风量，也就可以减少净化空调系统对新风处理所消耗的冷、热量。

2. 改变温、湿度基数

洁净室内空气温、湿度设定值直接影响着净化空调系统的负荷和能耗，在供暖时室内温度设定得越低，制冷时温度设定得越高，室内外温差越小，空调系统的运行就越节能。

3. 降低送风系统阻力

净化空调系统的阻力大小，直接影响风机压头大小的选取，阻力减少，风机能耗也会随之降低。降低送风系统阻力的主要措施有：

1）风管中采用低风速送风。高效过滤器的阻力大小与风速成正比，选择合适的风速能降低过滤器的阻力。

2）降低风管阻力。设计时应尽量缩短风管长度，减少弯头个数。

3）尽量采用低阻力过滤器，及时清洁或更换过滤器。

4）采用热回收装置。排风较大的洁净室设计时应考虑采用热回收设备，对新风进行预热（冷）处理，回收排风中的能量，以减少新风负荷，一般可回收总排风量的50%～60%。如果将回收率进一步提高至80%，据估算，可节省运行费用25%，可节省初投资15%～20%。

本 章 小 结

本章首先简单介绍了空气中含尘浓度的三种表示方法和室内空气的净化标准。然后详细阐述了常用的室内空气净化技术，介绍了工程中常见的三种过滤器（粗效、中效和高效过滤器）的基本内容，分析了空气过滤器的过滤效率和穿透率两个性能指标。接着从设计参数、负荷特性和送风量三个方面阐述了净化空调与一般空调的区别，介绍了集中式、半集中式和分散式三种净化空调系统的特点和适用场合等，最后对净化空调系统的节能措施进行了探讨。

习题与思考题

1. 空气的含尘浓度的表示方法有哪些？
2. 常用的空气过滤器的形式有哪些？
3. 应用于民用建筑的空气净化技术有哪些？各有什么优缺点？
4. 什么是过滤效率？什么是穿透率？二者有什么关系？
5. 简述净化空调与一般空调的区别。
6. 净化空调系统有哪几种类型？有什么区别？
7. 净化空调的节能措施有哪些？

第九章　空调风系统

【学习目标】

　　1. 掌握风管内的摩擦阻力和局部阻力的概念，能利用相关图表计算圆形风管和矩形风管内的摩擦阻力及局部阻力。

　　2. 了解风管内的压力分布情况。

　　3. 熟悉水力计算的任务和方法，熟练掌握假定流速法的计算步骤，并能采用假定流速法对风管进行水力计算。

　　4. 熟悉风系统设计中的若干注意问题。

　　5. 了解空调房间气流流动规律，掌握送、回风口的形式和位置，掌握空调房间几种常见气流组织的形式。

　　6. 熟悉空调系统的噪声及其自然衰减以及噪声的物理量度，掌握消声器的消声原理及类型，熟悉空调系统的减振措施。

　　风系统是通风和空调系统的重要组成部分，通风管道是通风系统的重要组成部分，图9-1所示是某空调系统的风系统图。通风管道的设计合理与否直接影响到通风空调系统的使用效果和技术经济性能。空调风系统风道设计计算的目的是，在保证要求的风量分配前提下，合理确定风管布置和截面尺寸，并计算系统的阻力，使系统的初投资和运行费用综合最优。

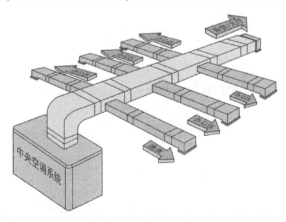

图9-1　空调风系统

第一节　风管内的阻力

　　风管内空气流动的阻力有两种，一种是由于空气本身的黏滞性及其与管壁间的摩擦而产生的阻力称为摩擦阻力或沿程阻力，克服摩擦阻力而引起的能量损失称为沿程压力损失，简称沿程损失；另一种是空气流经风管中的管件及设备时，由于流速的大小和方向变化以及产生涡流造成比较集中的能量损失，称为局部阻力，克服局部阻力而引起的能量损失，称为局部压力损失，简称局部损失。

一、摩擦阻力

空气在横断面不变的管道内流动时，沿程阻力可按下式计算，即

$$\Delta P_{\mathrm{m}} = \lambda \frac{l}{4R_{\mathrm{s}}} \cdot \frac{\rho v^2}{2} \tag{9-1}$$

式中　ΔP_{m}——风管的沿程阻力（Pa）；
　　　λ——摩擦阻力系数；
　　　l——风管的长度（m）；
　　　ρ——空气密度（kg/m³）；
　　　v——风管内空气的平均流速（m/s）；
　　　R_{s}——风管的水力半径（m）。

$$R_{\mathrm{s}} = \frac{F}{P} \tag{9-2}$$

式中　F——管道中充满流体部分的横断面积（m²），在通风系统中即为风管横断面积；
　　　P——湿周（m），在通风系统中即为风管周长。

单位管长的摩擦阻力，也称比摩阻，单位为 Pa/m，计算式为

$$R_{\mathrm{m}} = \lambda \frac{1}{4R_{\mathrm{s}}} \cdot \frac{\rho v^2}{2} \tag{9-3}$$

1. 圆形风管的摩擦阻力

对于圆形风管

$$R_{\mathrm{s}} = \frac{F}{P} = \frac{\frac{\pi}{4}D^2}{\pi D} = \frac{D}{4} \tag{9-4}$$

式中　D——风管直径（m）。

则圆形风管的沿程阻力和单位长度沿程阻力分别为

$$\Delta P_{\mathrm{m}} = \lambda \frac{l}{D} \cdot \frac{\rho v^2}{2} \tag{9-5}$$

$$R_{\mathrm{m}} = \frac{\lambda}{D} \cdot \frac{\rho v^2}{2} \tag{9-6}$$

摩擦阻力系数 λ 与风管管壁的粗糙度和管内空气的流动状态有关。在通风和空调系统中，薄钢板风管的空气流动状态大多数属于紊流光滑区到粗糙区之间的过渡区。通常，高速风管的流动状态也处于过渡区。只有流速很高、表面粗糙的砖、混凝土的风管流动状态才属于粗糙区。计算过渡区摩擦阻力系数的公式很多，下面列出的公式适用范围较广，在目前得到较广泛的采用。

$$\frac{1}{\sqrt{\lambda}} = -2 \lg \left(\frac{K}{3.71D} + \frac{2.51}{Re\sqrt{\lambda}} \right) \tag{9-7}$$

式中 K——风管内壁的当量绝对粗糙度（mm）；

Re——雷诺数；

D——管内径（m）。

在通风管道设计中，为了简化计算，可根据式（9-6）和式（9-7）绘制的线算图或计算表进行计算。附录 S 为通风管道单位长度摩擦阻力线算图，附录 T-1 为钢板圆形风管计算表。编制条件是：大气压力为 101.3kPa，温度为 20℃，相对湿度为 60% 的标准空气，密度为 $1.2kg/m^3$，运动黏度为 $15.06 \times 10^{-6} m^2/s$，管壁粗糙度 $K = 0.15mm$。只要知道风量、管径、比摩阻、流速四个参数中的任意两个，即可确定其余参数。当实际使用条件与上述条件不相同时，应进行修正。

（1）绝对粗糙度的修正　通风空调工程中常采用不同材料制成的风管，各种材料的粗糙度见表 9-1。

$$R'_m = \varepsilon_k R_m \tag{9-8}$$

式中 R'_m——实际使用条件下的单位长度摩擦阻力（Pa/m）；

R_m——从线算图或计算表中查得的单位长度摩擦阻力（Pa/m）；

ε_k——粗糙度修正系数。

$$\varepsilon_k = (Kv)^{0.25} \tag{9-9}$$

式中 v——管内空气流速（m/s）。

表 9-1　各种材料的粗糙度 K

管道材料	K/mm	管道材料	K/mm
薄钢板和镀锌薄钢板	0.15 ~ 0.18	胶合板	1.0
塑料板	0.01 ~ 0.05	砖管道	3 ~ 6
矿渣石膏板	1.0	混凝土管道	1 ~ 3
矿渣混凝土板	1.5	木板	0.2 ~ 1.0

（2）大气压力和温度的修正

$$R'_m = \varepsilon_t \varepsilon_B R_m \tag{9-10}$$

式中 ε_t——温度修正系数；

ε_B——大气压力修正系数。

$$\varepsilon_t = \left(\frac{273 + 20}{273 + t}\right)^{0.825} \tag{9-11}$$

$$\varepsilon_B = \left(\frac{B}{101.3}\right)^{0.9} \tag{9-12}$$

式中 t——实际的空气温度（℃）；

B——实际的大气压力（kPa）。

ε_t 和 ε_B 也可由图 9-2 查得。

【例 9-1】 已知兰州市某建筑通风系统采用胶合板制作圆形风道，风量 $L = 1400m^3/h$，管内流速 $v =$

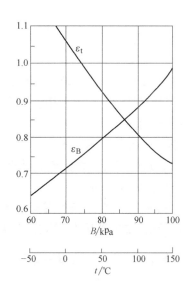

图 9-2　温度和大气压力曲线

12.5m/s，空气温度 $t = 40℃$，兰州市大气压力为 82.5kPa。求风管的管径和单位长度的沿程损失。

【解】　由附录S或附录T-1查得，$D = 200mm$，$R_m = 9.57Pa/m$。

由表9-1查得，胶合板的粗糙度 $K = 1.0mm$，故

$$\varepsilon_k = (Kv)^{0.25} = (1.0 \times 12.5)^{0.25} = 1.88$$

方法一：由图9-2查得，$\varepsilon_t = 0.94$，$\varepsilon_B = 0.83$

故 $R'_m = \varepsilon_t \varepsilon_B \varepsilon_k R_m = 0.94 \times 0.83 \times 1.88 \times 9.57Pa/m = 14.04Pa/m$。

方法二：$\varepsilon_t = \left(\dfrac{273 + 20}{273 + t}\right)^{0.825} = \left(\dfrac{293}{273 + 40}\right)^{0.825} = 0.947$

$$\varepsilon_B = \left(\dfrac{B}{101.3}\right)^{0.9} = \left(\dfrac{82.5}{101.3}\right)^{0.9} = 0.83$$

故 $R'_m = \varepsilon_t \varepsilon_B \varepsilon_k R_m = (0.947 \times 0.83 \times 1.88 \times 9.57)Pa/m = 14.14Pa/m$。

2. 矩形风管的摩擦阻力

风管阻力损失的计算图表是根据圆形风管绘制的。当风管截面为矩形时，首先要把矩形风管折算成相当于圆形风管的当量直径，再按当量直径求得比摩阻 R_m。

当量直径就是与矩形风管有相同单位长度摩擦阻力的圆形风管直径，它分为流速当量直径和流量当量直径两种。

（1）流速当量直径　如果某一圆形风管中的空气流速与矩形风管的空气流速相等，且两风管的比摩阻 R_m 值相等，此时圆形风管的直径就称为矩形风管的流速当量直径，以 D_v 表示。

$$D_v = \frac{2ab}{a + b} \tag{9-13}$$

（2）流量当量直径　如果某一圆形风管中的空气流量与矩形风管的空气流量相等，且两风管的比摩阻 R_m 值相等，此时圆形风管的直径就称为矩形风管的流量当量直径，以 D_L 表示。

$$D_L = 1.265 \left(\frac{a^3 b^3}{a + b}\right)^{\frac{1}{5}} \tag{9-14}$$

应当指出，当采用流速当量直径时，必须采用矩形风管内的空气流速去查比摩阻；采用流量当量直径时，必须采用空气流量去查比摩阻。无论用哪个数据去查，得出的结果理论上应该是相同的。

为方便起见，附录T-2列出了标准尺寸的钢板矩形风管计算表。制表条件同附录S、附录T-1，这样就可以直接查出对应矩形风管的比摩阻，但应注意表中的风量是按风道长边和短边的内边长得出的。

【例9-2】　有一钢板制矩形风管，$K = 0.15mm$，断面尺寸为 $500mm \times 250mm$，流量为 2700m³/h，空气温度为50℃，求单位长度沿程损失。

【解】　方法一：查图9-2得 $\varepsilon_t = 0.92$，矩形风管内空气流速 $v = \dfrac{L}{A} = \dfrac{2700}{3600 \times 0.5 \times 0.25}$m/s

$= 6$m/s

流速当量直径

$$D_v = \frac{2ab}{a+b} = \frac{2 \times 0.5 \times 0.25}{0.5 + 0.25}\text{m} = 0.33\text{m}$$

由 $v = 6\text{m/s}$，$D_v = 330\text{mm}$，查附录 S 得 $R_m = 1.2\text{Pa/m}$

故 $R'_m = \varepsilon_t R_m = (0.92 \times 1.2)\text{Pa/m} = 1.1\text{Pa/m}$。

方法二：流量当量直径

$$D_L = 1.265 \left(\frac{a^3 b^3}{a+b}\right)^{\frac{1}{5}} = 1.265 \left(\frac{0.5^3 0.25^3}{0.5 + 0.25}\right)^{\frac{1}{5}}\text{m} = 0.385\text{m}$$

由 $L = 2700\text{m}^3/\text{h}$，$D_L = 385\text{mm}$ 查附录 S 得 $R_m = 1.2\text{Pa/m}$

故 $R'_m = \varepsilon_t R_m = 0.92 \times 1.2\text{Pa/m} = 1.1\text{Pa/m}$。

方法三：利用附录 T-2，查矩形风管 $500\text{mm} \times 250\text{mm}$

当 $v = 6\text{m/s}$ 时，$L = 2660\text{m}^3/\text{h}$，$R_m = 1.27\text{Pa/m}$

当 $v = 6.5\text{m/s}$ 时，$L = 2881\text{m}^3/\text{h}$，$R_m = 1.48\text{Pa/m}$

由内插法求得

当 $L = 2700\text{m}^3/\text{h}$，$v = 6.09\text{m/s}$ 时，$R_m = 1.3\text{Pa/m}$

则 $R'_m = \varepsilon_t R_m = 0.92 \times 1.3\text{Pa/m} = 1.2\text{Pa/m}$。

二、局部阻力

造成局部阻力的原因主要有流体的流动方向改变、流量改变、断面尺寸发生变化、通过管件设备等。

风管局部阻力按下式计算，即

$$\Delta P_j = \xi \frac{\rho v^2}{2} = \xi P_d \tag{9-15}$$

式中　ΔP_j——局部阻力损失（Pa）；

　　　ξ——局部阻力系数；

　　　P_d——动压（Pa）。

各种构件的局部阻力系数通常用试验的方法来确定，附录 U 中列出了部分管件的局部阻力系数。在计算局部阻力时，一定要注意 ξ 值所对应的空气流速。

在通风系统中，局部阻力所造成的能量损失占很大的比例，甚至是主要的能量损失，所以在设计和施工时应尽量减小局部阻力。减少能耗通常采取以下措施。

1. 渐扩管和渐缩管

在工程上应该尽量避免风道断面的突然变化，管道变径时尽量利用渐扩管和渐缩管来代替突扩和突缩。渐扩管和渐缩管的开口角大，涡流区就大，能量损失也大。为减小阻力，开口角 $\alpha \leqslant 45°$ 为宜，最好在 $8° \sim 10°$，如图 9-3 所示。

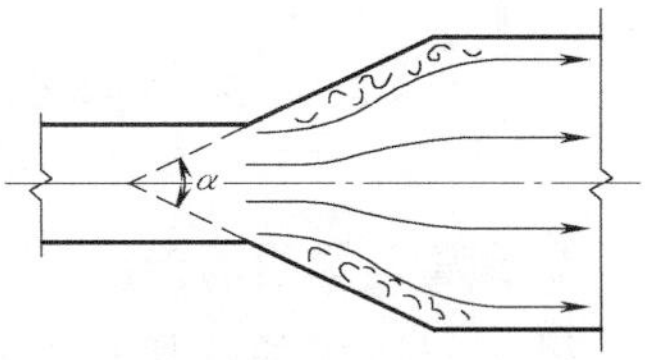

2. 弯头

布置管道时，应力求管线短直，减少弯头。圆形风管弯头的曲率半径一般应大于 $1 \sim 2$ 倍管径，如图 9-4 所示。矩

图 9-3　渐扩管内的空气流动

形风管弯头的长宽比越小，阻力越小，应优先采用，如图9-5所示。必要时可在弯头内部设置导流叶片，以减小阻力，如图9-6所示。应尽量采用转角小的弯头，用弧弯代替直角弯，如图9-7所示。

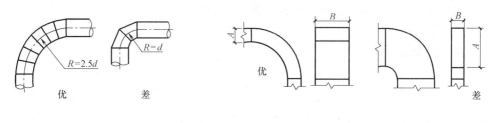

图9-4　圆形风管弯头　　　　　　　　图9-5　矩形风管弯头

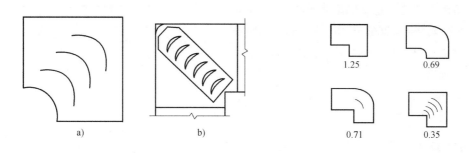

图9-6　导流叶片　　　　　　　　图9-7　几种矩形弯头的局部阻力系数
a) 单叶　b) 双叶

3. 三通

三通局部阻力的大小与断面形状、两支管夹角、支管和总管的截面比例、用作分流还是合流等有关。为减小三通的局部阻力，应尽可能使支管与干管的夹角不超过30°，如图9-8所示。当合流三通内直管的气流速度大于支管的气流速度的时候，就会发生直管气流引射支管气流的作用，有时支管的局部阻力出现负数，有时直管的局部阻力也会出现负数，但是不可能同时出现负数。为了避免出现这种现象以减少局部阻力，应该尽量使 $v_1 \approx v_2 \approx v_3$，即 $F_1 + F_2 \approx F_3$，如图9-9所示。

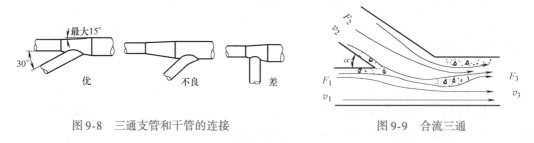

图9-8　三通支管和干管的连接　　　　　　　图9-9　合流三通

4. 风管与风机的连接

风管与风机的连接要合理，避免流速与流向的突然变化。在风机进口前应尽量设置一定长度的直管段，其长度不小于管道直径。风机出口后也要设置1.5倍管道直径以上的直管段，且出口后第一个管道转弯的方向应该和风机叶轮的旋转方向相同，如图 9-10 所示。

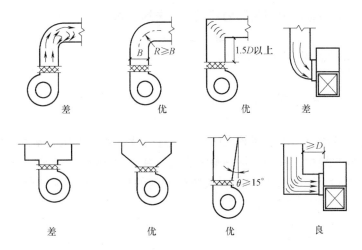

图 9-10 风机进出口的管道连接

5. 风管的进、出口

气流从风管流出时，将流出前的能量全部消耗掉，其数值等于出口动压，因此可以采用渐扩管（扩压管）来降低出口动压损失。空气进入风管时会产生涡流而造成局部阻力，可采取措施减少涡流，降低局部阻力，如图 9-11 所示。

$\zeta = 0.6$

$\zeta = 0.3$

$\zeta = 0.03$

图 9-11 风管进口

【例 9-3】 有一如图 9-9 所示的吸气（合流）三通，已知：$L_1 = 4200 \mathrm{m^3/h}$，$D_1 = 500 \mathrm{mm}$，$v_1 = 5.96 \mathrm{m/s}$；$L_2 = 2800 \mathrm{m^3/h}$，$D_2 = 250 \mathrm{mm}$，$v_2 = 15.9 \mathrm{m/s}$；$L_3 = 7000 \mathrm{m^3/h}$，$D_3 = 560 \mathrm{mm}$，$v_3 = 7.9 \mathrm{m/s}$；分支管中心夹角 $\alpha = 30°$，求此三通的局部阻力。

【解】 按附录 U 列出的条件，计算以下各值：

$$\frac{L_2}{L_3} = \frac{2800}{7000} = 0.4$$

$$\frac{F_2}{F_3} = \left(\frac{D_2}{D_3}\right)^2 = \left(\frac{250}{560}\right)^2 = 0.2$$

$F_1 = 0.196 \mathrm{m^2}$，$F_2 = 0.049 \mathrm{m^2}$，$F_3 = 0.246 \mathrm{m^2}$

经计算，$F_1 + F_2 \approx F_3$

根据 $F_1 + F_2 \approx F_3$ 及 $L_2/L_3 = 0.4$，$F_2/F_3 = 0.2$ 查得：支管局部阻力系数 $\xi_2 = 2.7$，直管局部阻力系数 $\xi_1 = -0.73$。

因此，支管局部阻力为 $\Delta P_{j2} = \xi_2 \frac{\rho v_2^2}{2} = 2.7 \times \frac{1.2 \times 15.9^2}{2} \mathrm{Pa} = 409.6 \mathrm{Pa}$

直管局部阻力为 $\Delta P_{j1} = \xi_1 \frac{\rho v_1^2}{2} = -0.73 \times \frac{1.2 \times 5.96^2}{2} \mathrm{Pa} = -15.6 \mathrm{Pa}$

三、总阻力损失

总阻力损失即为沿程阻力损失和局部阻力损失的总和。

$$\Delta P = \Delta P_{\mathrm{m}} + \Delta P_{\mathrm{j}} \tag{9-16}$$

式中　ΔP——管段的总阻力损失（Pa）。

第二节　风管内的压力分布

空气在风管中流动时，由于风管内阻力和流速变化，空气的压力是不断变化的。研究风管内空气的压力分布规律，有助于更好地解决通风系统的设计和运行管理问题。

下面通过图 9-12 所示的单风机通风系统风管内的压力分布图来定性分析风管内空气的压力分布。

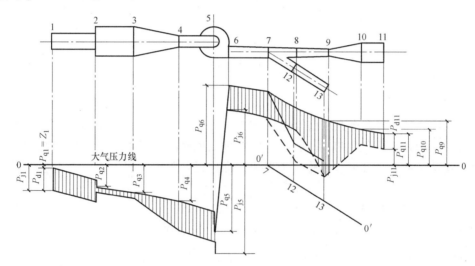

图 9-12　风管压力分布图

风管压力分布图的绘制方法是取一坐标轴，将大气压力作为零点，标出各断面的全压和静压值，将各点的全压、静压分别连接起来即可得出。图中全压和静压的差值即为动压。

系统停止工作时，通风机不运行，风管内空气处于静止状态，其中任一点的压力均等于大气压力，此时整个系统的静压、动压和全压都为零。系统工作时，通风机投入运行，空气以一定的速度开始流动，此时，空气在风道中流动时所产生的能量损失由通风机的动力来克服。

从图 9-12 中可以看出：

1）在吸风口 1 处的全压和静压均比大气压力低，入口外和入口处的一部分静压降转化为动压，另一部分用于克服入口处产生的局部阻力。

2）在断面不变的风道中，如管段 1—2、2—3、5—6、6—7 和 8—9，能量的损失是由摩擦阻力引起的，此时全压和静压的损失是相等的。

3）在收缩段 3—4，沿着空气的流动方向，全压值和静压值都减小了，减小值也不相等，但动压值相应增加了。

4）在扩张段7—8和突扩点6，动压和全压都减小了，而静压则有所增加，即会产生所说的静压复得现象。

5）在出风口9处，全压的损失与出风口形状和流动特性有关，由于出风口的局部阻力系数可大于1、等于1或小于1，所以全压和静压变化也会不一样。

6）在风机段4—5处，风机的风压即是风机入口和出口处的全压差，等于风道的总阻力损失。

第三节　风管的水力计算

一、水力计算的任务和方法

风管的水力计算是通风系统设计计算的主要部分。它是在系统形式、设备布置、风管材料、各个送排风点的位置和风量已经确定的前提下进行的。

1. 水力计算的任务

水力计算的主要任务是确定系统中各个管段的断面尺寸，计算阻力损失，选择风机。有时是在风机的风量和风压确定的条件下来确定风管的断面尺寸。

2. 水力计算的方法

风管水力计算方法主要有三种。

（1）假定流速法　该方法先按技术经济要求选定风管的流速，再根据风量来确定风管的断面尺寸和压力损失，目前常用此法进行水力计算。

（2）压损平均法　该方法是将已知总作用压头按干管长度平均分配给每一管段，再根据每一管段的风量确定风管断面尺寸。如果风管系统所用的风机压头已定，或对分支管路进行阻力平衡计算，此法较为方便。

（3）静压复得法　该方法是利用风管分支处复得的静压来克服该管段的阻力，根据这一原则确定风管的断面尺寸。此法适用于高速空调系统的水力计算。

二、水力计算步骤

现以假定流速法为例，说明风管水力计算的步骤：

1）确定通风系统方案，绘制管路系统轴测示意图。

2）在轴测图中对各管段进行编号，标注长度和风量。通常把流量和断面尺寸不变的管段划分为一个计算管段。

3）选定合理的气流速度。风管内的空气流速对系统有很大的影响。流速低，阻力小，动力消耗少，运行费用低，但是风管断面尺寸大，耗材料多，建造费用大。反之，流速高，风管断面尺寸小，建造费用低，但阻力大，运行费用会增加，另外还会加剧管道与设备的磨损。因此，必须经过技术经济分析来确定合理的气流速度，表9-2列出了空调系统中的空气流速范围。

4）计算最不利环路。最不利环路是长度最大的管路，也就是阻力最大的环路。由风量和流速确定最不利环路各管段风管断面尺寸，计算沿程阻力、局部阻力及总阻力。计算时应首先计算最不利环路。确定风管断面尺寸时，应尽量采用通风管道的统一规格，见附录Ⅴ。

表9-2　空调系统中的空气流速　　　　　　　　　　（单位：m/s）

风速 部位	低速风管						高速风管	
	推荐风速			最大风速			推荐风速	最大风速
	居住	公共	工业	居住	公共	工业	一般建筑	
新风入口	2.5	2.5	2.5	4.0	4.5	6	3	5
风机入口	3.5	4.0	5.0	4.5	5.0	7	8.5	16.5
风机出口	5～8	6.5～10	8～12	8.5	7.5～11	8.5～14	12.5	25
主风道	3.5～4.5	5.0～6.5	6～9	4～6	5.5～8	6.5～11	12.5	30
水平支风道	3.2	3.0～4.5	4～5	3.5～4.0	4.0～6.5	5～9	10	22.5
垂直支风道	2.5	3.0～3.5	4.0	3.25～4.0	4.0～6.0	5～8	10	22.5
送风口	1～2	1.5～3.5	3～4.0	2.0～3.0	3.0～5.0	3～5	4	—

5）计算其余并联环路。为保证系统能按要求的流量进行分配，并联环路的阻力必须平衡。因受到风管断面尺寸的限制，对除尘系统各并联环路间的压损差不宜超过 10% ，其他通风系统不宜超过 15% 。若超过时可通过调整管径或采用阀门来进行调节。调整后的管径可按下式确定，即

$$D' = D \left(\frac{\Delta P}{\Delta P'} \right)^{0.225} \tag{9-17}$$

式中　D'——调整后的管径（mm）；

　　　D——原设计管径（mm）；

　　　ΔP——原设计的支管阻力（Pa）；

　　　$\Delta P'$——要求达到的支管阻力（Pa）。

需要指出的是，在设计阶段不把阻力平衡的问题解决，而一味地依靠阀门开度的调节，对多支管的系统平衡来说是很困难的，需反复调整测试。有时甚至无法达到预期风量分配，或出现再生噪声等问题。因此，我们一方面加强风管布置方案的合理性，减少阻力平衡的工作量，另一方面要重视在设计阶段阻力平衡问题的解决。

6）选择风机。考虑到设备、风管的漏风和阻力损失计算的不精确，应该对理论计算的数值进行适当的附加，用附加后的风量和阻力来选择风机。

风量附加系数：一般送排风系统为 1.1，除尘系统为 1.1～1.5。

风压附加系数：一般送排风系统为 1.1～1.15，除尘系统为 1.15～1.2。

风机样本中给出的风量和风压值是在标准状态下测得的，当风机在非标准状态下工作时，应该对风机的性能进行换算。

【例9-4】　如图9-13所示的某公共民用建筑的机械送风系统，风机出口后采用矩形风管，风机入口前采用圆形风管，风管材料为薄钢板，输送空气温度为常温，密度为 1.2 m³/kg，采用 $\alpha = 60°$ 的调节式送风口（简易叶片）向室内送风，新风入口使用 45° 固定金属百叶窗，当地大气压力为 92kPa，对该系统进行水力计算。

【解】　（1）对管段进行编号，标注风管长度和风量，如图9-13所示。

（2）确定各管段气流速度，查表9-2，公共民用建筑风机入口 $v = 4.0$m/s，主风道 $v = 5.0～6.5$m/s，水平支风道 $v = 3.0～4.5$m/s。

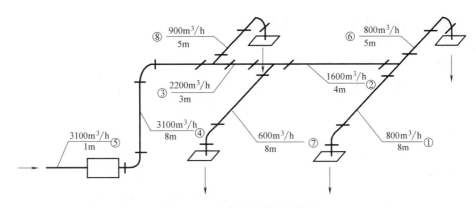

图 9-13　机械送风系统轴测图

（3）确定最不利管路，本系统①②③④⑤为最不利管路。

（4）确定最不利管路的流速，根据各个管段的风量和风速确定各个管段的截面尺寸和比摩阻，计算沿程阻力，先计算最不利管路，然后计算其余的分支管路。

如管段①，$L = 800\text{m}^3/\text{h}$，$v = 3.0 \sim 4.5\text{m/s}$，查附录 T-2 得风管 $a \times b = 320\text{mm} \times 200\text{mm}$，$v = 3.5\text{m/s}$，动压 $P_\text{d} = 7.35\text{Pa}$，比摩阻 $R_\text{m} = 0.68\text{Pa/m}$。

1）计算沿程阻力。风管材料为薄钢板，查表 9-1 得 $K = 0.15\text{mm}$，与制表条件相同，不需要修正，故 $\varepsilon_\text{k} = 1$。

风管中输送气体温度为 20℃，与制表条件相同，不需要修正，故 $\varepsilon_\text{t} = 1$。

大气压力为 92kPa，与制表条件不相同，故需要修正。

$$\varepsilon_\text{B} = \left(\frac{B}{101.3}\right)^{0.9} = \left(\frac{92}{101.3}\right)^{0.9} = 0.91$$

$$\therefore\quad R_\text{m}' = \varepsilon_\text{B} R_\text{m} = 0.91 \times 0.68\text{Pa/m} = 0.62\text{Pa/m}$$

$$\therefore\quad \Delta P_\text{m} = R_\text{m}' l = 0.62 \times 8\text{Pa} = 4.96\text{Pa}$$

同理，可查出其余管段的管径、实际流速、比摩阻，计算出沿程损失，具体结果见表 9-3。

2）计算局部阻力。管段①包含的局部构件有调节式送风口 1 个、90°矩形弯头（$r/b = 1$）1 个、直角三通 1 个。查附录 U 可知，它们的局部阻力系数分别为：

调节式送风口（简易叶片）：由 $\alpha = 60°$，查得 $\xi = 1.2$。

90°矩形弯头：由 $a/b = 1.6$，$r/b = 1$，查得 $\xi = 0.188$。

直角三通：由 $v_2/v_1 = 3.5/5.5 = 0.64$，查得 $\xi = 1.21$。

故 $\sum\xi = 1.2 + 0.188 + 1.21 = 2.598$。

其余各管段的局部阻力系数见表 9-4。

$$\therefore\quad \Delta P_\text{j} = \sum\xi\frac{\rho v^2}{2} = 2.598 \times \frac{1.2 \times 3.5^2}{2}\text{Pa} = 19.10\text{Pa}$$

同理，可得出其余管段的局部损失，具体结果见表 9-3。

3）计算总阻力。管段①的总阻力 $\Delta P = \Delta P_\text{m} + \Delta P_\text{j} = (4.96 + 19.10)\text{Pa} = 24.06\text{Pa}$

同理可得出其余管段的总损失，具体结果见表 9-3。

（5）检查并联管路阻力损失的不平衡率

1）管段⑥与管段①

不平衡率为

$$\frac{\Delta P_1 - \Delta P_6}{\Delta P_1} \times 100\% = \frac{24.06 - 22.2}{24.06} \times 100\% = 7.73\% < 15\%$$

故管段⑥与管段①阻力平衡。

2）管段⑦与管段①+②

不平衡率为

$$\frac{(\Delta P_1 + \Delta P_2) - \Delta P_7}{\Delta P_1 + \Delta P_2} \times 100\% = \frac{(24.06 + 7.83) - 16.63}{24.06 + 7.83} \times 100\%$$
$$= 44.2\% > 15\%$$

故管段⑦与管段①+②阻力不平衡，应调整管径。管段⑦的流速当量直径为

$$D_{v7} = \frac{2ab}{a+b} = \frac{2 \times 0.25 \times 0.2}{0.25 + 0.2}\text{m} = 0.22\text{m} = 220\text{mm}$$

$$D'_{v7} = D_{v7}\left(\frac{\Delta P}{\Delta P'}\right)^{0.225} = 220 \times \left(\frac{16.63}{24.06 + 5.75}\right)^{0.225}\text{mm} = 193\text{mm}$$

取 $D'_{v7} = 200\text{mm}$，则管段⑦的断面尺寸 $a \times b = 200\text{mm} \times 200\text{mm}$。

查附录 T-2 得 $v = 4.5\text{m/s}$，动压 $P_d = 12.15\text{Pa}$，比摩阻 $R_m = 1.4\text{Pa/m}$。

查附录 U 得90°弯头的局部阻力系数由管径调整前的 0.20 变为 0.21，矩形送出三通由 0.30 变为 0.39，调节式送风口不变，则 $\Sigma\xi$ 由 1.50 变为 1.80；且管段②中矩形送出三通的局部阻力系数也由管径调整前的 0.05 变为 0.14。

阻力计算结果见表9-3，管径调整后管段⑦的总阻力损失为 32.03Pa，不平衡率为

$$\frac{(\Delta P_1 + \Delta P_2) - \Delta P_7}{\Delta P_1 + \Delta P_2} \times 100\% = \frac{(24.06 + 7.38) - 32.63}{24.06 + 7.38} \times 100\% = -1.88\%$$

其绝对值小于15%，故满足要求，阻力达到平衡。

3）管段⑧与管段①+②+③

不平衡率为

$$\frac{(\Delta P_1 + \Delta P_2 + \Delta P_3) - \Delta P_8}{\Delta P_1 + \Delta P_2 + \Delta P_3} \times 100\% = \frac{(24.06 + 7.38 + 2.46) - 17.32}{24.06 + 7.38 + 2.46} \times 100\%$$
$$= 48.9\% > 15\%$$

故管段⑧与管段①+②+③阻力不平衡，应调整管径。管段⑧的流速当量直径为

$$D_{v7} = \frac{2ab}{a+b} = \frac{2 \times 0.32 \times 0.2}{0.32 + 0.2}\text{m} = 0.25\text{m} = 250\text{mm}$$

$$D'_{v7} = D_{v7}\left(\frac{\Delta P}{\Delta P'}\right)^{0.225} = 250 \times \left(\frac{17.32}{24.06 + 7.38 + 2.46}\right)^{0.225}\text{mm} = 215\text{mm}$$

取 $D'_{v7} = 220\text{mm}$，则管段⑧的断面尺寸 $a \times b = 250\text{mm} \times 200\text{mm}$。

查附录 T-2 得 $v = 5.0\text{m/s}$，动压 $P_d = 15.00\text{Pa}$，比摩阻 $R_m = 1.49\text{Pa/m}$。

查附录 U 得 90° 弯头的局部阻力系数由管径调整前的 0.188 变为 0.20，矩形送出三通和调节式送风口不变，则 $\Sigma\xi$ 由 1.388 变为 1.40。

阻力计算结果见表 9-3，管径调整后管段⑧的总阻力损失为 27.80Pa，不平衡率为

$$\frac{(\Delta P_1 + \Delta P_2 + \Delta P_3) - \Delta P_8}{\Delta P_1 + \Delta P_2 + \Delta P_3} \times 100\% = \frac{(24.06 + 7.38 + 2.46) - 27.80}{24.06 + 7.38 + 2.46} \times 100\%$$

$$= 17.99\% > 15\%$$

采用阀门调节，使其阻力达到平衡。

（6）计算系统总阻力

$$P = \Sigma(\Delta P_m + \Delta P_j)_{1\sim5} = 53.72\text{Pa}$$

（7）选择风机

风机风量 $L_f = K_L L = 1.1 \times 3100\text{m}^3/\text{h} = 3410\text{m}^3/\text{h}$，

风机风压 $P_f = K_P P = 1.15 \times 53.72\text{Pa} = 61.78\text{Pa}$，

可根据 L_f 和 P_f 查风机样本选择风机和电动机。

表 9-3　通风管道水力计算表

管段编号	流量 L /(m³/h)	管长 l/m	风管尺寸 ($a \times b$) /mm	流速 v/(m/s)	比摩阻 R_m /(Pa/m)	比摩阻修正系数 ε_B	实际比摩阻 R_m' /(Pa/m)	动压 P_d /Pa	局部阻力系数 ξ	沿程损失 ΔP_m /Pa	局部损失 ΔP_j /Pa	管段总损失 ΔP /Pa
最不利管路												
1	800	8	320×200	3.5	0.68	0.91	0.62	7.35	2.598	4.96	19.10	24.06
2	1600	4	320×250	5.5	1.33	0.91	1.21	18.15	0.14	4.84	2.54	7.38
3	2200	3	500×250	5.0	0.90	0.91	0.82	15.00	0	2.46	0	2.46
4	3100	8	500×320	5.5	0.89	0.91	0.81	18.15	0.698	6.48	12.67	19.15
5	3100	1	管径 450	5.5	0.74	0.91	0.67	18.15	0	0.67	0	0.67
其他管路												
6	800	5	320×200	3.5	0.68	0.91	0.62	7.35	2.598	3.1	19.10	22.2
7	600	8	250×200	3.5	0.77	0.91	0.70	7.35	1.50	5.6	11.03	16.63
8	900	5	320×200	4.0	0.87	0.91	0.79	9.60	1.388	4.0	13.32	17.32
⑦与①+②阻力不平衡，进行管径调整												
7	600	8	200×200	4.5	1.40	0.91	1.27	12.15	1.80	10.16	21.87	32.03
⑧与①+②+③阻力不平衡，进行管径调整												
8	900	5	250×200	5.0	1.49	0.91	1.36	15.00	1.40	6.8	21.00	27.80

表 9-4 各管道局部阻力系数统计表

管段	局部阻力名称	数量	ξ	管段	局部阻力名称	数量	ξ
1	调节式送风口	1	1.2	6	调节式送风口	1	1.2
	90°弯头（$r/b=1$）	1	0.188		90°弯头（$r/b=1$）	1	0.188
	直角三通	1	1.21		直角三通	1	1.21
	$\Sigma\xi=2.598$				$\Sigma\xi=2.598$		
2	矩形送出三通	1	0.14	7	调节式送风口	1	1.2
3	矩形送出三通	1	0		90°弯头（$r/b=1$）	1	0.21
4	90°弯头（$r/b=1$）	2	0.184×2		矩形送出三通	1	0.39
	风机出口变径（$\alpha=30°$，$A_0/A_1=3$）	1	0.33		$\Sigma\xi=1.80$		
	$\Sigma\xi=0.698$			8	调节式送风口	1	1.2
5	风机入口变径（忽略）	1	0		90°弯头（$r/b=1$）	1	0.20
					矩形送出三通	1	0
					$\Sigma\xi=1.40$		

第四节 风系统设计中的有关问题

一、系统划分

由于建筑物内不同地点有不同的送排风要求，或面积较大、送排风点较多，无论是通风还是空调，都需分设多个系统。通风系统的划分应该根据建筑物的性质、使用特点、负荷变化、参数要求等，通过技术经济比较确定。应本着运行维护方便、经济可靠为主要原则，通常系统既不宜过大，也不宜过小、过细。系统划分的原则是：

1）空气处理要求相同、室内参数要求相同的，可划为同一系统。

2）对下列情况应单独设置排风系统：

① 两种或两种以上的有害物质混合后能引起燃烧或爆炸。

② 两种有害物质混合后能形成毒害更大或腐蚀性的混合物或化合物。

③ 两种有害物质混合后易使蒸汽凝结并积聚粉尘。

④ 存放散发剧毒物质的房间和设备。

⑤ 储存易燃易爆物质的单独房间或有防火防爆要求的单独房间。

3）如排风量大的排风点位于风机附近，不宜和远处排风量小的排风点合为同一系统。

二、风管的布置

风管布置直接关系到通风、空调系统的总体布置，它与工艺、土建、电气、给水排水等专业关系密切，应相互配合、协调一致。

1）风管上应设置必要的调节和测量装置（如阀门、压力表、温度计、风量测定孔和采样孔等）或预留安装测量装置的接口。调节和测量装置应设在便于操作和观察的地点。

2）风管的布置应力求顺直，避免复杂的局部管件。弯头、三通等管件要安排得当，与风管的连接要合理，以减少阻力和噪声。

3）根据需要，风管可以采用明装和暗装，暗装不影响美观，但是投资较高。

4）与风机或振动设备连接的管道，应装设如帆布、橡胶制作的软接头，以减少风机或振动设备对管道的影响。

5）风管穿墙时要采用软材料（如石棉绳）填充。

三、风管的形状和材料

1. 形状

风管断面形状有圆形和矩形两种。两者相比，在相同断面积时，圆形风管的阻力小、材料省、强度也大；圆形风管直径较小时比较容易制造，保温也方便。但是圆形风管管件的放样、制作较矩形风管困难，布置时不易与建筑、结构配合，明装时不易布置得美观。

当风管中流速较高，风管直径较小时，例如高速空调系统采用圆形风管。当风管断面尺寸大时，为了充分利用建筑空间，通常采用矩形风管。一般民用建筑空调系统都采用矩形风管。采用矩形风管时，长短边之比宜小于4。

考虑到最大限度地利用板材，加强建筑安装的工厂化生产，在设计、施工中应尽量按附录W选用通风管道统一规格。

2. 材料

风管材料要求坚固耐用、表面光滑、防腐性能好、易于加工制造和安装、内表面不产生脱落。风管材料应根据使用要求和就地取材的原则选用。

薄钢板是最常用的材料，有普通薄钢板和镀锌薄钢板两种。它们的优点是易于工业化加工制作、安装方便、能承受较高温度。镀锌钢板具有一定的防腐性能，适用于空气湿度较高或室内潮湿的通风、空调系统，有净化要求的空调系统。一般通风系统采用厚度为0.5~1.5mm的钢板。

硬聚氯乙烯塑料板适用于有腐蚀作用的通风、空调系统。它表面光滑，制作方便，这种材料不耐高温，也不耐寒，只适用于-10~60℃；在辐射热作用下容易脆裂。

以砖、混凝土等材料制作风管，主要用于需要与建筑、结构配合的场合。它节省钢材，可结合装饰，经久耐用，但阻力较大。在体育馆、影剧院等公共建筑的空调工程中，常利用建筑空间组合成通风管道。这种管道的断面较大，使之降低流速，减小阻力；还可以在风管内壁衬贴吸声材料，降低噪声。

四、风管的保温

当风管在输送空气过程中冷、热量损耗大，又要求空气温度保持恒定，或者要防止风管穿越房间时对室内空气参数产生影响及低温风管表面结露，都需要对风管进行保温。

1. 保温材料

保温材料主要有软木、聚苯乙烯泡沫塑料、超细玻璃棉、玻璃纤维保温板、聚氨酯泡沫塑料和蛭石板等。它们的热导率大都在0.12W/(m·℃)以内。通过管壁保温层的传热系数一般控制在1.84W/(m²·℃)以内。

2. 保温层结构

保温层结构可参阅有关的国家标准图。通常保温结构有四层：

（1）防腐层 涂防腐油漆或沥青。

（2）保温层　填贴保温材料。

（3）防潮层　包油毛毡、塑料布或刷沥青，用以防止潮湿空气或水分侵入保温层内，从而破坏保温层或在内部结露。

（4）保护层　室内管道可用玻璃布、塑料布或木板、胶合板做成，室外管道应用钢丝网水泥或薄钢板做保护层。

第五节　空调房间的气流组织

气流组织就是在空调房间内合理地布置送风口和回风口，使得经过处理后的空气由送风口送入室内后，在扩散与混合的过程中，均匀地消除室内余热和余湿，从而使工作区形成比较均匀而稳定的温度、湿度、气流速度和洁净度，以满足生产工艺和人体舒适的要求。

空调房间气流组织不同，房间得到的空调效果也不同。影响气流组织的因素很多，如送风口和回风口的位置、形式、大小、数量；送入室内气流的温度和速度；房间的形式和大小，室内工艺设备的布置等都直接影响气流组织，而且往往相互联系、相互制约，再加上实际工程中具体条件的多样性，因此在气流组织的设计上，光靠理论计算是不够的，一般还要借助现场调试，才能达到预期的效果。

一、送回风口的气流流动规律

1. 送风射流的流动规律

空气经过孔口或喷嘴向周围气体的外射流动称为射流。由流体力学可知，根据流态不同，射流可分为层流射流和紊流射流；按射流过程中是否受周界表面的限制分为自由射流和受限射流；根据射流与周围流体的温度是否相同可分为等温射流与非等温射流；按喷嘴形式不同，射流分为集中射流（由圆形、方形和矩形风口出流的射流）、扁射流（边长比大于10的扁长风口出流的射流）和扇形射流（呈扇形导流径向扩散出流的射流）。在空调工程中常见的射流多属于紊流非等温受限射流。

（1）自由射流　由直径为 d_0 的喷口以出流速度 u_0 射入同温空间介质内扩散，在不受周界表面限制的条件下，则形成如图9-14所示的等温自由射流。由于射流边界与周围介质间的紊流动量交换，周围空气不断被卷入，射流不断扩大，因而射流断面的速度场从射流中心开始逐渐向边界衰减并沿射程不断变化。结果，流量沿程增加，射流直径加大。但在各断面上的总动量保持不变。在射

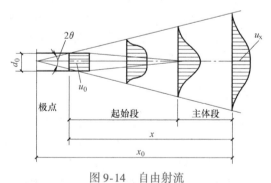

图9-14　自由射流

流理论中，将射流轴心速度保持不变的一段长度称为起始段，其后称为主体段。空调中常用的射流段为主体段。

（2）受限射流

1）贴附射流。在空气调节中，还经常遇到送风气流流动受到壁面限制的情况。如送风口贴近顶棚时，射流在顶棚处不能卷吸空气，因而流速大、静压小，而射流下部流速小、静

压大，使得气流贴附于顶棚流动，这样的射流称为贴附射流，如图 9-15 所示。由于壁面处不可能混合静止空气，也就是卷吸量减少了，贴附射流轴心速度的衰减比自由射流慢，所以贴附射流的射程比自由射流更长。贴附射流截面的最大速度在靠近壁面处。若射流为冷射流时，气流下弯，贴附长度将受影响。

如果忽略顶棚壁面对射流的影响，可以认为贴附射流相当于把喷嘴面积扩大一倍后射流的一半。

2）有限空间射流。除贴附射流外，空调房间四周的围护结构可能对射流扩散构成限制，出现与自由射流完全不同的射流，这种射流称为有限射流或有限空间射流。图 9-16 所示为有限空间内贴附与非贴附两种受限射流的运动情况。当喷口处于空间高度的一半（$h = 0.5H$）时（图 9-16a），则形成完整的对称流，射流区呈橄榄形，回流在射流区的四周；当喷口位于空间高度的上部（$h > 0.7H$）时（图 9-16b），则出现贴附的有限空间射流，它相当于完整的对称流的一半。

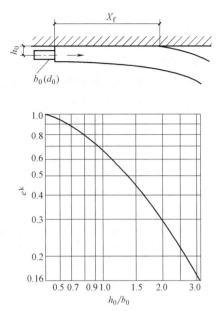

图 9-15　贴附冷射流的贴附长度

（3）平行射流的叠加　两个相同的射流平行地在同一高度射出，当两射流边界相交后，则产生互相叠加，形成重合流动。在重合之前，每股射流独立发展。重合之后，射流边界相交、互相干扰并重叠，逐渐形成一股总射流，如图 9-17 所示。总射流的轴心速度逐渐增大，直至最大，然后再逐渐衰减直至趋近于零。

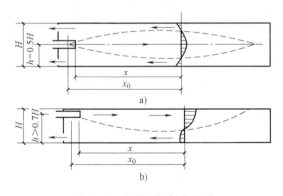

图 9-16　有限空间射流流动

图 9-17　平行射流的叠加

2. 排（回）风口的气流流动

（1）点汇的气流流动　由流体力学可知，对于一个点汇，其流场中的等速面是以汇点为中心的等球面，而且通过各个球面的流量都相等。因此随着离开汇点的距离增加，流速呈二次方衰减。

（2）实际排（回）风口的气流流动　实际排（回）风口的气流速度衰减很快。排（回）风口速度衰减快的特点，决定了其作用范围的有限性，因此在研究空间内气流分布时，主要考虑送风口射流的作用，同时考虑排（回）风口的合理位置，以便达到预定的气流分布模式。

二、送、回风口的形式及位置

1. 送风口的形式

送风口的形式及其紊流系数的大小，对射流的扩散及气流流型的形成有直接影响。送风口的形式有多种，通常要根据房间的特点、对流型的要求和房间内部装修等加以选择。

（1）侧送风口　在房间内横向送出的风口叫侧送风口。常用的侧送风口形式见表 9-5。

表 9-5　常见侧送风口形式

风口形式	射流特性及应用范围
	（1）格栅送风口 叶片或空花图案的格栅，用于一般空调工程
平行叶片	（2）单层百叶送风口 叶片可活动，可根据冷、热射流调节送风的上下倾角，用于一般空调工程
对开叶片	（3）双层百叶送风口 叶片可活动，内层对开叶片用以调节风量，用于较高精度空调工程
	（4）三层百叶送风口 叶片可活动，有对开叶片可调风量，又有水平、垂直叶片可调上下倾角和射流扩散角，用于高精度空调工程
调节板	（5）带调节板活动百叶送风口 通过调节板调整风量，用于较高精度空调工程

工程上应用最多的是百叶风口；百叶风口中的百叶可做成活动可调的，既能调风量，也能调送风方向。百叶风口常用的有单层百叶风口和双层百叶风口。单层百叶风口中叶片横装的可调仰角或俯角，叶片竖装的可调方向；双层百叶风口的外层叶片横装，内层叶片竖装，或者外层叶片竖装，内层叶片横装。

除了百叶风口外，还有格栅送风口和条缝送风口，风口应与建筑装饰很好地配合。

（2）散流器　散流器是装在顶棚上的一种由上而下送风的风口，射流表面呈辐射状流动。散流器外形有圆形、方形和矩形；按气流扩散方向有单向的和多向的；按气流流型可分为垂直下送和平送贴附散流器。表 9-6 是常用散流器的形式，表 9-7 是矩形或方形散流器的形式及其在房间内的布置示意图。

表9-6 常用散流器的形式

风口形式	风口名称及气流流型	风口形式	风口名称及气流流型
	(1) 盘式散流器 属平送流型,用于层高较低的房间,挡板上可贴吸声材料,能起消声作用		(3) 流线型散流器 属下送流型,适用于净化空调工程
	(2) 直片式散流器 平送流型或下送流型(降低扩散圈在散流器中的相对位置时可得到平送流型,反之则可得下送流型)		(4) 送吸式散流器 属平送流型,可将送、回风口结合在一起

表9-7 矩形或方形散流器的形式及其在房间内的布置示意图

散流器形式	在房间内位置及气流方向	散流器形式	在房间内位置及气流方向

(3) 孔板送风口 孔板送风是利用顶棚上面的空间为送风静压箱(或另外安装静压箱),空气在箱内静压作用下通过在金属板上开设的大量孔径为 4～10mm 的小孔,大面积地向室内送风的方式。根据孔板在顶棚上的布置形式不同,可分为全面孔板和局部孔板。全面孔板是指在空调房间的整个顶棚上(除布置照明灯具所占面积外),均匀布置送风孔板,孔板面积与顶棚面积之比大于或等于50%,如图 9-18 所示。局部孔板是指在顶棚的中间或两侧,布置成带形、矩形和方形,以及按不同的格式交叉排列的孔板。

(4) 喷射式送风口 对于大型体育馆、礼堂、剧院和通用大厅等建筑常采用喷射式送风口。图 9-19a 所示为圆形喷口,该喷口有较小的收缩角度,并且无叶片遮挡,因此喷口的噪声低、紊流系数小、射程长。图 9-19b 所示为既能调方向又能调风量的球形转动喷口形式。

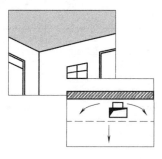

图 9-18　孔板送风口

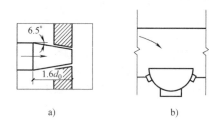

a)　　　　　　　　b)

图 9-19　喷射式送风口

a) 圆形喷口　b) 球形转动喷口

（5）旋流送风口　旋流送风口由出风格栅、集尘箱和旋流叶片组成，如图 9-20 所示。空调送风经旋流叶片切向进入集尘箱，形成旋转气流由格栅送出。送风气流与室内空气混合好，速度衰减快。格栅和集尘箱可以随时取出清扫。这种送风口适用于电子计算机房的地面送风。

2. 回风口的形式

由于回风口附近气流速度衰减很快，对室内气流组织的影响很小，因而构造简单，类型也不多。最简单的是矩形网式回风口、算板式回风口。此外如格栅、百叶风口、条缝口等，均可当回风口用。

3. 送、回风口的位置

送风口或回风口的位置对室内空气分布影响最大，因此送、回风口的位置设置应满足以下要求：

（1）室内空气没有循环不均的现象　对于射程长的房间应采用轴向型的送风口，而对于射程短的房间可采用扩散性能好的风口。另外，要在空气不易流动的场所设置回风口，避免室内形成死区。回风口也不应设在射流区内和人员长期停留的地点。

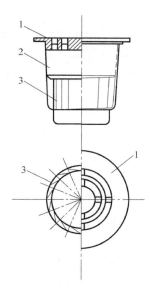

图 9-20　旋流式送风口

1—出风格栅　2—集尘箱

3—旋流叶片

（2）送风气流不易形成短路　当送风口与回风口的位置靠近时，送风气流在室内没有充分扩散就被回风口吸进，形成短路，这种情况是不允许的。送、回风口的距离应尽量增大或让其处于不同的平面上。采用侧送时，回风口宜设在送风口的同侧；采用孔板或散流器下送时，回风口宜设在下部；当室内温湿度精度不高且室内参数相同或相近的系统可采用走廊回风；采用顶棚回风时，回风口与照明灯宜结合成一整体。回风口的吸风速度见表 9-8。

表 9-8　回风口的吸风速度

回风口的位置		吸风速度/(m/s)
房间上部		4.0～5.0
房间下部	不靠近人经常停留的地点	3.0～4.0
	靠近人经常停留的地点	1.5～2.0
	用于走廊回风口	1.0～1.5

三、气流组织的形式

空间气流组织的形式同样有多种，取决于送风口的形式及送、回风口的布置方式。

（1）上送下回　由空间上部送入空气由下部排出的"上送下回"的送风形式是传统的基本方式。图 9-21 所示为三种不同的上送下回方式，其中图 a、c 可根据空间的大小扩大为双侧，图 b 可加多散流器的数目。上送下回的气流分布形式的特点是送风气流不直接进入工作区，有较长的与室内空气混掺的距离，能够形成比较均匀的温度场和速度场，图 c 尤其适用于温湿度和洁净度要求高的对象。

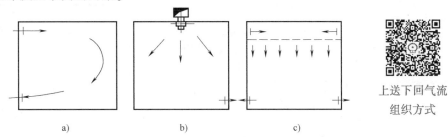

上送下回气流
组织方式

图 9-21　上送下回气流组织方式
a）侧送侧回　b）散流器送风　c）孔板送风

（2）上送上回　上送上回方式的特点是可将送排（回）风管道集中于空间上部，图 9-22b 所示尚可设置吊顶使管道成为暗装施工方便，但影响房间的净空使用，且如果设计计算不准确，会造成气流短路，影响空调质量。在工程中，采用下回风时布置管路有一定的困难，常采用上送上回方式，如图 9-22 所示。

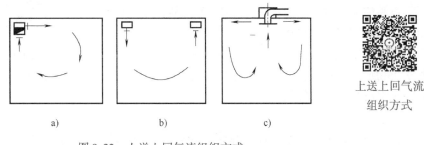

上送上回气流
组织方式

图 9-22　上送上回气流组织方式
a）单侧上送上回　b）异侧上送上回　c）送吸式散流器上送上回

（3）下送上回　图 9-23 所示的三种下送上回气流分布方式，其中图 a 为地板送风，图 b 为末端装置（风机盘管或诱导器等）送风，图 c 为下侧送风。下送方式除图 b 外，要求降低送风温差，控制工作区内的风速，但其排风温度高于工作区温度，故具有一定的节能效果，同时有利于改善工作区的空气质量。

（4）中送风　在某些高大的空调房间内，若实际工作区在下部，则不需将整个空间都作为控制调节的对象，而采用在房间高度的中部位置用侧送风口或喷口的中送风方式（图 9-24），可节省能耗。但这种气流分布会造成空间竖向温度分布不均匀，存在着温度"分层"现象。

上述各种气流分布形式的具体应用要考虑空间对象的要求和特点，并应考虑实现某种气流分布的现场条件。

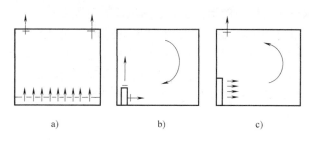

图 9-23　下送上回气流组织方式

a）地板均匀下送　b）末端装置下送　c）置换式下送

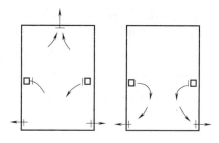

图 9-24　中送风气流组织方式

四、气流组织设计实例

1. 宾馆客房

目前，国内客房多采用风机盘管加新风的空调系统。客房内风机盘管多采用卧式暗装和立式明装两种形式。

（1）卧式暗装形式　卧式暗装风机盘管一般安装在客房过道的吊顶内。气流组织采用侧上部送风、过道吊顶下回风的方式，如图 9-25a 所示。采用此方式应注意的是送风口一定要采用双层百叶，以调节气流扩散角度及气流垂直倾角，否则易在房间内产生温度不均的现象。该种方式的主要特点是施工方便，外形比较美观，不占使用空间，故国内客房大多采用此种方式。

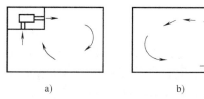

图 9-25　客房气流组织

a）卧式暗装风机盘管

b）立式明装风机盘管

（2）立式明装形式　立式明装风机盘管一般安装于窗下地面上，气流组织形式如图 9-25b 所示。这种方式的最大特点是维修方便，冬季可防止窗面的下降冷气流直接进入活动区，但影响空间的使用。

2. 办公建筑

在办公建筑中，常采用风机盘管加新风的空调系统。对智能化的办公大楼，则需对空调系统分区。外区空调负荷随季节的变化而变化，而内区则常年为冷负荷。一般情况下，外区可采用风机盘管系统，内区则采用全空气系统。办公建筑内室内气流组织多采用上送上回方式，如图 9-26 所示。风机盘管多采用带全压的盘管。这种方式的主要特点是施工方便，减少所占空间的高度，但送、回风口的位置不应太近，以免形成短路。

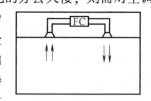

图 9-26　办公室气流组织

3. 体育场馆

体育建筑比赛大厅的气流组织形式既要满足观众舒适的要求，又要适应各种体育比赛时要求的环境条件，同时还要结合建筑形状进行综合考虑。目前常用的气流组织形式有上送方式、侧送方式、下送方式和分区送风。

（1）上送方式　上送方式又称顶送下回，即将送风口安装在比赛大厅顶棚上或上部网架空间内，将回风口设在座位台阶和比赛场边的侧壁上。空气自上而下送入观众席和比赛场池，然后由回风口带走，如图9-27a所示。这种方式的最大优点是把处理好的空气均匀送到各个部位，以满足各个区域所需的空调参数。但由于送风支管较多，有时

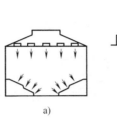
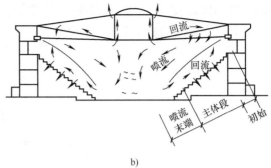

图 9-27　体育馆气流组织
a）上送方式　b）侧送方式

顶棚又难以布置，处理风量也较大，因而耗能多、造价高。

（2）侧送方式　侧送方式是将送风口安装在比赛大厅四周侧墙上部，回风口仍设于座位下和场边，如图9-27b所示。这种方式的特点是射程长、送风量比顶送少；观众区处于回流区，无脑后风；送风管路短，系统简单，是一种经济的送风方式。国内大部分体育建筑仍采用此种方式。

（3）下送方式　下送方式是将送风口设在观众席地面或座椅上，回风口设在顶棚上。这种送风方式的特点是节能，由于每个座椅只送新风，诱导室内空气与之混合，并可将余热从建筑上部排走。避免了灯光和屋顶灯空调用负荷带入观众区和比赛厅，使负荷大为减少，设备也相应减小。另外，由于空气直接送给观众，新风充足。但风口形式复杂，而且数量多，一次性投资大。

（4）分区送风　分区送风方式是指在比赛大厅内，将观众区和比赛场分区送风和回风，以适应两区不同的要求，这种方式适用于大型综合性体育馆。

第六节　空调系统的消声与减振

一、空调系统的噪声及其自然衰减

1. 噪声的概念及来源

对于声音强度大而又嘈杂刺耳或者对某项工作来说是不需要或有妨碍的声音，统称为噪声。世界卫生组织认为噪声不同程度地影响人的精神状态，干扰人们的工作、学习和生活。我国把噪声定为环境污染四害（即空气污染、水污染、垃圾污染及噪声污染）之一。

噪声的发生源很多，就工业噪声来说，主要有空气动力噪声、机械噪声、电磁性噪声等。空调工程中主要的噪声源是通风机、制冷机、机械通风冷却塔等。压缩机和冷却塔的噪声由于其通常距空调房间较远而成为次要部分。通风机噪声的产生与许多因素有关，如叶片形式、风量、风压等，风机的噪声是叶片上紊流而引起的宽频带的气流噪声以及叶片的旋转噪声。

图9-28所示是空调系统的噪声传递情况。从图中可以看出，除通风机噪声由风道传入

室内外，设备的振动和噪声也可能通过建筑结构传入室内。因此，当空调房间内要求比较安静时（噪声级比较低），空调装置除了应满足室内温湿度要求之外，还应满足噪声的有关要求，达到这一要求的重要手段之一就是通风系统的消声和设备的防振。

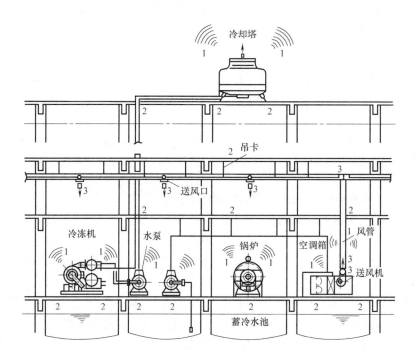

图 9-28　空调系统的噪声传递情况

1—噪声的空气传递　2—振动引起的固体传声　3—由风管传递的风机噪声

2. 空调系统中噪声的自然衰减

空调系统中噪声的自然衰减可分为噪声在风管内的自然衰减和空气进入房间内的自然衰减两部分。

（1）噪声在风管内的自然衰减　风管在输送空气到房间的过程中噪声的衰减机理很复杂，噪声在直管中可被管材吸收一部分，也有可能透射到管外，在风口、风管转弯处和断面变形等局部阻力较大的地方，还将有一部分噪声被反射，从而引起噪声的衰减。表 9-9 列出了矩形风管贴有保温材料时低频噪声的减声量数据，可供参考。

表 9-9　矩形风管的减声量　　　　　　　（单位：dB/m）

风道	尺寸/mm	中心频率			
		63	125	250	>250
小	152×152	0.7	0.7	.0.5	0.3
中	610×610	0.7	0.7	0.5	0.16
大	1830×1830	0.3	0.3	0.16	0.03

（2）空气进入房间内噪声的自然衰减　室内允许的噪声标准是以声压级为基准的，由于建筑物内壁、屋顶、家具设备等的吸声性能不同，室内的声压级有很大的差异，但声音进

入房间后将再一次被衰减。表9-10列出了不同类型房间吸声能力的大小，表中吸声系数 α 表明了房间吸声能力的大小，α 可用专门的声学仪器测量。

表 9-10 室内吸声能力（平均吸声系数 α）

房间名称	吸声系数	房间名称	吸声系数
广播台、音乐厅	0.4	剧场、展览馆	0.1
宴会厅等	0.3	体育馆	0.05
办公室、会议室	0.15 ~ 0.20		

二、空调房间噪声的物理量度

噪声是声波的一种，它具有声波的一切物理特性。

1. 声强与声压

声音有强弱之分，描述声音强弱的物理量叫做声强，通常用 I 表示。某一点的声强，是指在该点垂直于声传播方向的单位面积上在单位时间内通过的声能。引起人耳产生听觉的声强的最低值叫"可闻阈"，该声强约为 10^{-12}W/m^2，而人耳能够忍受的最大声强约为 1W/m^2。超过这一数值，将使人耳疼痛，所以这一极限也称为"痛阈"。

声波传播时，由于空气受到振动而引起了疏密变化，使原来的大气压强上叠加了一个变化的压强，这个叠加的压强称为声压，用 P 表示，单位为 μbar（微巴）或 Pa。人耳可以感觉到的最小声压称为基准声压或可闻阈声压，而人耳可以忍受的最大声压称为痛阈声压，约为 20Pa。

2. 声强级与声压级

从上述分析可知，基准声强与痛阈声强绝对值相差 10^{12} 倍，这说明人耳的可听范围很宽。由于声强的强弱只有相对意义，为了计算方便，通常用对数标度。以 I_0 作为相对比较的声强标准，如果某一声波的声强为 I，则取 I/I_0 的常用对数的 10 倍来计算该声波声强的级别，称为"声强级"，用符号 L_I 表示，其单位为分贝（dB）。

$$L_I = 10 \lg \frac{I}{I_0} \tag{9-18}$$

国际上规定以 $I_0 = 10^{12} \text{W/m}^2$ 作为参考标准，此时的声强定义为 0dB。

同样，以声压与基准声压（P_0）之比的常用对数的 20 倍来表示声压级，用 L_p 表示，单位也是分贝（dB）。

$$L_p = 20 \lg \frac{P}{P_0} \tag{9-19}$$

通常规定 $2 \times 10^{-5} \text{Pa}$ 作为基准声压 P_0。

测量声强较困难，实际上往往是测量出声压，利用声强与声压的平方成正比关系，改用声压表示声音的强弱。

3. 声功率与声功率级

声功率是用来直接表示声源发声能量的大小，它是指声源在单位时间内以声波的形式辐射出的总能量，用 W 表示，单位是瓦（W）。基准声功率 W_0 定义为 10^{-12} W。

同声压一样，声功率也可以用级来表示，这就是声功率级，其表达式为

$$L_W = 10\lg\frac{W}{W_0} \tag{9-20}$$

4. 声波的叠加

由于各种声波的单位是对数单位，当有两个声源同时产生噪声时，其合成的声级就应按对数法则进行运算。

当几个不同的声压级叠加时，可用下式计算，即

$$\Sigma L_p = 10\lg(10^{0.1L_{p1}} + 10^{0.1L_{p2}} + \cdots + 10^{0.1L_{pn}}) \tag{9-21}$$

式中 ΣL_p——各个声压级叠加的总和（dB）；

L_{p1}、L_{p2}、$\cdots$、L_{pn}——分别为声源 1、2、$\cdots$、n 的声压级（dB）。

例如，工地施工噪声声压级在 78~105dB 范围内，而人所能忍受的最大噪声声压级一般在 90dB 左右。

三、消声器

空调系统的噪声控制，应首先积极地综合考虑降低系统的噪声，降低空调系统噪声的主要措施是合理选择风机类型，并使风机的正常工作点接近其最高效率点；风道内风速不宜大于 8m/s。此外，转动设备（风机、泵）均应考虑防振隔声措施。在计算管路噪声自然衰减后，如仍不能满足室内要求，则应在管路中或空调箱内设置消声器。

1. 消声器的消声原理

消声器是由吸声材料按不同的消声原理设计成的构件。制作消声器的材料一般是吸声材料。由于吸声材料的多孔性和松散性，能把入射在其上的声能部分地吸收掉。当声波进入消声材料的孔隙，引起孔隙中的空气和材料产生微小的振动，由于摩擦和黏滞阻力，使相当一部分声能化为热能而被吸收。所以吸声材料多为疏松或多孔性的。

常用的吸声材料有玻璃棉、泡沫塑料、石棉绒、吸声砖、聚氨酯泡沫塑料（穿孔形）、木丝板、加气混凝土、卡普隆纤维管等。

2. 消声器的形式

根据不同的消声原理，消声器可分为阻性型、共振型、抗性型和复合型等多种。

（1）阻性型消声器　把吸声材料固定在管道内壁，或按一定方式排列在管道或壳体内，就构成了阻性型消声器。阻性型消声器（图 9-29）是依靠吸声材料的吸声作用来达到消声目的的，这种消声器对低频消声性能较好，中、高频较差。

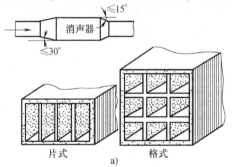

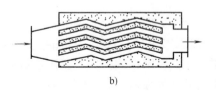

图 9-29　阻性型消声器

a）片式和格式消声器　b）折板式消声器

（2）共振型消声器　通过管道开孔与共振腔相连接，利用小孔处的空气柱和空腔内的空气构成了弹性共振系统，当外界噪声频率和此共振系统的固有频率相同时，小孔中的空气柱发生共振而与孔壁发生剧烈摩擦，摩擦又是以消耗声能为代价，所以达到消声的目的。这种消声器频带选择范围小，但在其频带选择范围内能很好地消除低频噪声，如图9-30所示。

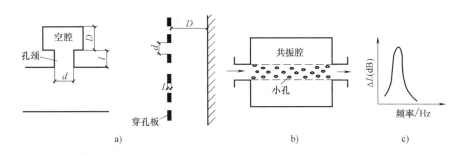

图9-30　共振型消声器

（3）抗性型消声器　主要是利用管道突变的办法使传播的声波沿声源方向反射回去而起到消声作用，其结构简单，对低频噪声有较好的消声效果。

（4）复合型消声器　复合型消声器（图9-31）又称宽频带消声器，它是利用前面三种消声器的特点总和而成的消声器。如阻抗式复合消声器就是由吸声材料制成的阻性吸声片与抗性消声器组合而成的，这样就使低频噪声的消除问题比较容易解决。

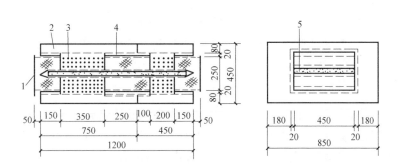

图9-31　复合型消声器（宽频带消声器）
1—外包玻璃布　2—膨胀室　3—0.5mm厚钢板，$\phi8$孔占30%
4—木框外包玻璃布　5—内填玻璃棉

（5）其他形式消声器　在实际工程中，还可以利用风管构件作为消声器，可以节约空间。常用的有消声弯头和消声静压箱。

1）消声弯头。当机房位置窄小或对原有建筑改进消声措施时，可以直接在弯头上进行消声处理。它有两种做法：一种是在弯头内贴吸声材料，如图9-32a所示，要求弯头内缘做成圆弧，外缘粘贴吸声材料的长度不应小于弯头宽度的4倍；另一种做法是将弯头改良成消声弯头，外缘采用穿孔板、吸声材料和空腔，如图9-32b所示。

2）消声静压箱。在空调机组出口处或在空气分布器前设置静压箱，内贴吸声材料，既可起到稳定气流的作用，又可起到消声的作用。消声静压箱还可兼作分风静压箱，如图9-33所示。

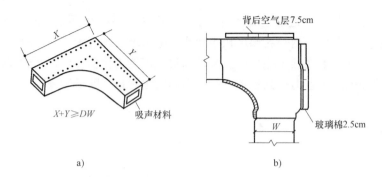

图 9-32 消声弯头

a) 内贴吸声材料 b) 采用穿孔板、吸声材料和空腔

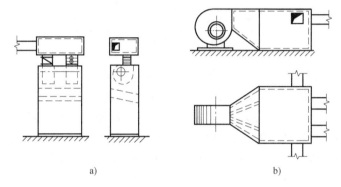

图 9-33 消声静压箱的应用

a) 消声箱装在空调机组出口 b) 消声箱兼起分风静压箱作用

四、空调系统的减振

通风空调系统的噪声除了通过空气传播到室内外，还能通过建筑物的结构和基础进行传播。例如转动的风机和压缩机所产生的振动可直接传给基础，并以弹性波的形式从机器基础沿房屋结构传到其他房间去，又以噪声的形式出现，称为固体声。噪声振动不仅影响人的身体健康、工作效率，还影响产品质量，所以，对通风空调系统中的一些运转设备需要采取减振措施。

1. 减振措施

空调装置的减振措施就是在振源和它的基础之间安装与基础隔开的弹性构件（如弹簧、橡胶减振器、软木等），使从振源传到基础上的振动得到一定程度的减弱。在空调工程中最常用的减振材料是金属弹簧和橡胶减振器，图 9-34 所示为弹簧减振器结构示意图，其减振效果好，但加工制作复杂，价格较贵。图 9-35 所示为橡胶减振器，构造简单，易加工制作，但容易老化失效。一般情况下，当设备转速 $n > 1200\text{r/min}$ 时，宜采用橡胶减振器，当 $n < 1200\text{r/min}$ 时，宜采用弹簧减振器。

在实际工程中，为了方便设计和安装，有些常用的风机、冷水机组和水泵等设备，已设计的定型配套的减振装置，可在相关的安装图中直接选用。

设计中对消声和减振的具体措施可归纳为：

1）在选择空调器时，选择带通风机减振台座的空调风机段，以降低振动的传递。

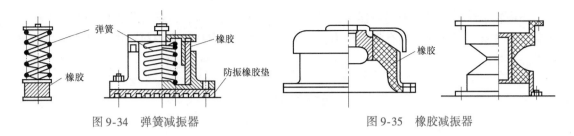

图 9-34 弹簧减振器 图 9-35 橡胶减振器

2）空调器下设橡胶减振垫。通风机、空调器与风管采用防火软接头连接，水管与水泵、表冷器采用橡胶柔性接头连接。

3）选用高效、低噪声的水泵、风机，并使水泵、风机在最高效率点附近运行，风管、水管穿墙和楼板处间隙用非燃软性材料填充。

4）尽可能控制风管、风口风速，以满足房间噪声标准。

5）在局部送、回风管路上设置消声器、消声弯头，降低系统噪声。

6）空调机房内壁表面衬贴吸声材料及吸声孔板，机房门采用消声密闭门，使墙体有足够隔声能力。

2. 消声减振措施的实例

空调工程中消除噪声和振动的措施包括：在风机出口处装帆布软接头，管路上装设消声器，风机、冷水机组、水泵基础考虑减振，水泵的进出管路设隔振软管，在管道吊卡、支架、穿墙处采用隔振处理等。图 9-36 所示列举了有关这方面的措施，可供参考。

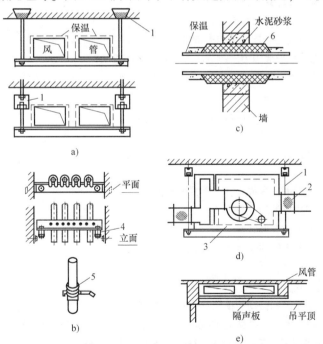

图 9-36 各种消声减振的措施
a）风管吊卡的减振方法 b）水管的减振支架 c）风道穿墙减振方法
d）悬挂风机的消声减振方法 e）防止风道噪声从吊平顶向下扩散的隔声方法
1—减振吊卡 2—软接头 3—吸声材料 4—减振支座
5—包裹弹性材料 6—玻璃纤维棉

还应特别注意，对位于消声器后的风管，如它经过机房时，该部分风道应用石棉水泥做保温的涂抹层，以便使它具有隔声能力，从而可以防止噪声从机房内再次进入已经消声的风管中。

本 章 小 结

本章主要介绍了空调风系统的设计计算、空调房间气流组织方式以及消声减振等有关知识。首先介绍了圆形风管和矩形风管的摩擦阻力和局部阻力的概念以及计算方法，详细讲述了如何查阅相关图表得出比摩阻，从而确定管径和摩擦阻力；以及如何查阅相关图表得出各种管件的局部阻力系数，从而确定局部阻力，最后得出风管内的总阻力损失。然后简单介绍了风管内的压力分布，并采用压力分布图来描述。接下来，在计算摩擦阻力和局部阻力的基础上，介绍了风管水力计算的方法和任务，着重讲述了采用假定流速法进行水力计算的详细步骤和方法。接着讲述了空调房间的气流流动规律，送、回风口的形式和设置位置，以及空调房间的几种常用的气流组织方式，并列举了几个气流组织设计实例。最后介绍了空调房间的噪声、噪声源、自然衰减及其物理量度，消声器的消声原理和常用类型，以及空调系统的减振措施和方法。

习题与思考题

1. 空调风系统风道设计计算的目的是什么？
2. 什么是沿程损失？什么是局部损失？
3. 什么是矩形风管的流速当量直径和流量当量直径？
4. 可采取哪些措施减小局部阻力？风管压力分布图如何绘制？
5. 风管水力计算的任务是什么？
6. 风管水力计算方法有哪些？
7. 用假定流速法进行风管水力计算的主要步骤是什么？
8. 风管断面形状一般如何确定？
9. 为什么要对风管进行保温？
10. 什么是空调房间的气流组织？
11. 空调工程中常见的射流多属于什么形式的射流？
12. 常用送风口和回风口的形式有哪些？
13. 空间气流分布的形式有哪些？
14. 什么是噪声？空调系统的噪声源是什么？
15. 消声器的消声原理是什么？
16. 消声器有哪些形式？
17. 空调工程中消除噪声和振动的措施具体有哪些？
18. 已知某钢板制圆形风道，风量为10000m³/h，直径800mm，求其单位长度的摩擦阻力、风速及动压。有一表面光滑的砖砌风道，其粗糙度 $K = 3mm$，断面尺寸为500mm×400mm，流量为3600m³/h，空气温度为50℃，标准大气压，求比摩阻。

第十章 空调冷源设备与水系统

【学习目标】

1. 掌握冷水机组的各种分类方法。
2. 掌握常用的几种冷水机组的组成和特点，并会选择冷水机组。
3. 掌握空调冷热水系统的组成和分类，并熟悉其水力计算的基本方法。
4. 熟悉空调冷却水系统的组成和分类，并熟悉其水力计算的基本方法。
5. 掌握冷却塔的类型和特点，并能正确选择冷却塔。

集中式和半集中式空调系统最常用的冷源是冷水机组，冷水机组是包含全套制冷设备的制冷技术或冷盐水的制冷机组。

空调工程常采用冷热水作介质，通过水系统将冷、热源产生的冷、热量输送给换热器、空气处理设备等，并最终将这些冷、热量供应至用户。空调水系统由冷热水水源、输送系统和末端装置组成。输送系统主要包括供回水管道、阀门、仪表、水泵、集箱等。

空调水系统包括冷热水系统和冷却水系统两部分。冷热水系统是指将冷冻站或锅炉房提供的冷水或热水送至空调机组或末端空气处理设备的水系统。冷却水系统是指将冷冻机中冷凝器的散热带走的水系统，对于风冷式冷冻机组，则不需要冷却水系统。

第一节 冷 水 机 组

一、冷水机组的分类

冷水机组是生产冷水的制冷装置，广泛应用于空调工程和工业生产中。各种冷水机组都在设备制造厂完整组装，具有结构紧凑、占地面积小、自动化程度高、安装方便、维护简单等优点。

按冷水机组的驱动动力不同可分为电力驱动和热力驱动冷水机组。电力驱动冷水机组多是采用蒸气压缩制冷原理的冷水机组，又称为压缩式冷水机组；热力驱动冷水机组多是采用吸收式制冷原理的冷水机组，又称为吸收式冷水机组。

压缩式冷水机组按压缩机形式不同可分为活塞式、离心式、螺杆式和涡旋式冷水机组；按冷凝器的冷却方式不同可分为水冷式、风冷式和蒸发冷却式冷水机组；按使用的制冷剂种类不同可分为氟利昂冷水机组和氨冷水机组。

吸收式冷水机组按热源方式不同可分为蒸气式、热水式和直燃式冷水机组；按所用工质不同可分为氨吸收式和溴化锂吸收式冷水机组；按热能利用程度不同可分为单效和双效吸收式冷水机组；按各换热器的布置情况可分为单筒型、双筒型和三筒型吸收式冷水机组；按应用范围可分为单冷型和冷热水型吸收式冷水机组。通常按习惯将上述分类加以综合，如蒸气单、双效溴化锂吸收式冷水机组、直燃式溴化锂冷水机组等。

二、压缩式冷水机组

1. 活塞式冷水机组

活塞式冷水机组就是把实现制冷循环所需的一台或多台活塞式制冷压缩机、电动机、蒸发器、冷凝器、热力膨胀阀、干燥过滤器、电控柜、油分离器等部件紧凑地共用底座组装在一起的专供空调用冷的整体式制冷装置。压缩机的台数可以是单台、两台或两台以上。两台以上的冷水机组称为多机头机组，多机头冷水机组的台数最多为 8 台。活塞式冷水机组一般多为卧式框架结构，压缩机可置于框架的上方，冷凝器和蒸发器放在下方，电控柜安装在框架上。

活塞式冷水机组具有热效率高、适用多种制冷剂、制造容易、价格较低等优点；缺点是结构较为复杂、易损件多、检修周期短、输气不连续、排气压力有脉动、设备振动大、噪声较大等。

2. 离心式冷水机组

离心式冷水机组主要由离心式制冷压缩机、蒸发器、冷凝器、节流装置和调节机构等组成。压缩机与增速器、电动机之间的连接可分为开启式和封闭式两种。

离心式制冷压缩机单机容量大，适用于大型空调系统，与活塞式相比，工作可靠、维修周期长、运转平稳、转动小、对基础没有特殊要求，同时可以改善低负荷时的喘振现象。

3. 螺杆式冷水机组

螺杆式冷水机组由螺杆式制冷压缩机、冷凝器、蒸发器、热力膨胀阀、油分离器、自控元件等组成。螺杆式冷水机组单机制冷量较大，压缩比高，结构简单，零部件为活塞式的1/10，运转非常平稳，机组安装时可以不装地脚螺栓，直接放在具有足够强度的水平地面上，能量可在 15% ~100% 范围内实现无级调节。

4. 涡旋式冷水机组

涡旋式冷水机组采用涡旋式压缩机，比活塞式压缩机减少 60% 的运转部件，排气压力稳定、运行平稳、寿命长、故障率低，但单机冷量小于 210kW，通常采用风冷冷却方式，适用于小型空调系统。

三、吸收式冷水机组

吸收式冷水机组是利用二元溶液在不同压力和温度下能释放和吸收制冷剂的原理进行制冷循环的。通常以水作为制冷剂，以溴化锂-水溶液作为吸收剂，依靠热能实现制冷的热力循环。

直燃式双效吸收式制冷机除将高压发生器改为直燃发生器外，其他部分与蒸汽双效吸收式制冷机相同，可分为标准型、空调型、单冷型三类。标准型可分别或同时实现三种功能：供暖、制冷和卫生热水；空调型可分别或同时实现制冷和供暖两种功能；单冷型通常只能制冷。

吸收式冷水机组是一种节电机组，如果是利用余热、余汽或废热、废汽（0.05MPa 以上）作为动力，则是一种节能机组。

四、冷水机组的选型

冷水机组是空调工程和需要冷水的工艺系统的关键设备，冷水机组的选型就是要合理地选定机型和台数。

1. 冷水机组选择的原则

要合理选定机型和台数，须考虑以下因素或原则：

1）建筑物的冷负荷大小，全年冷负荷的分布规律。

2）当地的水源（包括水量、水温及水质）、电源和热源（包括热源性质、品质高低）的情况。

3）初投资和运行费用。

4）冷水机组的特性。

2. 冷水机组选择时的注意事项

选择冷水机组时，除了考虑上述原则外，还应根据具体情况注意以下几点：

1）台数一般以选用 2～4 台为宜，中小型规模宜选用 2 台，较大型可选用 3 台，特大型可选用 4 台，机组之间要考虑互为备用和切换使用的可能性。

2）同一机房内选用不同类型、不同容量的机组搭配的组合方案，以节约能耗。并联运行的机组中至少应选择一台自动化程度较高，调节性能较好，能保证部分负荷下高效运行的机组。

3）对有合适热源特别是有余热或废热的场所或电力缺乏的场所，宜采用吸收式冷水机组。

4）选择电力驱动的冷水机组，当单机制冷量大于 1163kW 时，宜选用离心式；当单机制冷量在 582～1163kW 之间时，宜选用离心式或螺杆式；当单机制冷量小于 582kW 时，宜选用活塞式。选用活塞式冷水机组时，优先选用多机头自动联控的冷水机组。

5）根据建筑物用途、冷量特点及投资费用等实际情况综合考虑决定是否配备备用机组。

第二节　空调冷热水系统

空调冷热水系统承担了空调系统的冷热负荷，系统组成比较复杂，投资及运行费用都较高。冷热水系统由空调冷冻水系统和空调热水系统组成。

一、空调冷热水系统的类型

空调冷热水系统主要有下面几种形式：

1）按水压特性不同，可分为开式系统和闭式系统。

2）按末端设备的水流程不同，分为同程式系统和异程式系统。

3）按冷、热水管道的设置方式不同，可分为双管制、三管制和四管制系统。

4）按水量特性不同，可分为定流量系统和变流量系统。

5）按水系统中的循环水泵设置情况不同，可分为一次泵水系统和二次泵水系统。

1. 开式系统和闭式系统

（1）开式系统 开式系统在管路之间设有储水箱（或水池）与大气相通，回水靠重力作用流入回水池，如图10-1所示。开式系统的优点是结构简单，不设置回水泵，且可以利用回水池，调节方便，工作稳定。缺点是水泵扬程要增加冷冻水送至用冷设备高度的位能，水泵耗电量大；又由于开式系统管道与大气相通，所以水质易受污染、管道较脏、易堵塞、易腐蚀。由于以上缺点，开式系统应用较少。

（2）闭式系统 闭式系统的管路不与大气相接触，仅在系统最高点设置膨胀水箱并有排气和泄水装置，如图10-2所示。闭式系统只有膨胀箱通大气，所以系统管路和设备不易产生污垢和腐蚀；系统简单，冷损失较小，且不受地形限制；由于在系统的最高点设置膨胀水箱，整个系统充满了水，冷冻水泵的扬程仅需克服系统的流动摩擦阻力，所以设备耗电较小。

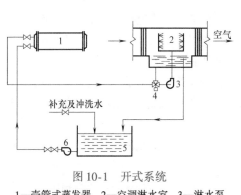

图 10-1 开式系统

1—壳管式蒸发器 2—空调淋水室 3—淋水泵
4—三通阀 5—回水池 6—冷冻水泵

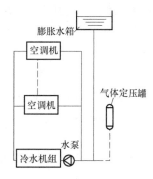

图 10-2 闭式系统

2. 同程式系统和异程式系统

（1）同程式系统 同程式系统是指系统每个循环环路的长度相同，如图10-3所示。其特点是各环路的水流阻力、冷量（或热量）损失相等或近似相等，这样有利于水力平衡，可以减少系统调试的工作量。空调冷热水系统应尽可能采用同程式系统，包括立管同程和干管同程，都有利于克服系统失调。在大型建筑物中，为了保持水利工况的稳定性和减少初次调整的工作量，水系统应设计成同程式，但当管路阻力和盘管阻力之比在1:3左右时可用异程式水系统。

（2）异程式系统 异程式系统是指系统中水流经每个末端设备的流程都不同，如图10-4所示。其特点是各环路的水流阻力不相等，易产生水力失调；但管路系统简单，投资较小。当系统较小时，可采用异程式系统，但必须在末端空调机组或风机盘管连接管上设流量调节阀以平衡阻力。

3. 双管制、三管制和四管制系统

（1）双管制系统 双管制系统是指冷、热源利用一组供回水管为末端装置的盘管提供冷水或热水的系统，如图10-5所示。双管制系统中冷、热源是各自独立的。夏季，关闭热水总管阀门，系统供应冷冻水；冬季的操作正好相反。因此，这种系统不能同时既供冷又供热，在春秋过渡季节，不能满足空调房间的不同冷暖要求，舒适性不高。但由于该系统简单实用、投资少，在我国高层建筑中得到了广泛应用。

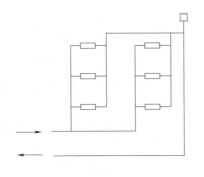

图 10-3　同程式系统

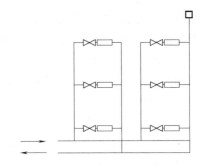

图 10-4　异程式系统

（2）三管制系统　三管制系统是指冷、热源分别通过各自的
供、回水管路为末端装置的冷盘管和热盘管提供冷水和热水，而
回水共用一根回水管路的系统，如图 10-6 所示。该系统的优点是
克服了双管制系统中各末端装置无法解决自由选择冷、热的问题。
但是该系统末端控制较为复杂，末端设备处冷、热两个电动阀的
切换较为频繁，回水分流至冷冻机和热交换器的控制也相当复杂，
且在过渡季节使用时，冷热回水同时进入一根管道，混合损失较
大，增加了制冷和加热的负荷，运行效益低。由于上述缺点，三
管制系统目前应用很少。

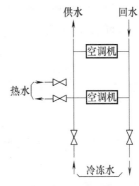

图 10-5　双管制系统

（3）四管制系统　四管制系统是指冷、热源分别通过各自的
供、回水管路，为末端装置的冷盘管与热盘管提供冷水和热水的系统，如图 10-7 所示。这
种系统初投资较高、管道占用空间大，但运行很经济，对室温的调节具有较好的效果，所以
多用于对舒适性要求很高的场合。

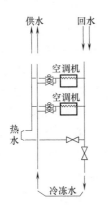

图 10-6　三管制系统

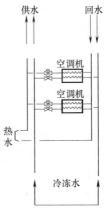

图 10-7　四管制系统

4. 定流量系统和变流量系统

（1）定流量系统　定流量系统是指空调水系统输配管路的流量保持恒定。定流量系统
是通过改变供回水温差来满足负荷变化的，如图 10-8 所示。在定流量系统中，表冷器、风
机盘管采用三通阀进行调节。当负荷减小时，一部分冷冻水与负荷成比例地流经表冷器或风

机盘管，另一部分从三通阀旁通，以保证供冷量与负荷相适应。定流量系统比较简单，系统的水量变化基本上由水泵的运行台数所决定。但由于水泵的流量是按最大负荷选定的固定流量，并且不能调节，在部分负荷时，既浪费了水泵运行的电能，又增加了管路上的热损失，运行费用较高。由于空调冷冻水系统在部分负荷状态下运行的时间较长，所以定流量系统在经济上是不合理的。

（2）变流量系统　变流量系统是指空调水系统中输配管路的流量是随着末端装置流量的调节而改变的，如图10-9所示。变流量水系统常采用多台冷（热）设备和多台水泵（即一台设备配一台水泵）的方式，各台水泵水流量不变，只需对设备和相应的水泵进行台数的控制就可以调节系统供水的流量。另外，也可以采用变速水泵来调节系统供水的流量，或者在风机盘管处设置二通调节阀，依据空调房间的温度信号控制二通调节阀的开度，以达到变流量的目的。变流量水系统的耗电量比定流量系统小得多，特别适用于大型空调水系统。

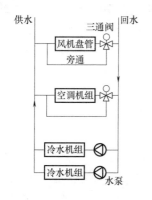

图 10-8　定流量系统

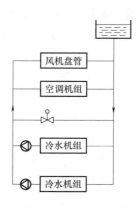

图 10-9　变流量系统

5. 一次泵系统和二次泵系统

（1）一次泵系统　在变流量系统中，一方面，从末端处理设备使用要求来看，用户侧要求水系统作变水量运行；另一方面，冷冻机组的特性又要求定水量运行，解决这一矛盾的常用方法是在供、回水总管上设置压差旁通阀，即一次泵变流量系统，如图10-10所示。该系统的工作原理是：当系统处于设计工况下，所有设备都满负荷运行，压差旁通阀开度为零，即没有旁通水流过，此时压差控制器两端接口处的压力差就是控制器的设定压差值。当末端负荷变小后，末端的二通阀关小，旁通阀两侧的供、回水压差增大而超过设定值，在压差控制器的作用下，旁通阀会自动打开，旁通阀的开度加大将使供、回水压差减小直至达到设定压差值才停止继续开大，部分水从旁通阀流过而直接进入回水管，与用户侧回水混合后进入水泵及冷冻机。在此过程中，基本保持了冷冻水泵及冷冻机的水量不变。一次泵系统是目前我国高层民用建筑中最广泛的冷冻水系统。

（2）二次泵系统　二次泵系统中，每一台冷冻机和锅炉侧都配有一台水泵，称为一次泵。而在用户侧根据实际需要，另行配置若干台二次泵。一次泵用于克服冷（热）源侧（包括管路、阀门及冷热设备）的阻力。二次泵用于克服用户侧（包括管路、阀门及空调机组或风机盘管等）的阻力。根据用户侧供回水的压差控制二次泵开启台数，而一次泵的开启可同冷冻机或锅炉设备连锁，如图10-11所示。当二次泵总供水量与一次泵总供水量有差异时，相差的部分就从平衡管 *AB* 中流过（可以从 *A* 流向 *B*，也可以从 *B* 流向 *A*），这样就可以解决冷热源机组与用户侧水量控制不同步的问题。由于用户侧供水量的调节通过二次泵的运行台数及压差旁通阀 V_1 来控制，压差旁通阀控制方式与一次泵空调冷冻水系统相同，所以，压差旁通阀 V_1 的最大旁通量为一台二次泵的流量。二次泵变流量空调水系统主要应用在系统较大、空调负荷变化大、能源中心与建筑相对位置较远的情况。

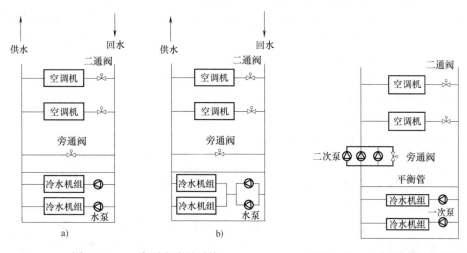

图 10-10　一次泵变流量系统

a）一次泵变流量系统（先串后并方式）

b）一次泵变流量系统（先并后串方式）

图 10-11　二次泵变流量系统

二、冷热水系统的管路水力计算

空调冷热水系统水力计算的任务是确定水系统管路的管径，计算阻力损失，并选出水泵等设备。

1. 管径的确定

空调冷热水供回水管径的选用，不仅应该考虑投资费用和运行费用最经济，也要考虑水中空气和其他杂质引起的腐蚀和噪声等因素，所以首先必须合理地选用管道内的流速。根据目前大多数工程实际情况，流速的推荐值可按表 10-1 选用。

表 10-1　管内水流速推荐值

管道种类	水泵吸入管	水泵出水管	主干管	一般管道	向上管道
流速/(m/s)	1.2~2.1	2.4~3.6	1.2~4.5	1.5~3.0	1.0~3.0

当管材选定后，由于水流量已知，只要按照推荐流速确定流速就可确定水管管径。管径与流速的关系为

$$d = \frac{4Q}{\pi v} \tag{10-1}$$

式中　Q——水流量（m^3/s）；

　　　v——水流速（m/s）。

2. 阻力损失的计算

空调冷热水系统的总阻力包括流动阻力和设备阻力两部分。

（1）流动阻力　流动阻力由沿程阻力和局部阻力两部分组成，即

$$\Delta P = R_{\mathrm{m}} l + \xi \frac{\rho v^2}{2} \qquad (10\text{-}2)$$

式中　ΔP——水在管内流动时所产生的阻力（Pa）；

R_{m}——单位沿程阻力（比摩阻）（Pa/m），宜控制在 $100 \sim 300\mathrm{Pa/m}$（具体可查附录 W-1，制表时水温为 $10\,^{\circ}\mathrm{C}$，当量绝对粗糙度 K：闭式系统 $K = 0.2\mathrm{mm}$，开式系统 $K = 0.5\mathrm{mm}$）；

ξ——局部阻力系数（阀门、管配件的局部阻力系数，可参见表 10-2）；

l——管道长度（m）；

v——水流速度（m/s）。

（2）设备阻力　设备阻力可参见表 10-3。

3. 设备选择

一般情况下，根据系统所需要的流量 Q 和总阻力 H 分别加 $10\% \sim 20\%$ 的安全量（考虑计算和管路损耗）作为选择水泵流量和扬程的依据，即 $Q_{水泵} = 1.1Q$，$H_{水泵} = 1.1 \sim 1.2H$。当水泵的类型选定后，应根据流量和扬程查阅样本和手册，选定其大小（型号）和转数。

空调水系统要求进行除垢、防腐、杀菌等必要的处理，以保证水系统的正常运行，水质处理及处理设备的选型应根据当地的水质情况确定。

表 10-2　局部阻力系数

名　称	形　式	ξ	名　称	形　式	ξ
球形（截止）阀	全开 DN40 以下 DN50 以上	15.0 7.0	三通		3.0
角阀	全开 DN40 以下 DN50 以上	8.5 3.9			1.5
闸阀	全开 DN40 以下 DN50 以上	0.27 0.18			1.0
止回阀		2.0	突然扩大	$d/D = 1/2$	0.55
90°弯头	短的 长的	0.26 0.20	突然缩小	$d/D = 1/2$	0.36

表 10-3　设　备　阻　力

设备名称	阻力/kPa	备　注	设备名称	阻力/kPa	备　注
离心式冷水机组 蒸发器 冷凝器	 30 ~ 80 50 ~ 80	 按不同产品而定 按不同产品而定	冷热水盘管	20 ~ 50	水流速在 0.8 ~ 1.5m/s 左右
			热交换器	20 ~ 50	
吸收式冷水机组 蒸发器 冷凝器	 40 ~ 100 50 ~ 140	 按不同产品而定 按不同产品而定	风机盘管机组	10 ~ 20	风机盘管容量越大，阻力越大，最大阻力 30 kPa 左右
冷却塔	20 ~ 80	不同喷雾压力	自动控制阀	30 ~ 50	

第三节　空调冷却水系统

空调冷却水系统是专为水冷式冷水机组或水冷直接蒸发式空调机组而设置的。其主要作用是将冷水机组中冷凝器的散热带走，以保证冷水机组的正常运行。

一、冷却水系统的分类

冷却水系统按供水方式可分为直流供水系统和循环冷却水系统两种。

1. 直流供水系统

直流供水系统的冷却水经过冷凝器等用水设备后，直接排入原水体（不得造成污染），一般适用于水源水量充足（如有丰富的江、河、湖泊等地面水源或地下水源）的地方。

2. 循环冷却水系统

循环冷却水系统是将通过冷凝器后的温度较高的冷却水，经过降温处理后再送入冷凝器循环使用的冷却系统。冷却水循环使用，只需要补充少量补给水。冷却水系统按通风方式可分为：

（1）自然通风冷却循环系统　自然通风冷却循环系统是用冷却塔或冷却喷水池等构筑物使冷却水降温后再送入冷凝器的循环冷却系统。该系统适用于当地气候条件适宜的小型冷冻机组。

（2）机械通风冷却循环系统　机械通风冷却循环系统是采用机械通风冷却塔或喷射式冷却塔使冷却水降温后再送入冷凝器的循环冷却系统。该系统适用于气温高、湿度大，采用自然通风冷却方式不能达到冷却效果的情况。

二、冷却水系统的组成

目前的民用建筑特别是高层民用建筑，大量采用循环水冷却方式，以节省水资源。利用循环水冷却的系统组成如图10-12所示。

来自冷却塔的较低温度的冷却水（通常为32℃），经冷却水泵加压后进入冷水机组，带走冷凝器的散热量。高温的冷却回水（通常为37℃）重新送至冷却塔上部喷淋。由于冷却塔风扇的运转，使冷却水在喷淋下落过程中，不断与塔下部进入的室外空气进行热湿交换，冷却后的水落入冷却塔集水盘中，由水泵重新送入冷水机组循环使用。

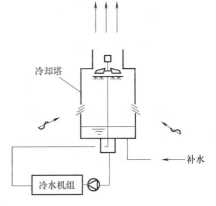

图10-12　冷却水循环系统

每循环一次都要损失部分冷却水量，主要原因是蒸发和漂损，损失的水量一般占冷却水量的0.3%～1%。对于损失的水量，可通过自来水来补充。

三、冷却塔类型

冷却塔是冷却水系统中的一个重要设备，冷却塔的性能对整个空调系统的正常运行都有一定的影响。根据水与空气相对运动的方式不同，冷却塔可

冷却塔工作
过程动图

分为逆流式冷却塔和横流式冷却塔两种。

1. 逆流式冷却塔

逆流式冷却塔的构造如图 10-13 所示。它由外壳、轴流风机、填料层、进水及布水管、出水管、集水盘和进风百叶等主要部分组成。

在风机的作用下，空气从塔下部进入，顶部排出。空气与水在冷却竖直方向逆向而行，热交换效率高。冷却塔的布水设施对气流有阻力，布水系统维修不方便，当冷却塔采用螺旋式布水器时，由于布水器靠出水的反作用力推动运转，要求进水压力为 0.1MPa 左右，对喷射式冷却塔喷嘴要求进水压力为 0.1～0.2MPa。

2. 横流式冷却塔

横流式冷却塔的构造如图 10-14 所示，其工作原理与逆流式冷却塔基本相同。空气从水平方向横向穿过填料层，然后从冷却塔顶部排出，水从上至下穿过填料层，空气与水的流向垂直，热交换效率不如逆流式。横流塔气流阻力较小，布水设施维修方便，冷却水阻力不大于 0.05MPa。一般大型的冷却塔都采用横流式冷却塔。

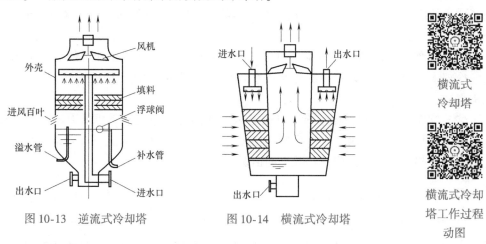

图 10-13 逆流式冷却塔　　　　图 10-14 横流式冷却塔

横流式冷却塔

横流式冷却塔工作过程动图

四、冷却塔的选择和设置

冷却塔的选择要根据当地的气候条件、冷却水进出口温差及处理的循环水量按冷却塔选用曲线或冷却塔选用水量来选用。

冷却塔处理的循环水量为

$$W = \frac{kQ_0}{c_w(t_{w2} - t_{w1})} \times 3.6 \qquad (10-3)$$

式中　W——循环水量（t/h）；

k——系数，与制冷机的形式有关；

Q_0——制冷机的制冷量（kW）；

c_w——水的比热容［kJ/（kg·℃）］；

kQ_0——冷凝器的热负荷（kW）；

t_{w1}、t_{w2}——冷却水进、出口水温（℃）。

选用时需要按照工程实际，对冷却塔在标准气温和标准水温下的名义工况冷却水量进行修正，使其满足冷水机组的要求。

冷却塔一般应放在通风良好的室外，在高层建筑中，多放在裙楼或主楼的屋顶。在布置时，首先要保证其排风口上方无遮挡物，避免排出的热风被遮挡而由进风口重新吸入，影响冷却效果。在进风口周围，至少应有1m以上的净空，以保证进风气流不受影响，且进风口处不应有大量的高湿热空气的排气口。冷却塔大都采用玻璃制造，难以达到非燃要求，因此要求消防排烟风口必须远离冷却塔。

五、冷却水系统的水力计算

冷却水系统的水力计算方法同冷热水系统。

单位沿程阻力（比摩阻）R_m 可由附录X-2查得。附录X-2的制表条件是按照冷却水温度 $35℃$，水的密度 $994.1kg/m^3$，运动黏滞系数 $0.727 \times 10^{-6} m^2/s$，管壁绝对粗糙度 $0.5mm$ 制作的。

本 章 小 结

本章主要介绍了空调的冷源设备及水系统的基本知识。由于集中式和半集中式空调系统最常用的冷源是冷水机组，所以首先介绍了冷水机组的分类，然后详细介绍了几种常用冷水机组的特点，并且说明了冷水机组选型的原则及应注意的问题。介绍了空调冷热水系统和冷却水系统的分类和组成，分析了其水力计算的基本方法。

习题与思考题

1. 冷水机组有哪几种分类方式？
2. 选择冷水机组的原则有哪些？
3. 什么是空调冷热水系统？它主要有哪些形式？
4. 开式水系统和闭式水系统各有何特点？
5. 什么是同程式系统和异程式系统？各自有什么特点？
6. 什么是双管制、三管制、四管制水系统？设计中如何选用？
7. 什么是定流量和变流量水系统？各自有什么特点？
8. 什么是空调冷却水系统？它有哪几种形式？
9. 冷却塔的类型有哪些？冷却塔在布置时应注意哪些问题？

第十一章 通风与空调节能技术

【学习目标】

1. 掌握蓄冷空调技术的方式和特点。
2. 掌握通风空调系统中的几种热回收技术。
3. 掌握热泵的技术原理和分类。
4. 熟悉低温送风空调、变风量空调、多分区空调、分层空调、太阳能空调等节能技术。

第一节　蓄冷空调技术

自20世纪70年代开始，世界范围的能源危机促使了蓄热（冷）材料和技术的迅速发展。迄今为止，国内外研究开发的显热、相变（潜热）、化学（反应热）等各类蓄热（冷）介质，从高温到低温、从无机到有机、从单一到混合有数百种，然而大多数价格昂贵，性能也不够完善，有实际应用价值的只有几十种。当前最大规模的应用领域应属建筑物的蓄冷空调。

在蓄冷空调中，蓄冷材料的性能是关键，可以说蓄冷空调技术发展的历史就是蓄冷冷媒发展的历史。目前，用于空调的蓄冷方式按蓄冷介质主要分为水蓄冷、冰蓄冷、共晶盐蓄冷和气体水合物蓄冷。

一、蓄冷技术的应用背景与经济性分析

目前全国许多城市实际处于"电力告急，电量有余"的状态，即在高峰时段电力供应紧张，而综合当日其他时段全天的电量供应却相对宽裕。富裕的电量若不能得到有效地消耗，实际造成了能源的浪费，最终导致经济损失。因此，政府能源部门鼓励其他时段的指导方向是控制高峰时期用电的电力消耗，争取将用电低谷时期的电力填补高峰时期的电力不足，即"移峰填谷"。

空调蓄能技术是20世纪90年代以来在国内兴起的一门实用综合技术，它是利用蓄能设备在空调系统不需要能量或用能量小的时间段内将能量储存起来，在空调系统需求量大的时间将这部分能量释放出来。由于可以对电网的电力起到移峰填谷的作用，有利于整个社会的优化资源配置，同时，由于峰谷使用户的运行电费大幅下降，因此是一项利国利民的双赢举措。

二、空调蓄冷方式

空调系统中合理采用蓄冷技术可以提高机组效率、减少设备容量，并有可能降低整个空调系统的造价。下面将对水蓄冷、冰蓄冷、共晶盐蓄冷和气体水合物蓄冷等空调蓄冷方式进行简单介绍。

1. 水蓄冷

水蓄冷就是利用水的显热来储存冷量的一种蓄冷方式，蓄冷温度在 4～7℃ 之间，蓄冷温差为 60～110℃，单位体积的蓄冷容量为 5.9～11.3kW·h/m³。只要空间条件许可，水蓄冷系统是一种较为经济的储存大冷量的方式，而且蓄冷罐体积越大，单位蓄冷量的投资越低；当蓄冷量大于 7000kW，或蓄冷容积大于 760m³ 时，水蓄冷是最为经济的。这种蓄冷方式系统简单、投资少、技术要求低、维修方便，并可以使用常规空调制冷机组蓄冷，冬季还可蓄热，适宜于既制冷又取暖的空调热泵机组。水蓄冷空调系统的主要缺点是蓄冷槽容积大、占地面积大，这在人口密集、土地利用率高的大城市是一个问题，这也是它的使用受到制约的主要原因。温度分层型水蓄冷系统如图 11-1 所示。

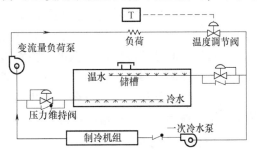

图 11-1　温度分层型水蓄冷系统

2. 冰蓄冷

冰蓄冷是利用水相变潜热（Latent Heat）的一种蓄冷方式。0℃ 冰的蓄冷密度高达 334kW/kg，储存同样多的冷量，冰蓄冷所需的体积仅为水蓄冷的几十分之一。但是，由于冰蓄冷的制冷主机要求冷水出口端的温度低于 -50℃，与常规空调冷水机组出水温度 7℃ 相比，冰蓄冷制冷机组制冷剂的蒸发温度、蒸发压力大大降低，制冷量约降低 30%～40%，制冷系数（COP）也有所下降，耗电量约增加 20%。由于制冰槽及冰水管路温度常低于 0℃，还需增加绝热层厚度，以避免外部结露，减少冷损失。

另外，冰蓄冷蓄冷温度几乎恒定，设备容易标准化、系列化，对蓄冷槽的要求比较低，可以就地制造，为广泛应用创造了有利条件。当然，冰蓄冷空调系统设备与管路复杂，低温送风还会造成空气中的水分凝结，导致送到空调区的空气量不足和空气倒灌。在常规空调系统改造为冰蓄冷空调时，会因为制冷主机的工况变化太大、空调末端设备（风机盘管）的不适应和保温层厚度不符合要求等变得很困难。表 11-1 给出了冰蓄冷方式与水蓄冷方式的性能比较。

表 11-1　冰蓄冷方式与水蓄冷方式的性能比较

项　目	水蓄冷	冰蓄冷	项　目	水蓄冷	冰蓄冷
蓄冷温度/℃	4～6	-3～-9	蓄冷槽制作	现场制作	定形、商品化或现场制作
冷水温度/℃	5～7	1～4			
蓄冷槽容积/[m³/(kW·h)]	0.089～0.16	0.019～0.02	冷冻水系统	多为开式系统，水泵的能耗大	多为闭式系统，水泵的能耗小
制冷机形式	任选	往复式、螺杆式、离心式	设计与操作运行	技术难度、运行费用低	技术难度高，运行费用高
制冷机电耗①/(kW/kW)	0.17～0.24	0.244～0.4	对旧建筑适应性	差	好
制冷机 COP	4.17～5.9	2.5～4.1	蓄冷槽用于冬季供热	可兼用	差
蓄冷槽容积	较大	较小			
蓄冷槽冷损失	较大	较小	投资	较低	较高

① 即每 1kW 制冷量所需电功率，单位为 kW/kW。

3. 共晶盐（优态盐）蓄冷

共晶盐蓄冷是利用固液相变特性蓄冷的一种蓄冷方式。蓄冷介质主要是由无机盐、水、成核剂和稳定剂组成的混合物，也称优态盐，目前应用较广泛的相变温度约为 8 ~ 9℃，相变潜热约为 95kJ/kg。这些蓄冷介质大多装在板状、球状或其他形状的密封件中，再放置在蓄冷槽中。共晶盐蓄冷能力比冰蓄冷小，但比水蓄冷大，所以共晶盐蓄冷槽的体积比冰蓄冷槽大，比水蓄冷槽小。共晶盐蓄冷的主要优点是相变温度较高，可以克服冰蓄冷要求很低的蒸发温度的弱点，并可以使用普通的空调冷水机组。但共晶盐蓄冷在储液—释冷过程中换热性能较差，设备投资也较高，阻碍了该技术的推广应用。共晶盐蓄冷系统如图 11-2 所示。

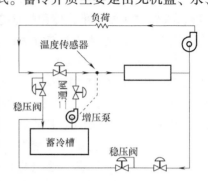

图 11-2 共晶盐蓄冷系统

4. 气体水合物蓄冷

20 世纪 80 年代美国橡树岭国家试验室开始以 R11、R12 等为工质研究气体水合物蓄冷，其机理是在一定的温度和压力下，水在某些气体分子周围会形成坚实的网络状结晶体，同时释放出固化相变热。气体水合物属新一代蓄冷介质，又称"暖冰"，其相变温度在 5 ~ 12℃之间，适合常规空调冷水机组，熔解热约为 302.4 ~ 464kJ/kg，与冰的蓄冷密度 334kJ/kg 相当。采用气体水合物蓄冷，蓄冷温度与空调工况相吻合，蓄冷密度高，而且储液—释冷过程的热传递效率高，特别是直接接触式储液—释冷系统。气体水合物低压蓄冷系统的造价相对较低，被认为是一种比较理想的蓄冷方式。

表 11-2 列出了上述几种蓄冷空调系统的性能比较。由比较可见，气体水合物蓄冷空调系统在各方面的性能是最好的。

表 11-2 不同蓄冷空调系统的性能比较

性　　能	蓄水	蓄冰	冰/水	共晶盐	气体水合物
蓄冷槽尺寸/m	8 ~ 10	1①	≤1	2 ~ 3	0.89 ~ 1.0
蓄冷温度/℃	≤7	0	0	8 ~ 12	5 ~ 12
热交换性能	好	一般	好	差	好
机组效率	1①	0.6 ~ 0.7	0.6 ~ 0.7	0.92 ~ 0.95	0.89 ~ 1.0
冷量损失	一般	大	大	小	小
不冻液需要否	否	是	否	否	否
机泵性能	1①	0.7	0.7 ~ 0.9	0.7 ~ 0.9	1.0
投资比较	≤0.6	1①	1.3 ~ 1.8	1.3 ~ 2.0	1.2 ~ 1.5

①　为进行比较的基准。

第二节　通风空调系统中的热回收技术

20 世纪 70 年代的全球能源危机，使空调系统这一能源消耗大户面临严重考验，节能降耗成为空调系统设计的关键环节。节能措施之一就是减少入室新风量，但是这一措施引起了室内空气环境恶化，再加上现代建筑中密闭空间的增多以及各种装饰材料的使用，出现了"病态建筑综合症"。80年代以来，通风空调步入一个新的发展阶段，新阶段的标志之一就是由舒适性空调向健康空调的变革。

新风热回收技术是通风空调系统的一项重要的节能措施，它是使室外新风和室内排风之间产生显热或全热交换，回收冷（热）量的技术。《室内空气质量标准》（GB/T 1883—2002）规定了每个人的最小新风量为30m³/h，新风量的大小不仅关系到人体的健康，也与能耗、初投资和运行费用密切相关。《公共建筑节能设计标准》（GB 50189—2015），进一步划分了不同场合的新风量标准。新风热回收装置的运用使得新风处理的能耗减少，并降低了运行费用。

空调在制冷过程中会排放出大量的废热，热量等于空调系统从空间吸收的总热量与压缩机电机的发热量之和。目前的空调机组都是将热量通过冷却塔排放到空气中，从而浪费了大量热能。如果将这部分热能加以利用，代替燃煤、燃油锅炉加热生活用水，不仅可以节省大量能源，并且可以很大程度地减少环境污染。空调系统的热量回收技术就是针对这种现状开发的。该技术是在用户制冷机组上安装热量回收装置，回收制冷机组的冷凝热量，使空调机在制冷的同时制取生活用热水，非常适合那些既需要空调又需用热水的单位，如宾馆、医院、大型工矿企业等。特别是在我国南方，年平均气温很高，一年中使用空调的时间很长，空调系统热量回收技术实现废热利用，节能环保效果尤其显著。下面将简单介绍几种热量回收装置。

一、板式新风热回收装置

板式热回收装置分为显热回收和全热回收。

板式显热热回收装置的基材为铝箔等导热性能好的金属，使排风与新风之间进行热交换。板式全热热回收装置采用金属平板膜片与高分子平板膜片组合而成，当隔板两侧气流之间存在温度差和水蒸气分压力差时，两种气流之间就产生传热和传质的过程，进行全热交换。

板式热回收芯体如图11-3所示，其特点是构造简单，过滤除尘，双向换气，无互串气，效率高，机体内没有运动部件运行，安全、可靠，各出入口接管便利，安装方便，设备费用较低，适用于一般民用通风空调工程。

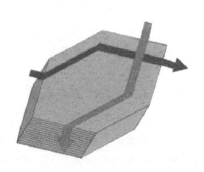

图11-3　板式热回收芯体

在选用板式显热热回收装置时，新风温度不宜低于 −10℃，否则排风侧出现结霜；当新风温度低于 −10℃ 时，应在热交换器前加新风预热器，新风进入热回收装置之前，必须先经过过滤器净化，排风进入热回收装置之前，一般也安装过滤器，但当排风较干净时，可不装。在选用板式全热热回收装置时，当排风中含有有害成分时，不宜选用。

二、转轮式热交换器

图 11-4 所示是转轮式热交换器示意图。新风的焓值从 $h_1(t_1)$ 变化到 $h_2(t_2)$，而排风的焓值从 $h_3(t_3)$ 变化到 $h_4(t_4)$，热交换效率 η_i 可以用焓效率定义。

$$\eta_i = \frac{h_4 - h_3}{h_1 - h_2}$$

从图 11-5 可以看出，室外新风经过能量回收器与部分排风进行热湿交换，经过处理过的新风再与室内循环空气混合，通过空气处理系统集中处理后送入空调房间。

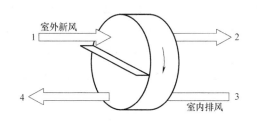

图 11-4　转轮式热交换器示意图

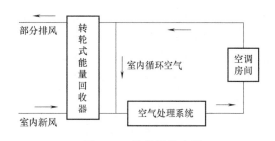

图 11-5　能量回收流程

三、热管式热交换器

热管是依靠自身内部工作液体相变来实现传热的元件，可分为蒸发段、绝热段和凝结段三个部分，如图 11-6 所示。当热源在蒸发段对其供热时，工质自热源吸热汽化变为蒸汽，蒸汽在压差的作用下沿中间通道高速流向另一端，蒸汽在冷凝段向冷源放出潜热后冷凝成液体；工质在蒸发段蒸发时，其气

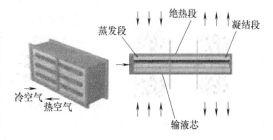

图 11-6　热管式热交换器

液交界面下凹，形成许多弯月形液面，产生毛细压力，液态工质在管芯毛细压力和重力等的回流动力作用下又返回蒸发段，继续吸热蒸发，如此循环往复，工质的蒸发和冷凝便把热量不断地从热端传递到冷端。

由于单根热管传热量有限，于是把单根热管集中起来，形成一束置于冷、热源之间，使热源中的热量通过热管束源源不断地传至冷源，这就是热管式热交换器。热管式热交换器由热管、箱体和中间隔板组成，隔板将箱体分为两部分，形成冷、热介质的流道，隔板保证两侧流体互不混淆，热管横穿隔板，一端与热流体接触，一端与冷流体接触，冷热两端可按需加装翅片以增大传热面积。

第三节 热泵技术

热泵（Heat Pump）是一种将低位热源的热能转移到高位热源的装置，也是全世界倍受关注的新能源技术。热泵通常是先从自然界的空气、水或土壤中获取低品位热能，经过电力做功，然后再向人们提供可被利用的高品位热能。

一、基本工作原理

通常用于热泵装置的低温热源是我们周围的介质——空气、河水、海水、城市污水、地表水、地下水、中水、消防水池，或者是从工业生产设备中排出的工质，这些工质常与周围介质具有相接近的温度。图 11-7 是热泵系统示意图。

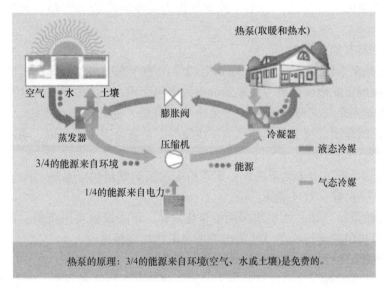

图 11-7　热泵系统示意图

热泵装置的工作原理与压缩式制冷机是一致的，在小型空调器中，为了充分发挥其效能，夏季空调降温或冬季取暖，都是使用同一套设备来完成。冬季取暖时，将空调器中的蒸发器与冷凝器通过一个换向阀（又称四通阀）来调换工作，如图 11-8 所示。

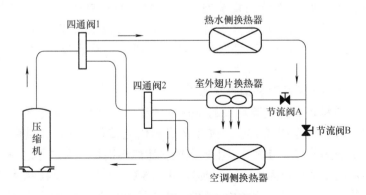

图 11-8　热泵装置原理图

夏季空调降温时，按制冷工况运行，由压缩机排出的高压蒸汽经换向阀进入冷凝器；在冬季取暖时，先将换向阀转向热泵工作位置，于是由压缩机排出的高压制冷剂蒸汽，经换向阀后流入室内蒸发器（作冷凝器用），制冷剂蒸汽冷凝时放出的潜热将室内空气加热，达到室内取暖的目的，冷凝后的液态制冷剂，从反向流过节流装置进入冷凝器（作蒸发器用），吸收外界热量而蒸发，蒸发后的蒸汽经过换向阀后被压缩机吸入，完成制热循环。这样，将外界空气（或循环水）中的热量"泵"入温度较高的室内，故称为"热泵"。

二、分类

热泵种类很多，大致可分为：空气源热泵、水源热泵、土壤源热泵、水环热泵。

1. 空气源热泵

空气源热泵是一种利用高位能使热量从低位热源空气流向高位热源的节能装置。它是热泵的一种形式，利用室外空气作为夏季制冷的热汇和冬天制热的热源。

空气源
热泵动图

空气源热泵具有如下特点：

1）空气源热泵系统冷热源合一，不需要设专门的冷冻机房、锅炉房，机组可任意放置在屋顶或地面，不占用建筑的有效使用面积，施工安装十分简便。

2）空气源热泵系统无冷却水系统，无冷却水消耗，也无冷却水系统动力消耗。另外，冷却水污染形成的军团菌感染的病例已有不少报导，从安全卫生的角度，考虑空气源热泵也具有明显的优势。

3）空气源热泵系统由于无需锅炉，无需相应的锅炉燃料供应系统、除尘系统和烟气排放系统，系统安全可靠，对环境无污染。

4）空气源热泵冷（热）水机组采用模块化设计，不必设置备用机组，运行过程中电脑自动控制，调节机组的运行状态，使输出功率与工作环境相适应。

5）空气源热泵的性能会随室外气候变化而变化。

6）在我国北方室外空气温度低的地方，由于热泵冬季供热量不足，需设辅助加热器。

2. 水源热泵

地球表面浅层水源（一般在1000m以内），如地下水、地表的河流、湖泊和海洋，吸收了太阳进入地球的相当的辐射能量，并且水源的温度一般都十分稳定。水源热泵技术的工作原理是：通过输入少量高品位能源（如电能），实现低温位热能向高温位转移。水体分别作为冬季热泵供暖的热源和夏季空调的冷源，即在夏季将建筑物中的热量"取"出来，释放到水体中去，由于水源温度低，所以可以高效地带走热量，以达到夏季给建筑物室内制冷的目的；而冬季，则是通过水源热泵机组，从水源中"提取"热能，送到建筑物中采暖。

水源热泵分为地下水源热泵和地表水源热泵。

与锅炉（电、燃料）和空气源热泵的供热系统相比，水源热泵具有明显的优势。锅炉供热只能将90%～98%的电能或70%～90%的燃料内能转化为热量，供用户使用，因此地源热泵要比电锅炉加热节省三分之二以上的电能，比燃料锅炉节省二分之一以上的能量；由于水源热泵的热源温度全年较为稳定，一般为10～25℃，其制冷、制热系数可达3.5～4.4，与传统的空气源热泵相比，要高出40%左右，其运行费用为普通中央空调的50%～60%。

因此，近十几年来，水源热泵空调系统在北美及中、北欧等国家取得了较快的发展，中国的水源热泵市场也日趋活跃，使该项技术得到了相当广泛的应用，成为一种有效的供热和供冷空调技术。

3. 土壤源热泵

土壤源热泵是利用地下常温土壤温度相对稳定的特性，通过深埋于建筑物周围的管路系统与建筑物内部完成热交换的装置。冬季从土壤中取热，向建筑物供暖；夏季向土壤排热，为建筑物制冷。它以土壤作为热源、冷源，通过高效热泵机组向建筑物供热或供冷。

土壤源
热泵动图

高效土壤源热泵机组的能效比一般能达到 4.0 kW/kW 以上，与传统的冷水机组加锅炉的配置相比，全年能耗可节省 40% 左右，初投资偏高，机房面积较小，节省常规系统冷却塔可观的耗水量，运行费用低，不产生任何有害物质，对环境无污染，实现了环保的功效。

4. 水环热泵

水环热泵空调系统是指小型的水/空气源热泵机组的一种应用方式，即用水环路将小型的水/热泵机组并联在一起，形成一个封闭环路，构成一套回收建筑物内部余热作为其低位热源的热泵供暖、供冷的空调系统。

工作原理：在水/空气热泵机组制热时，以水循环环路中的水为加热源；机组制冷时，则以水为排热源。当水环热泵空调系统制热运行的吸热量小于制冷运行的放热量时，循环环路中的水温度升高，到一定程度时利用冷却塔放出热量；反之循环环路中的水温度降低，到一定程度时通过辅助加热设备吸收热量。只有当水/空气热泵机组制热运行的吸热量和制冷运行的放热量基本相等时，循环环路中的水才能维持在一定温度范围内，此时系统高效运行。

特点：调节方便，节能，可同时供冷供暖，经济性好，系统布置简洁灵活，设计方便，设计周期短，施工及运行管理方便，噪声大，无新风。

三、热泵的节能

在热泵循环中，从低温热源（室外空气或循环水，其温度均高于蒸发温度 t_0）中取得 Q_0 kcal/h 的热量，消耗了机械功 AL kcal/h，而向高温热源（室内取暖系统）供应了 Q_1 kcal/h 的热量，这些热量之间的关系为 $Q_1 = Q_0 + AL$。

如果不用热泵装置，而用机械功所转变成的热量或用电能直接加热高温热源，则所得的热量为 AL kcal/h，而用热泵装置后，高温热源（取暖系统）多获得了热量：$Q_1 - AL = Q_0$。此热量是从低温热源取得的，如果不用热泵装置，就无法取得这一热量。故用热泵装置既可以节省燃料，又可以利用余热，如图 11-9 所示。

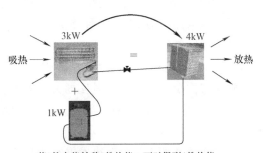

花1份电能转移3份热能，可以得到4份热能
1kW电能=4kW热能

图 11-9　热泵装置节能示意图

第四节　其他节能技术

一、低温送风空调技术

1. 定义

所谓低温送风空调技术，即是利用 1～4℃ 的冷冻水（通常从蓄冰槽获得）通过空调机组的表冷器获得 4～11℃ 的低温一次风，经高诱导比的末端送风装置进入空调房间。它是相对于常规送风而言的，常规送风系统从空气处理器出来的空气温度为 10～15℃。

低温送风系统这样低的送风温度通常借助于冰蓄冷系统的 1～4℃ 的低温冷冻水或载冷剂。将低温送风技术和冰蓄冷技术相结合，可进一步减少空调系统的运行费用，降低一次性投资，提高空调品质，改善蓄冷空调系统的整体效能。

2. 优点

相对于常规空调系统而言，低温送风系统具有以下主要特点：

（1）降低系统设备费用　减少系统设备费用一直是推动低温送风应用的一个重要因素。较低的送风温度和较大的供回水温差减少了所要求的送风量和供水量，降低了空调机组、风机和水泵以及风管和水管的投资，从而降低了系统设备的费用，一般低温送风系统的设备费用可降低约 10%。

（2）降低建筑投资费用　较小的风管和水管可以降低楼层高度的要求，使建筑结构、围护结构及其他一些建筑系统的费用得到节省，同时在一些建筑物改造中有更多的选择方案。

（3）提高房间的热舒适性　因供水温度低，低温送风系统除湿量大，因此能维持较低的相对湿度，提高了热舒适性。实验研究表明在较低的湿度下，受试者感觉更为凉快和舒适，空气品质更可接受。

（4）降低运行费用　低温送风系统由于送风量和供水量的减少，可以有效减少风机和水泵能耗，从而降低运行费用。一般低温送风系统的风机和水泵的能耗可降低约 30%。

3. 存在问题和解决方法

1）易产生凝结水。管道保温应严格按照要求进行，并注意保护保温管道的隔汽层。另外，系统应采用"软启动"，使冷冻水供水温度和送风温度逐渐降低。设备间可采用除湿或加热的方法防结露。

2）送风量较小，流速也低，影响空气品质。可以采用变风量方式，确定一个最小新风量，随着室内负荷减小，新风比增大，提高空气品质。

3）低温空气下沉，有吹风感。采用高诱导比的末端装置，可以迅速与周围空气混合而升温，同时风量也加大。

低温送风空调系统是解决发展空调和能源供需紧张矛盾的有效方法之一，目前的研究主要集中在送风温度、送风末端选择、热舒适性评价及其经济性评价研究等方面，也取得了很多成果。为了更好地推动低温送风空调系统的发展，在效率、送风口研制、辅助设备节能等方面还应继续深入研究。

二、变风量空调节能技术

1. 定义

变风量系统是利用改变送入室内的送风量来实现对室内温度调节的全空气空调系统，它的送风状态保持不变。变风量空调系统由空气处理机组、送风系统、末端装置及自控装置等组成，其中末端装置及自控装置是变风量系统的关键设备，它们可以接受室温调节器的指令，根据室温的高低自动调节送风量，满足室内负荷的需求。

2. 原理

变风量空调系统的基本原理是通过改变送风量以适应空调负荷的变化，维持空调房间的空气参数。在空调系统运行过程中，出现最大负荷的时间不到总运行时间的10%，全年平均负荷率仅为50%，在绝大部分时间内，空调系统处于部分负荷运行状态。变风量系统通过减少送风量，从而降低风机输送功耗，起到了明显的节能效果；而且，楼宇自控系统可根据当前的制冷（制热）需要，调节冷水机组（热泵机组）的制冷（制热）能力及投入运行的台数。根据工况需求，自动组合启动冷水泵、冷却水泵及冷却塔的投运台数，以达到最佳的环境控制和节能效果。

3. 特点

1）由于变风量空调系统是通过改变送入房间的风量来适应负荷的变化，而空调系统大部分时间是在部分负荷下运行，所以风量的减少带来了风机能耗的降低。

2）区别于常规的定风量或风机盘管系统，在每一个系统中的不同朝向房间，它的空调负荷的峰值出现在一天的不同时间，因此变风量空调器的容量不必按全部冷负荷峰值叠加来确定，而只要按某一时间各朝向冷负荷之和的最大值来确定。这样，变风量空调器的冷却能力及风量比定风量的风机盘管系统减少10%～20%。

3）变风量空调系统属于全空气系统，与风机盘管系统相比明显的优势是冷冻水管与冷凝水管不进入建筑吊顶空间，因而免除了盘管凝水和霉变问题。

三、多分区空调节能技术

在办公建筑中，一般划分为内区和周边区，并分别供冷和供热，这是由办公建筑的负荷特点决定的。办公建筑周边区的冷负荷是由于室内外温差和太阳辐射作用，通过围护结构传入室内的热量形成的冷负荷，与太阳辐射热，室内、外温度，围护结构的热工性能有关。周边区夏季存在冷负荷，冬季存在热负荷，并且负荷波动较大。内区的冷负荷则是由于人体、灯光照明以及其他设备散热形成的冷负荷。由于人体及设备散热量的变化较小，所以内区的冷负荷波动较小，并且全年均为冷负荷。在1月、2月、11月和12月这4个月里，外区房间需要供热，内区房间则需要供冷。因此，合理划分内外区是非常重要的。

多分区空调方式属于空调设计合理化的一种节能措施，特别适合具有不同负荷特点的多个分区的空调系统。以现代化开敞式板楼为例，每个标准楼层可能划分为若干周边分区，如东区、南区、西区、北区等。各分区的空调负荷变化特点不同，如东区的最高冷负荷往往出现在上午，西区的最高冷负荷则往往出现在下午等。对于这类建筑来说，其空调设计应该能合理地解决不同分区的负荷变化所造成的室内温度偏差问题，避免某些分区的实际温度低于设计温度，而另一些分区又高于设计温度。实际的室内温度偏低意味着超过设计标准，从而造成不必要的浪费；而实际温度偏高则意味着达不到设计标准，从而造成舒适度降低。在进行空调设计时，通过采用多分区空调方式达到节能的目的。

四、分层空调节能技术

分层空调是指一般应用在高大建筑物中，仅对下部工作区进行空调，而对上部较大空间不予空调，或夏季采用上部通风排热的空调系统形式。

分层空调是一种使高大空间下部工作区域的空气参数满足设计要求的空气调节方式。分层空调方式是以送风口中心线作为分层面，将建筑空间在垂直方向分为2个区域，分层面以下空间为空调区域，分层面以上空间为非空调区域。如图11-10所示。

采用分层空调与全室空调相比，可显著地节省冷负荷、初投资和运行能耗。按国内的实验和工程实际运用，一般可节省冷量在30%左右。因此，对于高大空间建筑中，房间高度≥10m，容积>10000m³的建筑，采用分层空调这种方式是非常适宜的。

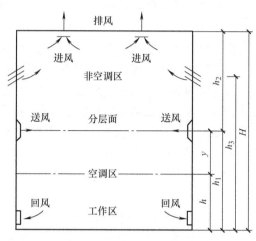

图11-10 分层空调示意图

五、太阳能空调系统

太阳能空调系统如图11-11所示，该系统主要由太阳能集热装置、热驱动制冷装置和辅助热源组成。太阳能集热装置的主要构件就是太阳能集热器，还包括储热罐和调节装置。太阳能集热器是用特殊的吸收装置将太阳的辐射能转换为热能。

太阳能空调的实现方式主要有两种，一是先实现光-电转换，再用电力驱动常规压缩式制冷机进行制冷，这种实现方式原理简单、容易实现，但成本高。二是利用太阳的热能驱动进行制冷，这种制冷方式技术要求高，但成本低、无噪声、无污染，现采用的主要是这种方式。这种方式的太阳能空调一般又可分为吸收式和吸附式两种。

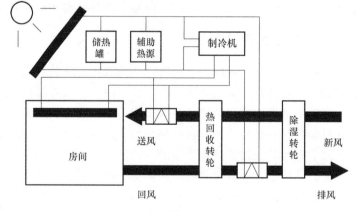

图11-11 太阳能空调系统示意图

1. 太阳能吸收式空调的基本工作原理

太阳能吸收式空调系统主要由太阳集热器和吸收式制冷机两部分构成。太阳集热器顾名思义是一种集热装置，其不能单独使用，但可根据需要拼装组合成不同采光面积的集热系统。它的主要用途是用来收集热量，然后再与其他装置进行热交换。集热器主要有三种：干法热管式太阳集热器、U形管式太阳集热器、连集管式太阳集热器。

2. 太阳能吸附式制冷装置工作原理及其特点

图 11-12a 所示是对吸附制冷过程的描述：将蒸发室 1 抽空并灌以液态工质，将吸附床 2 灌入吸附材料并抽空。打开阀门 3，蒸发室 1 内的蒸汽经阀门 3 进入吸附床 2 被吸附材料吸附并放热；由于蒸汽不断被吸附，蒸发室 1 内工质蒸汽压力减小导致液态工质不断蒸发并从周围带走热量使温度下降。随着吸附过程的继续，吸附床 2 内吸附材料逐渐饱和，吸附过程终结。饱和的吸附床可以通过加热进行解吸。图 11-12b 所示是对解吸过程的描述：打开阀门 3 并对饱和的吸附床 2 加热，吸附床 2 内吸附材料吸热后温度升高开始解吸放出所吸附的工质，工质蒸汽经阀门 3 进入蒸发室 1 放热并凝结成液体存储于蒸发室 1 内。到后来，解吸过程终结。以后当吸附床

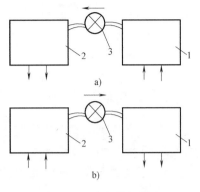

图 11-12　太阳能吸附式
制冷装置工作原理
1—蒸发室　2—吸附床　3—阀门

2 内温度下降，就可再次进入吸附制冷过程。如此可以不断循环，进行间歇吸附制冷。

本 章 小 结

通风与空调节能新技术随着社会对环保的要求提高而不断改进和增加，本章选取了几种有代表性的节能新技术。空调蓄能技术可以对电网的电力起到移峰填谷的作用，有利于整个社会的优化资源配置。室外新风经过热量回收器与部分排风进行热湿交换，经过处理过的新风再与室内循环空气混合，现在已经在实际工程中取得较大的成果。热泵是一种将低位热源的热能转移到高位热源的装置，也是全世界倍受关注的新能源技术。低温送风空调、变风量空调、多分区空调、分层空调、太阳能空调等节能技术在不同的场合应用能够节约能量。

习题与思考题

1. 蓄冷技术节约的是能量吗？为什么？
2. 蓄冷空调有哪些蓄冷方式？
3. 通风空调系统中的热回收技术主要有哪些？
4. 热泵技术的工作原理是什么？
5. 热泵可以分为哪几种类型？
6. 热泵是如何节能的？
7. 什么是低温送风空调，有什么特点？
8. 什么是变风量空调系统？有什么特点？
9. 多分区空调用于什么建筑？
10. 什么是分层空调？用于什么建筑？能节约多少能量？
11. 太阳能空调系统的原理是什么，如何提高其制冷效率？

第十二章　空调工程设计

【学习目标】

1. 熟悉空调工程设计的设计步骤与方法。
2. 了解空调工程设计软件的功能和特点。
3. 掌握利用设计软件进行空调工程设计计算的方法。

第一节　空调工程设计概述

一、空调工程设计任务

空调工程设计主要包括空调系统冷负荷、热负荷的设计与计算，空调风系统的设计与计算，空调水系统的设计与计算，空调冷热源的设计，防烟、排烟系统的设计与计算等内容。

民用建筑空调工程设计，通常分为方案设计、初步设计、施工图设计三个阶段，是一个由粗到细，不断深入和完善的过程。

1. 方案设计

空调工程的方案设计是后续设计的基础。方案设计阶段，要明确设计依据、设计要求和主要技术经济指标。方案设计的主要内容包括：确定空调室内外设计参数以及冷热负荷估算指标；选择空调系统形式及冷热源；考虑机房、管井的面积与位置；采用新技术的情况；编写方案设计说明。

2. 初步设计

方案设计通过有关部门审批后，可进行初步设计。初步设计文件应满足施工图设计阶段文件编制的需要。初步设计文件包括：初步设计说明、估算计算书、设备的初步布置方案、初步设计图纸。

3. 施工图设计

施工图设计是工程设计最重要的阶段，是初步设计的补充与完善。设计过程中应遵循已审批的初步设计方案，遵守相关标准和规范，做好工种协调。施工图设计阶段的设计文件包括：设计与施工说明、详细的设计计算、施工图设计图纸、设备材料明细。

二、空调工程设计的方法和步骤

空调工程设计的方法和基本设计步骤可归纳如下：

（1）熟悉设计建筑物的原始设计资料　建设方提供的文件、建筑用途及工艺要求、设计任务书、建筑作业图等。

（2）资料调研　查阅相关设计手册、规范、标准、措施等，收集相关设备与材料的产品样本。

（3）确定室内外设计参数　根据设计建筑物所在地区，查取室外空气冬、夏季气象设计参数；根据设计建筑物的使用功能，确定室内空气冬、夏季设计参数。

（4）确定设计建筑物的热工参数和其他参数　根据建筑物围护结构的构成，计算其传热系数；根据建筑物的使用功能，确定室内人员数量、灯光负荷、设备负荷、工作时间等参数。

（5）空调热、湿负荷计算　计算设计建筑物的余热、余湿，进行建筑节能方案比较，确定合理的空调热、湿负荷。

（6）确定空调方案　进行技术经济比较，确定适合所设计建筑物的空调系统方式、冷热源方式以及空调系统控制方式。

（7）送风量与气流组织计算　根据空调热、湿负荷以及送风温差，确定冬、夏送风状态和送风量。根据建筑物的工作环境要求，计算确定最小新风量。根据空调方式和送、回风量，确定送、回风口形式，布置送、回风口，进行气流组织设计。

（8）空调风系统、水系统设计　布置空调风管，进行风管系统的水力计算，确定管径、阻力等；布置空调水管道，进行水管路系统的水力计算，确定管径、阻力等。

（9）主要空调设备的设计选型　根据空调系统的空气处理方案，确定空气处理设备的容量及送风量，确定表面式换热器的结构形式及热工参数。根据风管系统的水力计算，确定风机流量、风压及型号。

（10）防烟、排烟系统设计　分析建筑物类型、功能和防火要求，划分防火分区，选定合理的防、排烟方案并进行系统设计。

（11）冷、热源机房设计　根据空气处理设备的容量，确定冷、热源容量和型号；根据管路系统水力计算，确定水泵流量、扬程和型号。

（12）空调设备及管道的保冷与保温、消声与隔振设计。

（13）绘制工程图纸，整理设计与计算说明书。

三、空调工程设计常用规范和标准

1. 设计规范和标准

（1）《民用建筑供暖通风与空气调节设计规范》（GB 50736—2012）

（2）《民用建筑热工设计规范》（GB 50176—2016）

（3）《建筑设计防火规范》（2018 年版）（GB 50016—2014）

（4）《公共建筑节能设计标准》（GB 50189—2015）

（5）《严寒和寒冷地区居住建筑节能设计标准》（JGJ 26—2010）

（6）《夏热冬冷地区居住建筑节能设计标准》（JGJ 134—2010）

（7）《夏热冬暖地区居住建筑节能设计标准》（JGJ 75—2012）

（8）《供暖通风与空气调节术语标准》（GB/T 50155—2015）

（9）《房屋建筑制图统一标准》（GB/T 50001—2017）

（10）《暖通空调制图标准》（GB/T 50114—2010）

2. 施工及验收规范

（1）《通风与空调工程施工质量验收规范》（GB 50243—2016）

（2）《制冷设备、空气分离设备安装工程施工及验收规范》（GB 50274—2010）

（3）《风机、压缩机、泵安装工程施工及验收规范》（GB 50275—2010）

（4）《建筑给水排水及采暖工程施工质量验收规范》（GB 50242—2002）

第二节 空调工程设计软件

一、软件介绍

鸿业设备设计暖通空调设计软件（MEP-ACS）和天正暖通设计软件（T-Hvac）是应用于我国空调工程设计领域的两大专业软件。这两种设计软件均基于 AutoCAD 平台所开发，利用这两种设计软件可以完成空调工程的负荷计算、水力计算和施工图绘制等内容。软件将计算分析与绘图相结合，计算过程与施工图绘制依据国家标准和行业规范，能够实现二维绘图与三维效果的同步完成。利用设计软件的智能联动、三维建模、碰撞检查等功能进行空调工程设计，能够大大提高设计师的设计质量和绘图效率。

二、软件功能

本节主要介绍鸿业设备设计暖通空调设计软件 MEP-ACS 的功能。

最新的 MEP-ACSV12.0 设计软件具有专业性强、操作便捷、智能化等特点，主要功能有：

（1）空调水系统设计 水管设计时，单、双线两种模式可直接编辑，互相转换；系统类型、显示样式、管材、标注、图形显示等内容可进行定制；水管绘制支持精准定位及阻力实时计算；管线与风机盘管可批量连接，自动生成系统图；可直接提取平面图进行水力计算并将计算结果赋回图形实体，用于标注和材料统计；水管及设备之间支持智能联动处理。空调水系统设计示例如图 12-1～图 12-3 所示。

（2）空调风系统设计 风管设计时，单、双线两种模式可直接编辑，互相转换；风管系统类型、显示样式、标注等都可定制；风管绘制支持精准定位及阻力实时计算；风口与风管可批量连接，并支持多种连接方式；平面图可直接生成系统图；水力计算可直接提取平面图进行计算，计算后赋回原图修改尺寸，加变径，并进行标注；设有局部升降、对齐调整等多种修改工具；删除风管、阀门等构件后，与之相连的构件能够自动处理。空调风系统设计示例如图 12-4～图 12-6 所示。

图 12-1 "空调管线"对话框

同时，软件支持机械防、排烟和自然排烟设计；多种系统对象包括楼梯间、前室、电梯井、避难层、地下汽车库、中庭、内走道及房间等；可输出 Excel 格式报表和 Word 格式报表。防、排烟设计计算如图 12-7 所示。

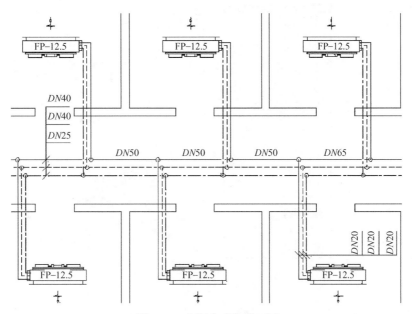

图 12-2　空调水系统平面图

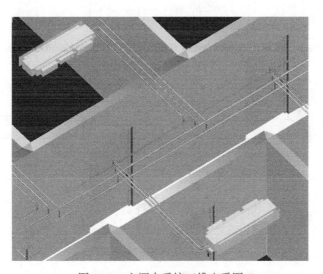

图 12-3　空调水系统三维查看图

（3）供暖系统设计　可进行传统形式的供暖系统、分户计量系统的平面图、系统图设计；散热器与管道多种连接方式；可由平面图自动生成系统图，同时进行加设阀门、调整支管位置等修改；水力计算直接提取系统图进行计算，计算结果可赋回、标注系统图；可自动标注平面图多层散热器片数；地热盘管可实现盘管与盘管、盘管与分集水器之间的自动连接。供暖系统设计示例如图 12-8～图 12-10 所示。

（4）其他功能　实体位置、尺寸、标注等自动联动；实体之间自动处理遮挡；强大的剖面图功能，支持多方向及放大剖切，原图修改后，剖切图联动更新；碰撞检测支持多种实体，可设置软碰撞参数，对碰撞结果进行处理和文件输出。

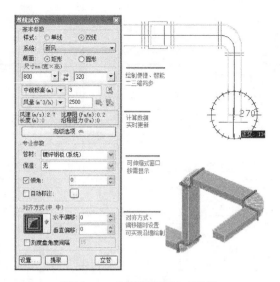

图 12-4　"双线风管"对话框

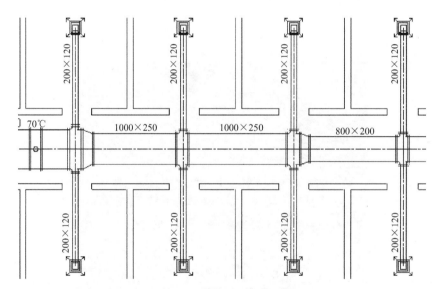

图 12-5　空调风系统平面图

图 12-6　空调风系统三维查看图

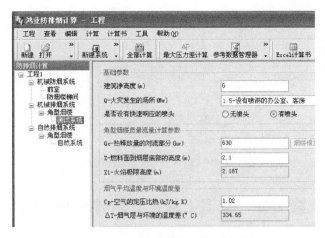

图 12-7　"鸿业防排烟计算"对话框

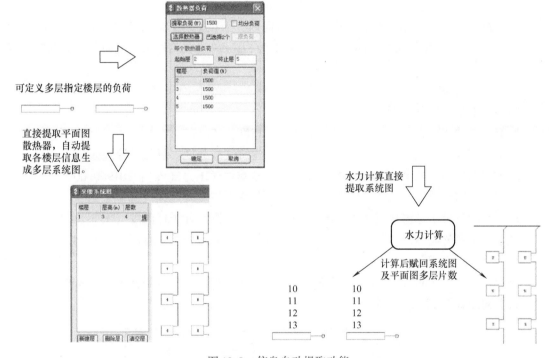

可定义多层指定楼层的负荷

直接提取平面图散热器，自动提取各楼层信息生成多层系统图。

水力计算直接提取系统图

水力计算

计算后赋回系统图及平面图多层片数

图 12-8　信息自动提取功能

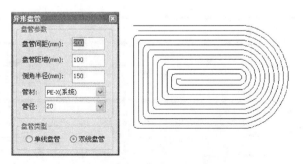

图 12-9　任意形状房间的盘管设计

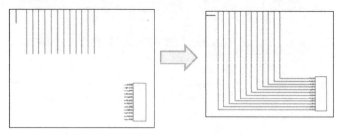

图 12-10　盘管与分水器批量连接

第三节　空调工程设计软件应用实例

一、工程概况

该建筑是一栋6层办公建筑，位于长沙市河西，大楼总建筑面积为1516m²，层高均为3.9m。办公楼的外墙采用240mm厚砖墙，外窗为5mm单层玻璃外窗，屋面为钢筋混凝土保温屋面。

1. 室外气象资料

国家：中华人民共和国

城市：长沙市　　　　　　　　　　　　纬度：28.12°

经度：东经113.05°　　　　　　　　建筑气候分区：夏热冬冷地区

夏季大气压力（Pa）：99920.00　　　冬季大气压力（Pa）：101960.00

夏季平均室外风速（m/s）：2.6　　　冬季平均室外风速（m/s）：2.3

夏季空调室外干球温度（℃）：35.8　冬季空调室外干球温度（℃）：-1.9

夏季空调室外湿球温度（℃）：27.7　冬季空调室外相对湿度（%）：83.0

2. 室内设计参数

夏季：25℃　相对湿度40%～60%　　　冬季：20℃　相对湿度30%～60%

其平面图如图12-11所示。

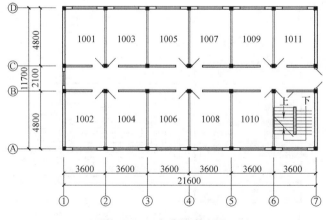

图 12-11　办公楼平面图

二、空调系统的划分及空调方案的确定

由于整栋楼为办公室，因此空调系统分为一个区，空调方案采用独立新风加风机盘管。如图 12-12 所示，新风处理到室内等焓线。

图 12-12 风机盘管处理过程

三、用负荷计算软件计算负荷

进行负荷计算之前，先必须对工程名称和建筑信息进行设置，如图 12-13、图 12-14 所示。

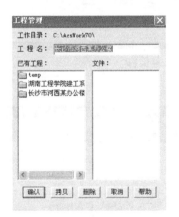

图 12-13 设置工程名称

图 12-14 设置建筑信息

用于负荷计算的建筑图，可利用鸿业软件的建筑设计绘制，也可以利用其他建筑软件（包括 AutoCAD）绘制的建筑平面图，用下拉菜单建筑→轴线设计菜单项进行墙线识别命令，使其转化成鸿业软件的建筑图。

进行冷负荷计算时，暖通空调软件 ACS 采用谐波反应法，可计算任意围护结构的逐时空调冷负荷。数据一次录入，可同时计算空调热负荷，计算结果可以生成规范的 Excel/Word 计算书。可从 CAD 图形中提取围护结构信息并把结果赋回图面。可对数据编辑支持批量修改，如修改墙体信息、屋面信息等。

负荷计算时，先新建工程，如图 12-15 所示，设置建筑的参数和层高，设置建筑的围护结构，如图 12-16 所示。

冷负荷计算的流程如下：

设定气象参数→设置房间参数→围护结构→冷负荷计算→输出计算书。

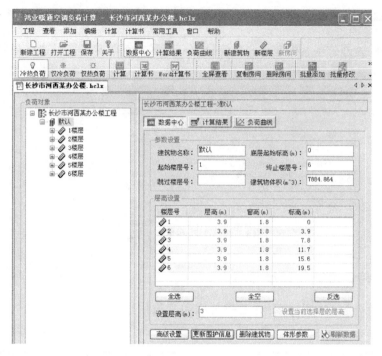

图 12-15　新建工程名

设定气象参数如图 12-17 所示，工程地点的气象参数为长沙。

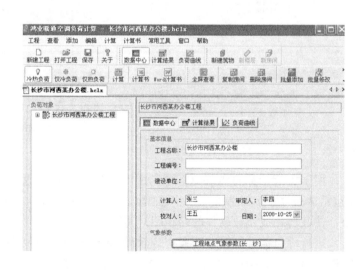

图 12-16　设置围护结构　　　　　　　　　　图 12-17　设定气象参数

设置房间参数即设置房间的功能（如办公室、宾馆、会议室等），房间室内冬季和夏季参数，房间人员、设备、照明、新风等参数，如图 12-18 所示。

设置房间围护结构参数，可以添加、修改、删除和复制围护结构，也可以添加、修改和删除人体、新风、灯光、设备、渗透、食物、化学、水面、水流和其他等，因为影响冷负荷

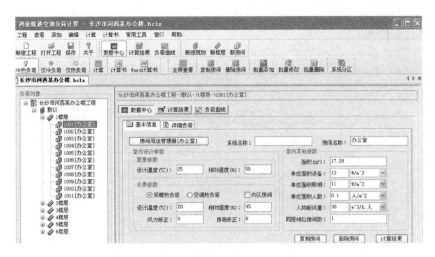

图 12-18　设置房间参数

的因素非常多，这里的"其他"负荷是指不常见的负荷，如图 12-19 所示。

　　完成了所有的设置之后，就可以进行计算，单击计算结果，出现如图 12-20 所示的界面，其结果可以绘成负荷曲线图，可直接反映冷负荷最大值出现的时刻，如图 12-21 所示，图上可直观反映最大冷负荷出现的时刻为 17 点。

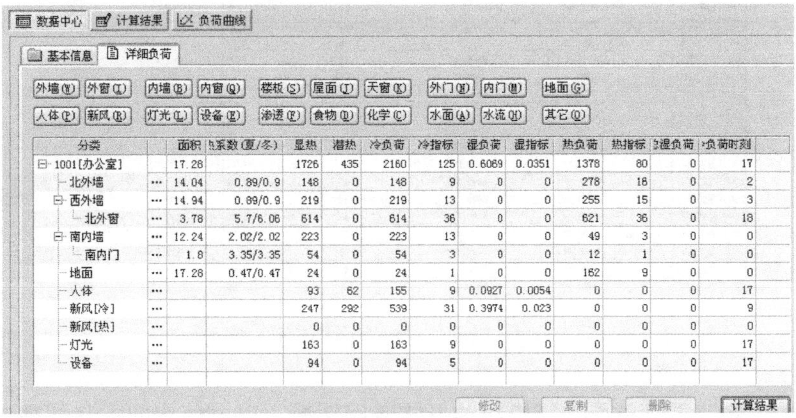

分类	面积	传热系数(夏/冬)	显热	潜热	冷负荷	冷指标	湿负荷	湿指标	热负荷	热指标	冷湿负荷	负荷时刻
⊟ 1001[办公室]	17.28		1726	435	2160	125	0.6069	0.0351	1378	80		17
北外墙	14.04	0.89/0.9	148	0	148	9	0	0	278	18	0	2
⊟ 西外墙	14.94	0.89/0.9	219	0	219	13	0	0	255	15	0	3
北外窗	3.78	5.7/6.06	614	0	614	36	0	0	621	36	0	18
⊟ 南内墙	12.24	2.02/2.02	223	0	223	13	0	0	49	3	0	0
南内门	1.8	3.35/3.35	54	0	54	3	0	0	12	1	0	0
地面	17.28	0.47/0.47	24	0	24	1	0	0	162	9	0	0
人体			93	62	155	9	0.0927	0.0054	0	0	0	17
新风[冷]			247	292	539	31	0.3974	0.023	0	0	0	9
新风[热]			0	0	0	0	0	0	0	0	0	0
灯光			163	0	163	9	0	0	0	0	0	17
设备			94	0	94	5	0	0	0	0	0	17

图 12-19　房间详细负荷表

分类	面积	显热	潜热	总冷负荷(含新风)	总冷指标(含新风)	冷负荷(不含新风)	冷指标(不含新风)	总湿负荷(含新风)
⊟ 1001[办公室]	17.28	1726	435	2160	125	1622	94	0.6069
北外墙	14.04	148	0	148	9	148	9	0
⊞ 西外墙	14.94	219	0	219	13	219	13	0
⊞ 南内墙	12.24	223	0	223	13	223	13	0
地面	17.28	24	0	24	1	24	1	0
人体		93	62	155	9	155	9	0.0927
新风[冷]		247	292	539	31	0	0	0.3974
新风[热]		0	0	0	0	0	0	0
灯光		163	0	163	9	163	9	0
设备		94	0	94	5	94	5	0

图 12-20　房间冷负荷计算结果

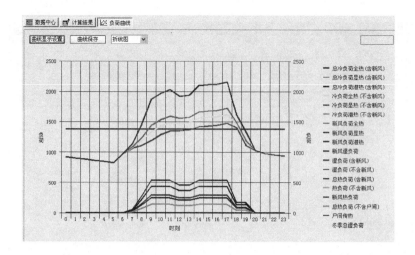

图 12-21 房间冷负荷曲线

计算完成后可以输出计算书，如图 12-22 所示。

简单型冷负荷计算书						
A-1栋[冷(W) 湿(kg/h)]						
房间号	总冷负荷全热(含新风)	冷负荷全热(不含新风)	总湿负荷(含新风)	湿负荷(不含新风)	新风负荷全热	新风湿负荷	新风
1001[洽设室]	33977.99	23571.48	16.58	7.63	10406.51	8.95	
1002[售楼处]	196885.81	100070.3	129.78	41.12	96815.51	88.66	
1003[办公室1,4	7391.27	5066.98	4.17	1.86	2324.29	2.31	
1004[办公室2,4	3287.34	2476.75	1.66	0.65	810.6	1	
1005[办公室4,4	9154.32	6086.59	4.71	1.86	3067.73	2.85	
1006[办公室5]	5080.06	3904.71	2.66	1.19	1175.35	1.47	
1007[卫生间]	4899	4238.72	1.51	1.11	660.29	0.4	
1008[办公室3,4	3287.34	2476.75	1.66	0.65	810.6	1	
2001[洽设室上5	29845.15	25146.33	9.27	4.78	4698.82	4.48	
2002[走廊]	106211.35	72787.96	51.48	26.56	33423.39	24.92	
2003[卫生间]	5620.54	4960.26	1.51	1.11	660.29	0.4	
2004[签约室1,3	6142.67	4845.46	2.45	1.09	1297.21	1.36	
2005[签约室2,3	9306.42	6873.78	3.94	1.76	2432.64	2.18	
2006[签约室,3	6665.94	5368.73	2.45	1.09	1297.21	1.36	
2007[办公室1,2	2180.79	1800.04	1.25	0.56	380.76	0.69	
2008[办公室2,2	2765.41	2147.43	1.56	0.7	617.98	0.86	
2009[办公室3]	3047.44	2480.15	1.49	0.67	567.29	0.83	
2010[办公室4,4	9526.19	7390.93	3.55	1.58	2135.27	1.97	

图 12-22 冷负荷计算书

也可以将计算结果以负荷计算模块的形式赋回图面，以方便房间空气处理焓湿图和设备选型使用，如图 12-23 所示。

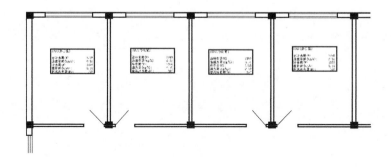

图 12-23 冷负荷计算模块

四、用设计软件进行风系统、水系统设计

空调设备可以根据房间的冷量选型或者房间的送风量选型，送风量的多少要由风机盘管处理过程计算所得。

风机盘管选定后，可以进行水系统的设计和水力计算。

1. 水系统设计

水系统设计时，先布置立管，再布置水平干管，然后连接设备，如图 12-24 所示。

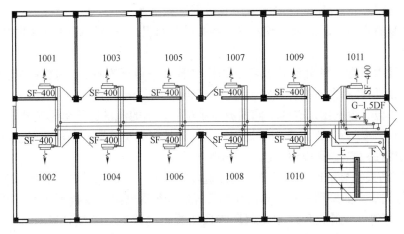

图 12-24　空调水系统

设计采用两管制，图中的三根管道由上至下分别为空调回水管、空调供水管和空调冷凝水管。

水管布置完成后可以进行水力计算，如图 12-25 所示。

图 12-25　空调水系统水力计算

在水力计算的界面中，包含有搜索分支、系统设置、计算控制和计算结果四大块，具体如下：

（1）搜索分支　当用户需要从图面上提取数据时，点取"搜索分支"按钮，根据程序提示选取计算水管，当成功搜索出图面管道系统后，"最长环路"按钮可用，单击可以得到最长的管段组。

（2）系统设置

1）冷凝水量。当计算水管系统是冷凝水管系统时，该项可用，冷凝水管的水量是根据水管承担的负荷和用户设定的冷凝水量两者数据计算出来。

2）设备缺省水阻。风机盘管或者空调器的设备水阻，程序计算时会将此阻力计入小计中去。

3）末端局阻系数。风机盘管或者空调器接管处一般还有阀门、过滤网等局部阻力系数，在此输入此局部阻力系数。相对于设备的水阻，此数值较小。

4）流量单位。根据用户选择不同的流量单位，显示的流量进行单位换算。

（3）计算控制　程序在计算中根据用户选择的控制类型选取合适的管径。控制数据设定可以新建控制数据方案，可以更改已有的控制方案。

（4）计算结果　显示包含搜索分支里面选取管段的一条回路的各个管段数据。

初算进行完后，如果用户对于算出来的管径和变径局部阻力系数不满意，可以手动输入值，然后进行复算，复算是程序根据每段管段所设定的值进行校核计算（相对于复算，初算是设计计算），并不进行管段尺寸的选择和变径局部阻力系数的计算。

执行计算后，在每个管段的最前部显示有图标，直观指示用户的计算结果是否在要求的范围内。

如果用户对计算结果满意，单击"Excel"按钮，程序会自动启动 Excel（保证机器上要装有 Excel），用户自行保存计算书。

计算完成后，用户可以将计算结果标注在图面上，如图 12-26 所示。

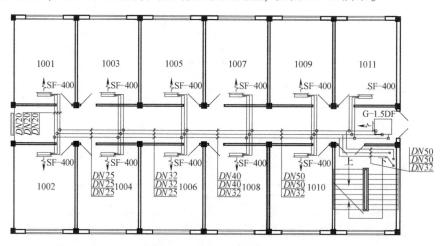

图 12-26　空调水系统管道标注

平面图绘制完毕后，用"绘制系统图"命令可将平面图转换为轴测图。点取下拉菜单水管→绘制系统图菜单项，可将水系统平面图转换为轴测图，如图 12-27 所示。

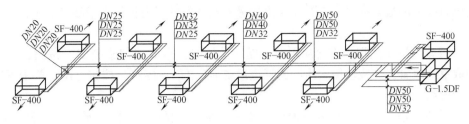

图 12-27 空调水系统轴测图

2. 风系统设计

风系统设计可分为单线风管设计和双线风管设计。单线风管布置包括送风管、回风管、新风管、加压风管、防排烟管，它们的操作方法、绘图功能都是相似的，以新风管道为例，从新风机引出一条新风管道，点取下拉菜单单线风管→连接风口菜单项，自动连接单线新风口，如图 12-28 所示，用户选择某管线后，程序能自动识别所选的管线，并将所选管线的类别提示出来，用户选择与此种管线相对应的风口，程序自动将管线和风口连接起来。

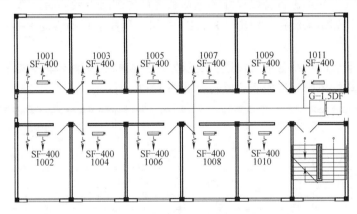

图 12-28 空调单线风管系统

风管的水力计算可以自动计算风管截面、风速、沿程损失、局部损失、系统最不利损失等。该程序从图形中提取计算原始数据，可以较好地进行风管的设计计算和校核计算，程序自动计算弯头、三通等管件的局部阻力系数，选择风管管段尺寸，并允许用户对任一管段进行手动的校正。计算完成后，生成 Excel 格式的计算书，并把管径信息赋于图面、标注，如图 12-29 所示。

（1）风管尺寸优化 可以选择要计算的风管是矩形风管还是圆形风管，控制风管的最大尺寸。

（2）端口余压 控制最不利

图 12-29 空调单线风管系统水力计算

环路的压力损失的最大值，如果程序算出的最不利环路的阻力损失大于端口余压，程序会提醒用户。

（3）搜索分支　当用户需要从图面上提取数据时，点取"搜索分支"按钮，根据程序提示选取单线风管，当成功搜索出图面管道系统后，"最长环路"按钮可用，单击可以得到最长的管段组。

（4）计算方法　程序提供的三种计算方法，即静压复得法、阻力平衡法、假定流速法，可以改变当前的选项卡，就会改变下一步计算所用的方法，而且在标题栏上会有相应的提示。

（5）计算结果　显示包含搜索分支里面选取管段的一条回路的各个管段数据。

在主界面中点取某一管段，图形中的对应管段就会闪烁，单击主界面的最小化按钮，可以返回到图形界面进行观察。

初算完成后，如果用户对于算出来的管径（或者高宽）和变径局部阻力系数不满意，可以手动输入数值，然后进行复算。复算是校核计算（初算是设计计算），程序根据每段管段的设定值进行计算并不进行管段尺寸的选择和变径局部阻力系数的计算。

如果用户对计算结果满意，单击"Excel"按钮，程序会自动启动 Excel，用户自行保存计算书。

水力计算完毕后的单线管道可以进行变双处理，点取下拉菜单单线风管→管线变双菜单项，软件自动把单线风管转换成双线风管，如图 12-30 所示。

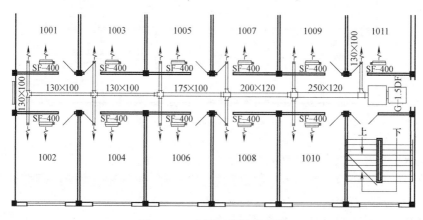

图 12-30　空调双线风管系统

软件也可以直接在工程图上布置二维双线风管。点取下拉菜单双线风管→二维双线风管菜单项，可直接在图面上绘制双线风管，绘制完成后可进行水力计算，确定风管管径。

五、防火排烟、消声隔振及保温设计

由于建筑面积较小，根据规范，每个办公室只需设置自动喷淋系统就可以满足防火要求，不需要设置排烟系统。

空调通风系统中的噪声源主要有风机、水泵等机械设备产生的噪声，气流产生的噪声等。对空调设备应采取加隔声罩、设备壳体内衬吸声材料、设减振器等措施。空调风管系统设消声器，水管系统采用与设备软连接、使用隔振吊架等方式达到消声隔振的目的。

民用建筑空调通风系统的减振设计包括两部分：一是设备减振，它们包括冷水机组、空调机组、水泵、风机（包括落地式安装和吊装风机）以及其他可能产生较大振动的设备；二是管道的隔振，主要是防止设备的振动通过水管及风管进行传递。

空调设备、风道与冷（热）水管道的保冷（温）设计，是为了保持供冷（热）生产能力以及输送能力，减少冷（热）能量的损失，节省能源；另外，对于供冷设备及其管道，保冷还是为了防结露；对于表面温度过高的管道或设备，保温还可防止人被烫伤或辐射强度过高而造成对人的损害，管道保温层的厚度依据经济厚度或防止表面凝露保冷厚度方法计算确定。

六、设计图纸

空调系统的工程设计图纸一般包括：图例、平面图、系统图、剖面图、机房平面图、详图。

1. 平面图

1）绘出建筑轮廓、主要轴线号、轴线尺寸、室内外地面标高、房间名称。底层平面图上绘出指北针。

2）空调平面图用双线绘出风管，单线绘出空调冷热水、凝结水等管道。标注风管尺寸（圆形风管标注管径，矩形风管标注宽×高）、标高及风口尺寸，标注水管管径及标高，各种设备及风口安装的定位尺寸和编号，消声器、调节阀、防火阀等各种部件的位置。

2. 系统图

1）当平面图不能清楚表达设计意图时应绘制系统图，比例宜与平面图一致，注明管径、坡向、标高等。

2）制冷、空调冷热水系统及复杂的风系统应绘制系统流程图。系统流程图应绘出设备、阀门、控制仪表、配件，标注介质流向、管径及设备编号。流程图可不按比例绘制，但管路分支应与平面图相符。

3）空调的冷冻水水路采用竖向布置时，应绘制立管图并编号，注明管径、坡向、标高及空调器的型号。

4）空调、制冷系统有监测与控制时，应绘制控制原理图，图中以图例绘出设备、传感器及控制元件位置；说明控制要求和必要的控制参数。

3. 剖面图

1）风管或水管与设备连接交叉复杂的部位，应绘出剖面图或局部剖面图。

2）绘出风管、水管、风口、设备等与建筑梁、板、柱及地面的尺寸关系。

3）注明风管、风口、水管等的尺寸和标高，气流方向及详图索引编号。

4. 机房平面图

1）机房平面图应根据需要增大比例，绘出空调、制冷设备（如冷水机组、新风机组、空调器、冷热水泵、冷却水泵、通风机、消声器、水箱等）的轮廓位置及其编号、注明设备和基础距离墙或轴线的尺寸。

2）绘出连接设备的风管、水管位置及走向；注明尺寸、管径、标高。

3）标注机房内所有设备、管道附件（各种仪表、阀门、柔性短管、过滤器等）的位置。

5. 详图

1) 各种设备及零部件的施工安装，应注明采用的标准图、通用图的图名与图号。

2) 无现成图纸可选，且需要阐明设计意图的，均需绘制详图。简单的详图可在图旁就近引出，绘制局部详图；制作详图或安装复杂的详图应单独绘制。

本 章 小 结

本章阐述了空调工程设计所涵盖的内容和范围，阐述了进行空调工程设计的一般步骤和方法；介绍了空调工程设计软件的功能和特点；利用工程实例介绍了如何利用空调工程设计软件进行空调系统的冷热负荷计算，空调水系统设计与计算，空调风系统设计与计算的方法；阐述了设计图纸的构成、内容和要求。

附　　录

附录A　居住区大气中有害物质的最高容许浓度（摘录）

编号	物质名称	最高容许浓度 mg/m³		编号	物质名称	最高容许浓度 mg/m³	
		一次	日平均			一次	日平均
1	一氧化碳	3.00	1.00	18	环氧氯丙烷	0.20	
2	乙醛	0.01		19	氟化物（换算成F）	0.02	0.007
3	二甲苯	0.30		20	氨	0.20	
4	二氧化硫	0.50	0.15	21	氧化氮（换算成NO₂）	0.15	
5	二氧化碳	0.04		22	砷化物（换算成As）		0.003
6	五氧化二磷	0.15	0.05	23	敌百虫	0.10	
7	丙烯腈		0.05	24	酚	0.20	
8	丙烯醛	0.10		25	硫化氢	0.01	
9	丙酮	0.80		26	硫酸	0.30	0.10
10	甲基对硫磷（甲基E605）	0.01		27	硝基苯	0.01	
11	甲醇	3.00	1.00	28	铅及其无机化合物（换算成Pb）		0.0007
12	甲醛	0.05		29	氯	0.10	0.03
13	汞		0.0003	30	氯丁二烯	0.10	
14	吡啶	0.08		31	氯化氢	0.05	0.015
15	苯	2.40	0.80	32	铬（六价）	0.0015	
16	苯乙烯	0.01		33	锰及其化合物（换算成MnO₂）		0.01
17	苯胺	0.10	0.03	34	飘尘	0.50	0.15

注：1. 一次最高容许浓度，指任何一次测定结果的最大容许值。

2. 日平均最高容许浓度，指任何一日的平均浓度的最大容许值。

3. 本表所列各项有害物质的检验方法，应按现行的《大气监测检验方法》执行。

4. 灰尘自然沉降量，可在当地清洁区实测数值的基础上增加 3~5t/（km²·月）。

附录B　湿空气的密度、水蒸气分压力、含湿量和焓

（大气压 $B = 1013$ mbar）

空气温度 t /℃	干空气密度 ρ /（kg/m³）	饱和空气密度 ρ_b /（kg/m³）	饱和空气的水蒸气分压力 $P_{b,q}$ /mbar	饱和空气含湿量 d_b /[g/kg（干空气）]	饱和空气焓 h_b /[kJ/kg（干空气）]
−20	1.396	1.395	1.02	0.63	−18.55
−19	1.394	1.393	1.13	0.70	−17.39
−18	1.385	1.384	1.25	0.77	−16.20
−17	1.379	1.378	1.37	0.85	−14.99

（续）

空气温度 t /℃	干空气密度 ρ /（kg/m³）	饱和空气密度 ρ_b /（kg/m³）	饱和空气的水蒸气分压力 $P_{b,q}$ /mbar	饱和空气含湿量 d_b /[g/kg(干空气)]	饱和空气焓 h_b /[kJ/kg(干空气)]
−16	1.374	1.373	1.50	0.93	−13.77
−15	1.368	1.367	1.65	1.01	−12.60
−14	1.363	1.362	1.81	1.11	−11.35
−13	1.358	1.357	1.98	1.22	−10.05
−12	1.353	1.352	2.17	1.34	−8.75
−11	1.348	1.347	2.37	1.46	−7.45
−10	i.342	1.341	2.59	1.60	−6.07
−9	1.337	1.336	2.83	1.75	−4.73
−8	1.332	1.331	3.09	1.91	−3.31
−7	1.327	1.325	3.36	2.08	−1.88
−6	1.322	1.320	3.67	2.27	−0.42
−5	1.317	1.315	4.00	2.47	1.09
−4	1.312	1.310	4.36	2.69	2.68
−3	1.308	1.306	4.75	2.94	4.31
−2	1.303	1.301	5.16	3.19	5.90
−1	1.298	1.295	5.61	3.47	7.62
0	1.293	1.290	6.09	3.78	9.42
1	1.288	1.285	6.56	4.07	11.14
2	1.284	1.281	7.04	4.37	12.89
3	1.279	1.275	7.57	4.70	14.74
4	1.275	1.271	8.11	5.03	16.58
5	1.270	1.266	8.70	5.40	18.51
6	1.265	1.261	9.32	5.79	20.51
7	1.261	1.256	9.99	6.21	22.61
8	1.256	1.251	10.70	6.65	24.70
9	1.252	1.247	11.46	7.13	26.92
10	1.248	1.242	12.25	7.63	29.18
11	1.243	1.237	13.09	8.15	31.25
12	1.239	1.232	13.99	8.75	34.08
13	1.235	1.228	14.94	9.35	36.59
14	1.230	1.223	15.95	9.97	39.19
15	1.226	1.218	17.01	10.6	41.78
16	1.222	1.214	18.13	11.4	44.80
17	1.217	1.208	19.32	12.1	47.73
18	1.213	1.204	20.59	12.9	50.66
19	1.209	1.200	21.92	13.8	54.01
20	1.205	1.195	23.31	14.7	57.78
21	1.201	1.190	24.80	15.6	61.13
22	1.197	1.185	26.37	16.6	64.06

（续）

空气温度 t /℃	干空气密度 ρ / (kg/m³)	饱和空气密度 ρ_b /(kg/m³)	饱和空气的水蒸气分压力 $P_{b,q}$ /mbar	饱和空气含湿量 d_6 /[g/kg（干空气）]	饱和空气焓 h_b /[kJ/kg（干空气）]
23	1.193	1.181	28.02	17.7	67.83
24	1.189	1.176	29.77	18.8	72.01
25	1.185	1.171	31.60	20.0	75.78
26	1.181	1.166	33.53	21.4	80.39
27	1.177	1.161	35.56	22.6	84.57
28	1.173	1.156	37.71	24.0	89.18
29	1.169	1.151	39.95	25.6	94.20
30	1.165	1.146	42.32	27.2	99.65
31	1.161	1.141	44.82	28.8	104.67
32	1.157	1.136	47.43	30.6	110.11
33	1.154	1.131	50.18	32.5	115.97
34	1.150	1.126	53.07	34.4	122.25
35	1.146	1.121	56.10	36.6	128.95
36	1.142	1.116	59.26	38.8	135.65
37	1.139	1.111	62.60	41.1	142.35
38	1.135	1.107	66.09	43.5	149.47
39	1.132	1.102	69.75	46.0	157.42
40	1.128	1.097	73.58	48.8	165.80
41	1.124	1.091	77.59	51.7	174.17
42	1.121	1.086	81.80	54.8	182.96
43	1.117	1.081	86.18	58.0	192.17
44	1.114	1.076	90.79	61.3	202.22
45	1.110	1.070	95.60	65.0	212.69
46	1.107	1.065	100.61	68.9	223.57
47	1.103	1.059	105.87	72.8	235.30
48	1.100	1.054	111.33	77.0	247.02
49	1.096	1.048	117.07	81.5	260.00
50	1.093	1.043	123.04	86.2	273.40
55	1.076	1.013	156.94	114	352.11
60	1.060	0.981	198.70	152	456.36
65	1.044	0.946	249.38	204	598.71
70	1.029	0.909	310.82	276	795.50
75	1.014	0.868	384.50	382	1080.19
80	1.000	0.832	472.28	545	1519.81
85	0.986	0.773	576.69	828	2281.81
90	0.973	0.718	699.31	1400	3818.36
95	0.959	0.656	843.09	3120	8436.40
100	0.947	0.589	1013.00	—	—

注：1bar = 10⁵Pa。

附录 D　部分城市室外空气计算参数

地名	台站位置		海拔/m	大气压力/hPa		冬季室外空气计算参数	夏季室外空气计算参数			室外平均风速/(m/s)	
	北纬	东经		冬季	夏季	冬季空调室外计算温度/℃	夏季空调室外计算相对湿度(%)	夏季空调室外计算干球温度/℃	夏季空调室外计算湿球温度/℃	冬季	夏季
北　京	39°48′	116°28′	31.3	1021.7	1000.2	-9.9	44	33.5	26.4	2.6	2.1
天　津	39°05′	117°04′	2.5	1021.7	1005.2	-9.6	56	33.9	26.8	2.4	2.2
沈　阳	41°44′	123°27′	44.7	1020.8	1000.9	-20.7	60	31.5	25.3	2.6	2.6
大　连	38°54′	121°38′	91.5	1013.9	997.8	-13.0	56	29	24.9	7.0	4.1
哈尔滨	45°45′	126°46′	142.3	1004.2	987.7	-27.1	73	30.7	23.9	3.2	3.2
上　海	31°10′	121°26′	2.6	1025.4	1005.4	-2.2	75	34.4	27.9	2.6	3.1
南　京	32°00′	118°48′	8.9	1025.5	1004.3	-4.1	76	34.8	28.1	2.4	2.6
徐　州	34°17′	117°09′	41	1022.1	1000.8	-5.9	66	34.3	27.6	2.3	2.6
武　汉	30°37′	114°08′	23.1	1023.5	1002.1	-2.6	77	35.2	28.4	1.8	2.0
长　沙	28°12′	113°05′	44.9	1019.6	999.2	-1.9	83	35.8	27.7	2.3	2.6
广　州	23°10′	113°20′	41.7	1019.0	1004.0	5.2	72	34.2	27.8	1.7	1.7
重　庆	29°31′	106°29′	351.1	980.6	963.8	2.2	83	35.5	26.5	1.1	1.5
成　都	30°40′	104°01′	506.1	963.7	948	1.0	83	31.8	26.4	0.9	1.2
昆　明	25°01′	102°41′	1892.4	811.9	808.2	0.9	68	26.2	20	2.2	1.8
贵　阳	26°35′	106°43′	1074.3	897.4	887.8	-2.5	80	30.1	23	2.1	2.1
西　安	34°18′	108°56′	397.5	979.1	959.8	-5.7	66	35.0	25.8	1.4	1.9
兰　州	36°03′	103°53′	1517.2	851.5	843.2	-11.5	54	31.2	20.1	0.5	1.2
乌鲁木齐	43°47′	87°37′	917.9	924.6	911.2	-23.7	78	33.5	18.2	1.6	3.0
西　宁	36°43′	101°45′	2295.2	774.4	772.9	-13.6	45	26.5	16.6	1.3	1.5

附录 E　北纬 40°太阳总辐射照度

（单位：W/m²）

透明度等级	1						2						3					
朝向 时刻（地方太阳时）	S	SE	E	NE	N	H	S	SE	E	NE	N	H	S	SE	E	NE	N	H
6	45	378	706	648	236	209	47	330	612	562	209	192	52	295	536	493	192	185
7	72	570	878	714	174	427	76	519	793	648	166	399	79	471	714	585	159	373
8	124	671	880	629	94	630	129	632	825	593	101	604	133	591	766	556	108	576
9	273	702	787	479	115	813	266	665	475	458	120	777	264	634	707	442	129	749
10	393	663	621	292	130	958	386	640	600	291	140	927	371	607	570	283	142	883
11	465	550	392	135	135	1037	454	534	385	144	144	1004	436	511	372	147	147	958
12	492	388	140	140	140	1068	478	380	147	147	147	1030	461	370	150	150	150	986
13	465	187	135	135	135	1037	454	192	144	144	144	1004	436	192	147	147	147	958
14	393	130	130	130	130	958	386	140	140	140	140	927	371	142	142	142	142	883
15	873	115	115	115	115	813	266	120	120	120	120	777	264	129	129	129	129	749
16	124	94	94	94	94	630	129	101	101	101	101	604	133	108	108	108	108	571
17	72	72	72	72	174	427	76	76	76	76	166	399	79	79	79	79	159	373
18	45	45	45	45	236	209	47	47	47	47	209	192	52	52	52	52	192	185
日总计	2785	4567	4996	3629	1910	9218	3192	4374	4733	3469	1097	8834	3131	4181	4473	3312	1904	8434
日平均	110	191	208	151	79	384	133	183	198	144	79	369	130	174	186	138	79	351
朝向	S	SW	W	NW	N	H	S	SW	W	NW	N	H	S	SW	W	NW	N	H

（续）

透明度等级 4（时刻：地方太阳时 6→18）

时刻	S	SE	E	NE	N	H
6	52	250	445	411	165	166
7	83	421	630	519	152	345
8	131	537	692	506	109	533
9	258	593	661	420	135	711
10	361	576	542	279	151	842
11	424	493	365	158	158	919
12	448	364	162	162	162	949
13	424	199	158	158	158	919
14	361	151	151	151	151	842
15	258	135	135	135	135	711
16	131	109	109	109	109	533
17	83	83	83	83	152	345
18	52	52	52	52	165	166
日总计	3067	3964	4186	3142	1904	7981
日平均	128	165	174	131	79	333
朝向	S	SW	W	NW	N	H

透明度等级 5（时刻：地方太阳时 18→6）

时刻	S	SE	E	NE	N	H
18	50	209	368	340	142	148
17	87	379	559	463	148	324
16	137	500	638	472	117	509
15	258	569	630	407	144	690
14	357	558	527	281	162	821
13	416	480	362	169	169	892
12	438	361	172	172	172	919
11	416	207	169	169	169	892
10	357	162	162	162	162	821
9	258	144	144	144	144	690
8	137	117	117	117	117	509
7	87	87	87	87	148	324
6	50	50	50	50	142	148
日总计	3051	3824	3986	3033	1935	7687
日平均	127	159	166	127	80	320
朝向	S	SW	W	NW	N	H

透明度等级 6（时刻：地方太阳时 18→6）

时刻	S	SE	E	NE	N	H
18	49	164	279	258	115	127
17	93	334	483	404	142	304
16	137	443	559	420	121	466
15	254	521	575	381	155	645
14	349	526	498	281	176	779
13	402	495	354	181	181	847
12	422	352	185	185	185	872
11	402	216	181	181	181	847
10	349	176	176	176	176	779
9	254	155	155	155	155	645
8	137	121	121	121	121	466
7	93	93	93	93	142	304
6	49	49	49	49	115	127
日总计	2990	3609	3706	2885	1964	7208
日平均	124	150	155	120	81	300
朝向	S	SW	W	NW	N	H

附录 F　北纬 40°透过标准窗玻璃的太阳辐射照度

（单位：W/m²）

说明：每一时刻对应两行数据，上行——直接辐射，下行——散射辐射。

时刻（地方太阳时）	透明度等级 1 S	SE	E	NE	N	H	透明度等级 2 S	SE	E	NE	N	H
6	0 / 37	245 / 37	558 / 37	507 / 37	106 / 37	83 / 41	0 / 38	211 / 38	477 / 38	434 / 38	91 / 38	71 / 45
7	0 / 59	392 / 59	679 / 59	530 / 59	72 / 59	259 / 49	0 / 63	349 / 63	605 / 63	472 / 63	64 / 63	231 / 59
8	2 / 78	463 / 78	659 / 78	420 / 78	0 / 78	454 / 51	2 / 84	424 / 84	606 / 84	385 / 84	0 / 84	418 / 67
9	57 / 95	466 / 95	551 / 95	238 / 95	0 / 95	620 / 56	53 / 98	434 / 98	513 / 98	222 / 98	0 / 98	577 / 69
10	138 / 108	406 / 108	362 / 108	58 / 108	0 / 108	748 / 57	130 / 115	380 / 115	340 / 115	55 / 115	0 / 115	702 / 77
11	200 / 112	283 / 112	133 / 112	0 / 112	0 / 112	822 / 52	188 / 119	266 / 119	124 / 119	0 / 119	0 / 119	773 / 71
12	222 / 114	124 / 114	0 / 114	0 / 114	0 / 114	848 / 53	209 / 120	117 / 120	0 / 120	0 / 120	0 / 120	798 / 71
13	200 / 112	7 / 112	0 / 112	0 / 112	0 / 112	822 / 52	188 / 119	6 / 119	0 / 119	0 / 119	0 / 119	773 / 71
14	138 / 108	0 / 108	0 / 108	0 / 108	0 / 108	748 / 57	130 / 115	0 / 115	0 / 115	0 / 115	0 / 115	702 / 77
15	57 / 95	0 / 95	0 / 95	0 / 95	0 / 95	620 / 56	53 / 98	0 / 98	0 / 98	0 / 98	0 / 98	577 / 69
16	2 / 78	0 / 78	0 / 78	0 / 78	0 / 78	454 / 51	2 / 84	0 / 84	0 / 84	0 / 84	0 / 84	418 / 67
17	0 / 59	0 / 59	0 / 59	0 / 59	72 / 59	259 / 49	0 / 63	0 / 63	0 / 63	0 / 63	64 / 63	231 / 59
18	0 / 37	0 / 37	0 / 37	0 / 37	106 / 37	83 / 41	0 / 38	0 / 38	0 / 38	0 / 38	91 / 38	71 / 45
朝向	S	SW	W	NW	N	H	S	SW	W	NW	N	H

（续）

辐射照度 时刻（地方太阳时）

透明度等级 4（上行——直接辐射，下行——散射辐射）

时刻（地方太阳时）	辐射	H	N	NE	E	SE	S
18	直接	49	63	301	331	145	0
18	散射	58	43	43	43	43	43
17	直接	177	49	361	462	266	0
17	散射	79	67	67	67	67	67
16	直接	336	0	311	488	342	2
16	散射	93	90	90	90	90	90
15	直接	484	0	186	430	364	44
15	散射	106	112	112	112	112	112
14	直接	598	0	47	288	324	110
14	散射	109	124	124	124	124	124
13	直接	665	0	0	107	224	162
13	散射	108	130	130	130	130	130
12	直接	688	0	0	0	101	180
12	散射	110	134	134	134	134	134
11	直接	665	0	0	0	6	162
11	散射	108	130	130	130	130	130
10	直接	598	0	0	0	0	110
10	散射	109	124	124	124	124	124
9	直接	484	0	0	0	0	44
9	散射	106	112	112	112	112	112
8	直接	336	0	0	0	0	2
8	散射	93	90	90	90	90	90
7	直接	177	49	0	0	0	0
7	散射	79	67	67	67	67	67
6	直接	49	63	0	0	0	0
6	散射	58	43	43	43	43	43
朝向		H	N	NW	W	SW	S

透明度等级 3（上行——直接辐射，下行——散射辐射）

时刻（地方太阳时）	辐射	S	SE	E	NE	N	H
6	直接	0	180	409	371	78	60
6	散射	43	43	43	43	43	56
7	直接	0	309	536	419	57	205
7	散射	65	65	65	65	65	69
8	直接	2	387	552	351	0	379
8	散射	88	88	88	88	88	83
9	直接	49	401	475	205	0	533
9	散射	106	106	106	106	106	88
10	直接	121	354	315	50	0	652
10	散射	117	117	117	117	117	90
11	直接	176	248	116	0	0	722
11	散射	121	121	121	121	121	84
12	直接	195	114	0	0	0	747
12	散射	123	123	123	123	123	85
13	直接	176	6	0	0	0	722
13	散射	121	121	121	121	121	84
14	直接	121	0	0	0	0	652
14	散射	117	117	117	117	117	90
15	直接	49	0	0	0	0	833
15	散射	106	106	106	106	106	88
16	直接	2	0	0	0	0	379
16	散射	88	88	88	88	88	83
17	直接	0	65	0	65	57	205
17	散射	65	65	65	65	65	69
18	直接	0	43	0	43	78	60
18	散射	43	43	43	43	43	56
朝向		S	SW	W	NW	N	H

（续）

透明度等级 6

上行——直接辐射　下行——散射辐射

辐射照度　时刻（地方太阳时）

时刻（地方太阳时）	H	N	NE	E	SE	S
18	29/58	37/40	177/40	194/40	86/40	0/40
17	126/104	35/77	257/77	329/77	190/77	0/77
16	254/123	0/100	234/100	368/100	258/100	1/100
15	387/149	0/128	149/128	344/128	291/128	36/128
14	492/160	0/144	38/144	237/144	266/144	97/144
13	551/159	0/149	0/149	88/149	190/149	134/149
12	572/160	0/152	0/152	0/152	85/152	150/152
11	551/159	0/149	0/149	0/149	5/149	134/149
10	492/160	0/144	0/144	0/144	0/144	91/144
9	387/149	128/128	128/128	0/128	0/128	36/128
8	254/123	100/100	100/100	0/100	0/100	1/100
7	126/104	35/77	0/77	77/77	0/77	0/77
6	29/58	37/40	40/40	40/40	40/40	0/40
朝向	H	N	NW	W	SW	S

透明度等级 5

上行——直接辐射　下行——散射辐射

辐射照度　时刻（地方太阳时）

时刻（地方太阳时）	S	SE	E	NE	N	H
6	0/42	117/42	267/42	243/42	51/42	40/58
7	0/72	229/72	398/72	311/72	42/72	152/91
8	1/96	306/96	437/96	278/96	0/96	300/109
9	41/119	337/119	398/119	172/119	0/119	448/124
10	104/133	302/133	270/133	43/133	0/133	557/131
11	150/138	213/138	100/138	0/138	0/138	619/130
12	167/142	94/142	0/142	0/142	0/142	641/133
13	150/138	5/138	0/138	0/138	0/138	619/130
14	104/133	0/133	0/133	0/133	0/133	557/131
15	41/119	0/119	0/119	0/119	0/119	448/124
16	1/96	0/96	0/96	0/96	96/96	300/109
17	0/72	0/72	0/72	72/72	42/72	152/91
18	0/42	0/42	0/42	0/42	51/42	40/58
朝向	S	SW	W	NW	N	H

附录 G 围护结构外表面太阳辐射吸收系数

面层类型	表面性质	表面颜色	吸收系数
石棉材料: 石棉水泥板		浅灰色	0.72 ~ 0.78
金属: 白铁层面	光滑,旧	灰黑色	0.86
铁刷: 拉毛水泥墙面 石灰粉刷 陶石子墙面 水泥粉刷墙面 砂石粉刷	 粗糙,旧 光滑,新 粗糙,旧 光滑,新 	 灰色或米黄色 白色 浅灰色 浅蓝色 深色	 0.63 ~ 0.65 0.48 0.68 0.56 0.57
墙: 红砖墙 硅酸盐砖墙 混凝土墙	 旧 不光滑 	 红色 青灰色 灰色	 0.72 ~ 0.78 0.41 ~ 0.60 0.65
屋面: 红瓦屋面 红褐色瓦屋面 灰瓦屋面 石棉瓦 水泥屋面 浅色油毛毡 黑色油毛毡	 旧 旧 旧 旧 旧 粗糙,新 粗糙,新	 红色 红褐色 浅灰色 银灰色 青灰色 浅黑色 深黑色	 0.56 0.65 ~ 0.74 0.52 0.75 0.74 0.72 0.86

附录 H 外墙类型及热工性能指标（由外到内）

类型	材料名称	厚度/ mm	密度/ (kg/m^3)	导热系数/ $[W/(m \cdot K)]$	热容/ $[J/(kg \cdot K)]$	传热系数/ $[W/(m^2 \cdot K)]$	衰减	延迟/h
1	水泥砂浆	20	1800	0.93	1050	0.83	0.17	8.4
	挤塑聚苯板	25	35	0.028	1380			
	水泥砂浆	20	1800	0.93	1050			
	钢筋混凝土	200	2500	1.74	1050			
2	EPS 外保温	40	30	0.042	1380	0.79	0.16	8.3
	水泥砂浆	25	1800	0.93	1050			
	钢筋混凝土	200	2500	1.74	1050			
3	水泥砂浆	20	1800	0.93	1050	0.56	0.34	9.1
	挤塑聚苯保温板	20	30	0.03	1380			
	加气混凝土砌块	200	700	0.22	837			
	水泥砂浆	20	1800	0.93	1050			
4	LOW - E	24	1800	3.0	1260	1.02	0.51	7.4
	加气混凝土砌块	200	700	0.25	1050			

（续）

类型	材料名称	厚度/mm	密度/(kg/m³)	导热系数/[W/(m·K)]	热容/[J/(kg·K)]	传热系数/[W/(m²·K)]	衰减	延迟/h
5	页岩空心砖	200	1000	0.58	1253	0.61	0.06	15.2
	岩棉	50	70	0.05	1220			
	钢筋混凝土	200	2500	1.74	1050			
6	加气混凝土砌块	190	700	0.25	1050	1.05	0.56	6.8
	水泥砂浆	20	1800	0.93	1050			
7	涂料面层					0.43	0.19	8.8
	EPS外保温	80	30	0.042	1380			
	混凝土小型空心砌块	190	1500	0.76	1050			
	水泥砂浆	20	1800	0.93	1050			
8	干挂石材面层					0.39	0.34	7.6
	岩棉	100	70	0.05	1220			
	粉煤灰小型空心砌块	190	800	0.500	1050			
9	EPS外保温	80	30	0.042	1380	0.46	0.17	8.0
	混凝土墙	200	2500	1.74	1050			
10	水泥砂浆	20	1800	0.93	1050	0.56	0.14	11.1
	EPS外保温	50	30	0.042	1380			
	聚合物砂浆	13	1800	0.93	837			
	黏土空心砖	240	1500	0.64	879			
	水泥砂浆	20	1800	0.93	1050			
11	石材	20	2800	3.2	920	0.46	0.13	11.8
	岩棉板	80	70	0.05	1220			
	聚合物砂浆	13	1800	0.93	837			
	黏土空心砖	240	1500	0.64	879			
	水泥砂浆	20	1800	0.93	1050			
12	聚合物砂浆	15	1800	0.93	837	0.57	0.18	9.6
	EPS外保温	50	30	0.042	1380			
	黏土空心砖	240	1500	0.64	879			
13	岩棉	65	70	0.05	1220	0.54	0.14	10.4
	多孔砖	240	1800	0.642	879			

附录 I 屋面类型及热工性能的指标(由外到内)

类型	材料名称	厚度/mm	密度/(kg/m³)	导热系数/[W/(m·K)]	热容/[J/(kg·K)]	传热系数/[W/(m²·K)]	衰减	延迟/h
1	细石混凝土	40	2300	1.51	920	0.49	0.16	12.3
	防水卷材	4	900	0.23	1620			
	水泥砂浆	20	1800	0.93	1050			
	挤塑聚苯板	35	30	0.042	1380			
	水泥砂浆	20	1800	0.93	1050			
	水泥炉渣	20	1000	0.023	920			
	钢筋混凝土	120	2500	1.74	920			
2	细石混凝土	40	2300	1.51	920	0.77	0.27	8.2
	挤塑聚苯板	40	30	0.042	1380			
	水泥砂浆	20	1800	0.93	1050			
	水泥陶粒混凝土	30	1300	0.52	980			
	钢筋混凝土	120	2500	1.74	920			
3	水泥砂浆	30	1800	0.930	1050	0.73	0.16	10.5
	细石钢筋混凝土	40	2300	1.740	837			
	挤塑聚苯板	40	30	0.042	1380			
	防水卷材	4	900	0.23	1620			
	水泥砂浆	20	1800	0.930	1050			
	陶粒混凝土	30	1400	0.700	1050			
	钢筋混凝土	150	2500	1.740	837			
	水泥砂浆	20	1800	0.930	1050			
4	挤塑聚苯板	40	30	0.042	1380	0.81	0.23	7.1
	钢筋混凝土	200	2500	1.74	837			
5	细石混凝土	40	2300	1.51	920	0.88	0.16	11.6
	水泥砂浆	20	1800	0.93	1050			
	防水卷材	4	400	0.12	1050			
	水泥砂浆	20	1800	0.93	1050			
	粉煤灰陶粒混凝土	80	1700	0.95	1050			
	挤塑聚苯板	30	30	0.042	1380			
	钢筋混凝土	120	2500	1.74	920			
6	防水卷材	4	400	0.12	1050	0.23	0.21	10.5
	干炉渣	30	1000	0.023	920			
	挤塑聚苯板	120	30	0.042	1380			
	混凝土小型空心砌块	120	2500	1.74	1050			

（续）

类型	材料名称	厚度/mm	密度/(kg/m³)	导热系数/[W/(m·K)]	热容/[J/(kg·K)]	传热系数/[W/(m²·K)]	衰减	延迟/h
7	水泥砂浆	25	1800	0.930	1050	0.34	0.08	13.4
	挤塑聚苯板	55	30	0.042	1380			
	水泥砂浆	25	1800	0.930	1050			
	水泥焦渣	30	1000	0.023	920			
	钢筋混凝土	120	2500	1.74	920			
	水泥砂浆	25	1800	0.930	1050			
8	细石混凝土	30	2300	1.51	920	0.38	0.32	9.2
	挤塑聚苯板	45	30	0.042	1380			
	水泥焦渣	30	1000	0.023	920			
	钢筋混凝土	100	2500	1.74	920			

附录 J　玻璃窗的传热系数

玻璃		间隔层厚/mm	间隔层充气体	窗玻璃的传热系数 K/[W/(m²·K)]	窗框修正系数 a								
					塑料		铝合金		PA断热桥铝合金		木框	
普通玻璃	玻璃厚度3mm	—	—	5.8	0.72	0.79	1.07	1.13	0.84	0.90	0.72	0.82
		12	空气	3.3	0.84	0.88	1.20	1.29	1.05	1.07	0.89	0.93
	玻璃厚度6mm	—	—	5.7	0.72	0.79	1.07	1.13	0.84	0.90	0.72	0.82
		12	空气	3.3	0.84	0.88	1.20	1.29	1.05	1.07	0.89	0.93
Low－E玻璃		—	—	3.5	0.82	0.86	1.16	1.24	1.02	1.03	0.86	0.90
中空玻璃		6	空气	3.0	0.86	0.93	1.23	1.46	1.06	1.11		
		12	空气	2.6	0.90	0.95	1.30	1.59	1.10	1.19		
辐射率≤0.25 Low－E中空玻璃（在线）		6	空气	2.8	0.87	0.94	1.24	1.49	1.06	1.13		
		9	空气	2.2	0.95	0.97	1.36	1.73	1.14	1.27		
		12		1.9	1.03	1.04	1.45	1.91	1.19	1.38		
		6	氩气	2.4	0.92	0.96	1.32	1.63	1.11	1.22		
		9	氩气	1.8	1.01	1.02	1.49	1.98	1.2	1.42		
		12		1.7	1.02	1.05	1.53	2.06	1.24	1.47		

（续）

玻璃	间隔层厚/mm	间隔层充气体	窗玻璃的传热系数K/[W/(m²·K)]	窗框修正系数 a							
				塑料		铝合金		PA 断热桥铝合金		木框	
辐射率≤0.15 Low-E 中空玻璃(离线)	12	空气	1.8	1.01	1.02	1.49	1.98	1.21	1.42		
		氩气	1.5	1.05	1.11	1.63	2.25	1.29	1.59		
双银 Low-E 中空玻璃	12	空气	1.7	1.02	1.05	1.53	2.06	1.24	1.47		
		氩气	1.4	1.07	1.14	1.69	2.37	1.33	1.66		
窗框比(窗框面积与整窗面积之比)				30%	40%	20%	30%	25%	40%	30%	45%

注：1. 本表所指的玻璃窗，包括一般外窗、天窗以及阳台门上的玻璃部分。整樘玻璃窗的传热系数，应等于本表给出的窗玻璃传热系数 K 和窗框修正系数 a 的乘积。

2. 表中窗框修正系数 a，与表中最后一行规定的窗框比（%）相对应。设计计算时，可根据建筑物采用外窗的具体构造与实际的窗框比，插值选用。

附录 K　北京市外墙逐时冷负荷计算温度

（单位：℃）

类别	编号	朝向	1	2	3	4	5	6	7	8	9	10	11	12	13	14	15	16	17	18	19	20	21	22	23	24
墙体 t_{wlq}	1	东	36.0	35.6	35.1	34.7	34.4	34.0	33.7	33.6	33.7	34.2	34.8	35.4	36.0	36.5	36.8	37.0	37.2	37.3	37.4	37.3	37.3	37.1	36.9	36.5
		南	34.7	34.2	33.9	33.6	33.2	32.9	32.6	32.4	32.2	32.1	32.1	32.3	32.7	33.1	33.7	34.2	34.7	35.1	35.4	35.5	35.5	35.5	35.3	35.0
		西	37.4	36.9	36.5	36.1	35.7	35.3	34.9	34.6	34.3	34.1	33.9	33.9	33.9	34.1	34.3	34.7	35.3	36.1	36.9	37.6	38.0	38.2	38.1	37.8
		北	32.6	32.3	32.0	31.8	31.5	31.3	31.1	30.9	30.9	30.9	31.0	31.1	31.2	31.4	31.7	32.0	32.2	32.5	32.7	33.0	33.1	33.1	33.1	32.9
	2	东	36.1	35.7	35.2	34.9	34.5	34.2	33.9	33.8	34.0	34.4	35.0	35.7	36.2	36.6	36.9	37.1	37.3	37.4	37.4	37.4	37.3	37.1	36.9	36.6
		南	34.7	34.3	34.0	33.7	33.3	33.0	32.8	32.5	32.4	32.3	32.3	32.5	32.9	33.3	33.9	34.4	34.9	35.2	35.5	35.6	35.6	35.5	35.4	35.1
		西	37.4	37.0	36.6	36.2	35.8	35.4	35.0	34.7	34.4	34.2	34.1	34.1	34.1	34.2	34.5	34.9	35.6	36.3	37.1	37.7	38.1	38.2	38.1	37.9
		北	32.7	32.4	32.1	31.9	31.6	31.4	31.2	31.1	31.0	31.1	31.1	31.2	31.4	31.6	31.9	32.1	32.4	32.6	32.8	33.1	33.2	33.2	33.2	33.0
	3	东	36.5	35.4	34.4	33.5	32.7	32.0	31.5	31.1	31.1	31.7	32.7	34.1	35.5	36.8	37.8	38.5	38.9	39.2	39.3	39.2	39.2	38.7	38.2	37.5
		南	35.8	34.8	33.8	33.0	32.3	31.7	31.1	30.7	30.3	30.1	30.1	30.3	30.9	31.8	32.9	34.1	35.2	36.3	37.1	37.5	37.7	37.6	37.3	36.6
		西	39.8	38.6	37.4	36.4	35.4	34.5	33.7	33.0	32.5	32.0	31.8	31.7	31.8	32.1	32.5	33.2	34.2	35.6	37.2	38.8	40.2	41.0	41.2	40.7
		北	33.6	32.8	32.0	31.3	30.8	30.3	29.9	29.6	29.4	29.5	29.6	29.8	30.2	30.7	31.2	31.8	32.4	33.0	33.5	33.9	34.3	34.5	34.5	34.2
	4	东	35.3	33.9	32.7	31.7	31.0	30.4	29.9	29.8	30.4	31.8	33.7	35.8	37.7	39.1	40.0	40.5	40.6	40.6	40.4	40.0	39.4	38.7	37.9	36.7
		南	35.1	33.7	32.6	31.7	30.9	30.3	29.8	29.3	29.1	29.1	29.5	30.2	31.3	32.8	34.5	36.1	37.5	38.5	39.0	39.2	38.9	38.4	37.6	36.5
		西	39.8	37.9	36.4	35.0	33.8	32.9	32.0	31.3	30.8	30.6	30.6	30.8	31.3	31.9	32.8	34.1	35.8	37.8	40.0	41.9	43.1	43.3	42.8	41.5
		北	33.3	32.1	31.2	30.4	29.9	29.4	29.0	28.8	28.8	29.0	29.4	29.9	30.5	31.3	32.0	32.8	33.6	34.2	34.7	35.2	35.4	35.4	35.1	34.4
	5	东	35.8	35.8	35.8	35.8	35.6	35.5	35.3	35.2	35.0	34.8	34.6	34.5	34.4	34.4	34.5	34.6	34.7	34.9	35.0	35.2	35.4	35.5	35.6	35.7
		南	33.7	33.8	33.8	33.8	33.8	33.7	33.6	33.5	33.4	33.2	33.1	32.9	32.8	32.7	32.6	32.6	32.6	32.7	32.8	32.9	33.1	33.3	33.4	33.6
		西	35.5	35.7	35.8	35.8	35.9	35.8	35.8	35.7	35.6	35.4	35.3	35.1	34.9	34.8	34.6	34.5	34.5	34.4	34.4	34.5	34.6	34.8	35.0	35.3
		北	31.6	31.7	31.7	31.7	31.7	31.7	31.6	31.5	31.4	31.3	31.2	31.1	31.0	31.0	30.9	30.9	30.9	30.9	31.0	31.1	31.2	31.3	31.4	31.5

（续）

类别	编号	朝向	1	2	3	4	5	6	7	8	9	10	11	12	13	14	15	16	17	18	19	20	21	22	23	24
墙体 t_{w1q}	6	东	33.9	32.4	31.3	30.5	29.9	29.4	29.1	29.4	30.7	32.9	35.5	37.9	39.8	40.9	41.4	41.4	41.3	40.9	40.5	39.9	39.1	38.1	37.1	35.6
		南	33.9	32.4	31.3	30.5	29.9	29.3	28.9	28.7	28.6	28.9	29.5	30.7	32.3	34.2	36.2	37.9	39.2	39.9	40.1	39.7	39.1	38.2	37.1	35.6
		西	38.5	36.4	34.7	33.5	32.4	31.6	30.8	30.3	30.0	30.0	30.3	30.8	31.5	32.4	33.6	35.3	37.5	40.0	42.4	44.2	44.8	44.2	42.9	40.8
		北	32.4	31.1	30.2	29.6	29.1	28.7	28.4	28.3	28.6	29.1	29.6	30.3	31.1	32.0	32.9	33.7	34.5	35.1	35.5	35.9	35.9	35.6	35.0	33.9
	7	东	36.1	35.4	34.9	34.3	33.8	33.4	32.9	32.7	32.8	33.3	34.2	35.1	35.9	36.6	37.1	37.4	37.6	37.8	37.9	37.8	37.7	37.5	37.2	36.7
		南	34.9	34.4	33.9	33.4	33.0	32.5	32.1	31.8	31.5	31.4	31.3	31.6	32.0	32.6	33.4	34.2	34.9	35.5	35.8	36.1	36.1	36.0	35.8	35.4
		西	38.0	37.4	36.8	36.2	35.6	35.1	34.5	34.0	33.6	33.4	33.2	33.1	33.2	33.3	33.6	34.1	34.9	35.9	37.0	38.0	38.7	39.0	39.0	38.6
		北	32.8	32.4	32.0	31.6	31.3	31.0	30.7	30.5	30.4	30.4	30.5	30.6	30.8	31.1	31.5	31.9	32.2	32.6	32.9	33.2	33.4	33.5	33.5	33.2
	8	东	34.2	33.2	32.3	31.6	31.3	30.5	30.3	31.0	32.5	34.6	36.6	38.3	39.4	39.8	39.9	39.9	39.7	39.5	39.2	38.7	38.0	37.2	36.4	35.4
		南	33.8	32.8	32.0	31.3	30.7	30.3	30.3	29.6	29.6	29.9	30.7	31.8	33.3	34.9	36.4	37.6	38.3	38.6	38.5	38.1	37.5	36.7	36.0	34.9
		西	37.5	36.1	34.9	33.9	33.1	32.4	31.7	31.3	31.1	31.2	31.5	31.9	31.5	32.2	34.4	36.1	38.1	40.2	42.0	42.9	42.6	41.7	40.5	39.0
		北	32.2	31.4	30.7	30.2	29.7	29.3	29.1	29.1	29.4	29.8	30.3	30.8	31.3	31.6	32.9	33.5	34.1	34.5	34.8	35.1	34.9	34.5	34.0	33.2
	9	东	35.8	35.2	34.7	34.2	33.7	33.2	32.9	32.9	33.4	34.2	35.2	36.1	36.9	37.4	37.7	37.9	38.0	38.1	38.0	37.9	37.7	37.3	36.9	36.4
		南	34.7	34.2	33.7	33.3	32.8	32.4	32.1	31.7	31.5	31.5	31.7	32.1	32.7	33.5	34.3	35.1	35.7	36.1	36.3	36.3	36.2	36.0	35.7	35.2
		西	37.6	37.5	36.5	35.9	35.3	34.8	34.3	33.9	33.6	33.4	33.3	33.3	33.5	33.7	34.2	34.9	35.9	37.1	38.25	39.0	39.4	39.3	39.0	38.4
		北	32.7	32.3	31.9	31.6	31.3	31.0	30.7	30.6	30.6	30.6	30.8	31.0	31.3	31.6	32.0	32.4	32.7	33.3	33.3	33.6	33.7	33.6	33.5	33.1
	10	东	36.7	36.3	35.9	35.5	35.1	34.7	34.3	34.0	33.6	33.5	33.5	33.8	34.2	34.7	35.2	35.7	36.1	36.4	36.7	36.9	37.0	37.1	37.1	36.9
		南	35.1	34.8	34.3	34.2	33.8	33.5	33.1	32.8	32.5	32.2	32.0	31.9	31.9	32.0	32.2	32.6	33.0	33.5	34.0	34.1	34.8	35.0	35.2	35.2
		西	37.6	37.5	37.2	36.9	36.5	36.1	35.7	35.3	34.9	34.6	34.2	34.0	33.8	33.7	33.7	33.7	33.9	34.3	34.8	35.4	36.1	36.7	37.2	37.5
		北	32.7	32.6	32.4	32.1	31.9	31.6	31.4	31.1	30.9	30.8	30.7	30.6	30.6	30.7	30.8	31.0	31.3	31.5	31.8	32.0	32.3	32.5	32.7	32.8
	11	东	36.5	36.2	35.9	35.5	35.1	34.7	34.4	34.0	33.7	33.4	33.4	33.5	33.7	34.1	34.6	35.0	35.4	35.8	36.1	36.4	36.5	36.6	36.7	36.7
		南	34.7	34.6	34.3	34.1	33.8	33.4	33.1	32.8	32.5	32.3	32.0	31.8	31.7	31.7	31.9	32.1	32.5	32.9	33.4	33.8	34.2	34.5	34.7	34.8
		西	37.0	37.1	36.9	36.7	36.4	36.0	35.7	35.3	34.9	34.6	34.3	24.0	33.8	33.6	33.5	33.5	33.6	33.8	34.2	347.7	35.3	35.9	36.5	36.8
		北	32.4	32.3	32.2	32.0	31.7	31.5	31.2	31.0	30.8	30.6	30.5	30.4	30.4	30.4	30.5	30.7	30.8	31.0	31.3	31.5	31.8	32.0	32.0	32.4

（续）

类别	编号	朝向	1	2	3	4	5	6	7	8	9	10	11	12	13	14	15	16	17	18	19	20	21	22	23	24
墙体 t_{wlq}	12	东	36.6	36.0	35.5	34.9	34.4	34.0	33.5	33.2	33.0	33.2	33.6	34.3	35.0	35.7	36.3	36.8	37.2	37.4	37.5	37.6	37.7	37.5	37.4	37.0
		南	35.2	34.8	34.3	33.9	33.4	33.0	32.6	32.3	31.9	31.7	31.6	31.6	31.8	32.2	32.7	33.4	34.0	34.7	35.2	35.6	35.8	35.9	35.8	35.6
		西	37.8	37.8	37.2	36.7	36.1	35.6	35.1	34.6	34.2	33.9	33.6	33.4	33.4	33.4	33.5	33.8	34.3	35.0	35.9	36.8	37.7	38.3	38.6	38.5
		北	33.0	32.7	32.3	32.0	31.6	31.3	31.1	30.8	30.6	30.5	30.5	30.6	30.7	30.9	31.2	31.5	31.8	32.1	32.5	32.8	33.1	33.3	33.3	33.2
	13	东	36.5	36.1	35.7	35.3	34.8	34.4	34.1	33.7	33.5	33.5	33.8	34.3	34.8	35.4	35.9	36.3	36.6	36.9	37.1	37.2	37.2	37.2	37.1	36.9
		南	35.0	34.7	34.3	34.0	33.6	33.3	33.0	32.7	32.3	32.1	32.0	31.9	32.0	32.3	32.7	33.2	33.7	34.2	34.7	35.0	35.2	35.3	35.4	35.3
		西	37.7	37.4	37.1	36.7	36.3	35.8	35.4	35.0	34.6	34.3	34.1	33.9	33.8	33.7	33.8	34.0	34.3	34.8	35.5	36.3	37.0	37.5	37.8	37.9
		北	32.8	32.6	32.3	32.0	31.8	31.5	31.3	31.0	30.9	30.8	30.7	30.8	30.8	30.9	31.1	31.4	31.6	31.9	32.2	32.4	32.7	32.9	33.0	33.0

附录 L　北京市屋面逐时冷负荷计算温度

（单位：℃）

类别	编号	朝向	1	2	3	4	5	6	7	8	9	10	11	12	13	14	15	16	17	18	19	20	21	22	23	24
屋面 t_{wlm}	1		44.7	44.6	44.4	44.0	43.5	43.0	42.3	41.7	41.0	40.4	39.8	39.4	39.1	39.1	39.2	39.6	40.1	40.8	41.6	42.3	43.1	43.7	44.2	44.5
	2		44.5	43.5	42.4	41.4	40.5	39.5	38.6	37.9	37.3	37.0	37.1	37.6	38.4	39.6	40.9	42.3	43.7	44.9	45.8	46.5	46.7	46.6	46.2	45.5
	3		44.3	43.9	43.4	42.8	42.3	41.6	41.0	40.4	39.8	39.3	39.0	38.9	38.9	39.2	39.7	40.3	41.1	41.9	42.6	43.3	43.9	44.3	44.5	44.5
	4		43.0	42.1	41.3	40.5	39.7	38.8	38.3	37.8	37.6	37.6	37.9	39.4	40.6	41.9	43.2	44.4	45.4	46.1	46.5	46.4	46.1	45.6	44.9	44.0
	5		44.4	44.1	43.7	43.2	42.6	42.0	41.4	40.8	40.1	39.6	39.2	38.9	38.9	39.1	39.5	40.0	40.7	41.4	42.2	42.9	43.5	44.0	44.4	44.4
	6		45.4	44.7	43.9	42.9	42.0	41.1	40.2	39.2	38.4	37.8	37.4	37.3	37.5	38.1	38.9	40.0	41.2	42.5	43.7	44.7	45.5	46.1	46.4	45.9
	7		42.9	42.9	42.9	42.7	42.5	42.3	42.0	41.6	41.2	40.8	40.5	40.2	39.9	39.8	39.8	39.9	40.1	40.4	40.8	41.2	41.7	42.1	42.4	42.7
	8		45.9	44.7	43.4	42.0	40.8	39.5	38.4	37.4	36.5	36.0	35.8	36.0	36.7	37.9	39.3	41.0	42.7	44.4	45.8	46.9	47.6	47.8	47.6	47.0

附录M 部分典型城市外窗传热逐时冷负荷计算温度

(单位°C)

地点	1	2	3	4	5	6	7	8	9	10	11	12	13	14	15	16	17	18	19	20	21	22	23	24
北京	27.8	27.5	27.2	26.9	26.8	27.1	27.7	28.5	29.3	30.0	30.8	31.5	32.1	32.4	32.4	32.3	32.0	31.5	30.8	30.1	29.6	29.1	28.7	28.3
天津	27.4	27.0	26.6	26.3	26.2	26.5	27.2	28.1	29.0	29.9	30.8	31.6	32.2	32.6	32.7	32.5	32.2	31.6	30.8	30.0	29.4	28.8	28.3	27.9
石家庄	27.7	27.2	26.8	26.5	26.4	26.7	27.5	28.5	29.6	30.6	31.6	32.5	33.2	33.6	33.7	33.5	33.2	32.5	31.6	30.7	30.0	29.3	28.8	28.3
太原	23.7	23.2	22.7	22.4	22.3	22.6	23.4	24.5	25.6	26.7	27.8	28.7	29.5	30.0	30.0	29.8	29.5	28.8	27.8	26.8	26.1	25.4	24.8	24.3
呼和浩特	23.8	23.4	23.0	22.7	22.5	22.9	23.6	24.5	25.5	26.4	27.3	28.2	28.9	29.3	29.3	29.1	28.8	28.2	27.4	26.6	25.9	25.3	24.8	24.3
沈阳	25.7	25.3	25.0	24.7	24.6	24.9	25.5	26.3	27.2	27.9	28.7	29.4	30.0	30.4	30.4	30.2	30.0	29.5	28.8	28.0	27.5	27.0	26.6	26.2
大连	25.4	25.2	24.9	24.8	24.7	24.9	25.3	25.8	26.3	26.8	27.3	27.7	28.1	28.3	28.3	28.2	28.1	27.7	27.3	26.8	26.5	26.2	25.9	25.7
长春	24.4	24.0	23.7	23.4	23.3	23.6	24.2	25.1	25.9	26.8	27.6	28.3	28.9	29.3	29.3	29.2	28.9	28.4	27.6	26.9	26.3	25.8	25.3	24.9
哈尔滨	24.3	23.9	23.6	23.3	23.2	23.5	24.1	25.0	25.9	26.8	27.7	28.4	29.1	29.4	29.5	29.3	29.1	28.5	27.7	26.9	26.3	25.7	25.3	24.8
上海	29.2	28.9	28.6	28.3	28.2	28.5	29.0	29.7	30.5	31.2	31.9	32.5	33.1	33.4	33.4	33.3	33.1	32.6	31.9	31.3	30.8	30.3	30.0	29.6
南京	29.6	29.3	29.0	28.7	28.6	28.9	29.4	30.1	30.9	31.6	32.3	32.9	33.5	33.8	33.8	33.7	33.5	33.0	32.3	31.7	31.2	30.7	30.4	30.0
杭州	29.8	29.4	29.1	28.8	28.7	29.0	29.6	30.4	31.3	32.0	32.8	33.5	34.1	34.5	34.5	34.3	34.1	33.6	32.9	32.1	31.6	31.1	30.7	30.3
宁波	28.6	28.2	27.8	27.5	27.4	27.7	28.4	29.3	30.2	31.1	32.0	32.8	33.4	33.8	33.9	33.7	33.4	32.8	32.0	31.2	30.6	30.0	29.5	29.1
合肥	30.2	29.9	29.6	29.4	29.3	29.6	30.1	30.7	31.4	32.1	32.7	33.3	33.8	34.1	34.1	33.9	33.8	33.3	32.7	32.2	31.7	31.3	30.9	30.6
福州	28.5	28.0	27.6	27.3	27.2	27.5	28.3	29.3	30.4	31.4	32.4	33.3	34.0	34.4	34.5	34.3	34.0	33.3	32.4	31.5	30.8	30.1	29.6	29.1
厦门	28.0	27.6	27.3	27.1	27.0	27.2	27.8	28.6	29.4	30.1	30.9	31.5	32.1	32.4	32.5	32.3	32.1	31.6	30.9	30.2	29.7	29.2	28.8	28.4
南昌	30.6	30.3	30.0	29.8	29.7	29.9	30.4	31.1	31.8	32.5	33.1	33.8	34.2	34.5	34.6	34.4	34.2	33.8	33.2	32.6	32.1	31.7	31.3	31.0

附录 N　透过无遮阳标准玻璃太阳辐射冷负荷系数值

地点	房间类型	朝向	1	2	3	4	5	6	7	8	9	10	11	12	13	14	15	16	17	18	19	20	21	22	23	24
北京	轻	东	0.03	0.02	0.02	0.01	0.01	0.13	0.30	0.43	0.55	0.58	0.56	0.17	0.18	0.19	0.19	0.17	0.15	0.13	0.09	0.07	0.06	0.04	0.04	0.03
		南	0.05	0.03	0.03	0.02	0.02	0.06	0.11	0.16	0.24	0.34	0.46	0.44	0.63	0.65	0.62	0.54	0.28	0.24	0.17	0.13	0.11	0.08	0.07	0.05
		西	0.03	0.02	0.02	0.01	0.01	0.03	0.06	0.09	0.12	0.14	0.16	0.17	0.22	0.31	0.42	0.52	0.59	0.60	0.48	0.07	0.06	0.04	0.04	0.03
		北	0.11	0.08	0.07	0.05	0.05	0.23	0.38	0.37	0.50	0.60	0.69	0.75	0.79	0.80	0.80	0.74	0.70	0.67	0.50	0.29	0.25	0.19	0.17	0.13
	重	东	0.07	0.06	0.05	0.05	0.06	0.18	0.32	0.41	0.48	0.49	0.45	0.20	0.21	0.21	0.21	0.20	0.18	0.16	0.13	0.11	0.10	0.09	0.08	0.07
		南	0.10	0.09	0.08	0.08	0.07	0.10	0.13	0.18	0.24	0.33	0.43	0.42	0.55	0.55	0.52	0.46	0.30	0.26	0.21	0.17	0.16	0.14	0.13	0.11
		西	0.08	0.07	0.07	0.06	0.06	0.07	0.09	0.10	0.13	0.14	0.16	0.17	0.22	0.30	0.40	0.48	0.52	0.52	0.40	0.13	0.12	0.11	0.10	0.09
		北	0.20	0.18	0.16	0.15	0.14	0.31	0.40	0.38	0.47	0.55	0.61	0.66	0.69	0.71	0.71	0.68	0.65	0.66	0.53	0.36	0.32	0.28	0.25	0.23
西安	轻	东	0.03	0.02	0.02	0.01	0.01	0.11	0.27	0.42	0.54	0.59	0.57	0.20	0.22	0.22	0.22	0.20	0.18	0.14	0.10	0.08	0.07	0.05	0.04	0.03
		南	0.06	0.05	0.04	0.03	0.03	0.07	0.14	0.21	0.30	0.40	0.51	0.53	0.67	0.68	0.65	0.44	0.39	0.32	0.22	0.17	0.14	0.11	0.09	0.07
		西	0.03	0.02	0.02	0.01	0.01	0.03	0.07	0.10	0.13	0.16	0.19	0.20	0.25	0.34	0.46	0.55	0.60	0.58	0.10	0.08	0.07	0.05	0.04	0.03
		北	0.10	0.08	0.07	0.05	0.04	0.18	0.34	0.43	0.48	0.59	0.68	0.74	0.79	0.80	0.79	0.75	0.69	0.63	0.37	0.29	0.24	0.19	0.16	0.12
	重	东	0.07	0.06	0.06	0.05	0.05	0.18	0.31	0.41	0.48	0.48	0.45	0.22	0.23	0.23	0.23	0.21	0.19	0.17	0.13	0.12	0.11	0.09	0.08	0.07
		南	0.12	0.11	0.10	0.09	0.08	0.12	0.17	0.22	0.30	0.39	0.47	0.48	0.58	0.57	0.54	0.41	0.37	0.32	0.25	0.21	0.19	0.17	0.15	0.13
		西	0.08	0.08	0.07	0.06	0.05	0.07	0.10	0.12	0.14	0.16	0.18	0.19	0.26	0.35	0.44	0.51	0.52	0.48	0.16	0.14	0.12	0.11	0.10	0.09
		北	0.19	0.17	0.15	0.14	0.13	0.27	0.36	0.41	0.46	0.54	0.61	0.65	0.69	0.70	0.70	0.67	0.65	0.61	0.40	0.34	0.30	0.27	0.24	0.21

（续）

地点	房间类型	朝向	1	2	3	4	5	6	7	8	9	10	11	12	13	14	15	16	17	18	19	20	21	22	23	24
上海	轻	东	0.03	0.02	0.02	0.01	0.01	0.11	0.27	0.42	0.53	0.58	0.56	0.19	0.20	0.21	0.20	0.19	0.17	0.13	0.09	0.07	0.06	0.05	0.04	0.03
		南	0.07	0.06	0.05	0.04	0.03	0.08	0.16	0.24	0.34	0.43	0.54	0.57	0.69	0.70	0.67	0.50	0.44	0.36	0.26	0.20	0.16	0.13	0.11	0.09
		西	0.03	0.02	0.02	0.01	0.01	0.03	0.06	0.09	0.12	0.15	0.18	0.19	0.24	0.33	0.44	0.54	0.60	0.58	0.09	0.07	0.06	0.05	0.04	0.03
		北	0.10	0.08	0.07	0.05	0.04	0.20	0.36	0.45	0.48	0.59	0.68	0.75	0.79	0.81	0.80	0.76	0.70	0.66	0.37	0.29	0.24	0.19	0.16	0.12
	重	东	0.06	0.06	0.05	0.05	0.09	0.20	0.32	0.41	0.47	0.46	0.44	0.21	0.22	0.22	0.21	0.20	0.18	0.15	0.12	0.11	0.10	0.09	0.08	0.07
		南	0.13	0.12	0.10	0.09	0.10	0.14	0.20	0.26	0.35	0.43	0.50	0.52	0.59	0.58	0.55	0.45	0.40	0.34	0.27	0.23	0.21	0.18	0.16	0.15
		西	0.08	0.07	0.06	0.06	0.06	0.07	0.10	0.12	0.14	0.16	0.17	0.20	0.28	0.36	0.44	0.49	0.49	0.43	0.15	0.13	0.11	0.10	0.09	0.08
		北	0.18	0.17	0.15	0.14	0.17	0.29	0.38	0.44	0.48	0.55	0.62	0.67	0.70	0.71	0.69	0.69	0.65	0.58	0.39	0.34	0.30	0.26	0.24	0.21
广州	轻	东	0.03	0.02	0.02	0.01	0.01	0.08	0.23	0.39	0.52	0.58	0.57	0.21	0.22	0.23	0.22	0.20	0.18	0.14	0.10	0.08	0.06	0.05	0.04	0.03
		南	0.09	0.08	0.06	0.05	0.04	0.08	0.20	0.32	0.45	0.56	0.65	0.72	0.77	0.78	0.76	0.70	0.61	0.47	0.34	0.27	0.22	0.18	0.14	0.12
		西	0.03	0.02	0.02	0.01	0.01	0.02	0.06	0.09	0.13	0.16	0.19	0.21	0.26	0.35	0.47	0.56	0.60	0.55	0.10	0.08	0.06	0.05	0.04	0.03
		北	0.10	0.08	0.06	0.05	0.04	0.14	0.32	0.47	0.58	0.63	0.67	0.74	0.79	0.82	0.82	0.79	0.75	0.64	0.35	0.28	0.22	0.18	0.15	0.12
	重	东	0.07	0.06	0.05	0.05	0.05	0.15	0.28	0.39	0.46	0.47	044	0.22	0.23	0.23	0.22	0.21	0.19	0.16	0.13	0.11	0.10	0.09	0.08	0.07
		南	0.17	0.15	0.13	0.12	0.11	0.15	0.24	0.34	0.43	0.51	0.58	0.63	0.67	0.68	0.66	0.61	0.54	0.44	0.35	0.30	0.27	0.24	0.21	0.19
		西	0.08	0.07	0.06	0.06	0.05	0.06	0.09	0.11	0.14	0.16	0.18	0.20	0.27	0.36	0.45	0.50	0.51	0.42	0.15	0.13	0.12	0.11	0.10	0.09
		北	0.19	0.17	0.15	0.13	0.13	0.25	0.37	0.46	0.53	0.58	0.61	0.66	0.69	0.72	0.73	0.72	0.69	0.58	0.38	0.33	0.30	0.26	0.24	0.21

注：其他城市可按下表采用：

代表城市	适用城市
北京	哈尔滨、长春、乌鲁木齐、沈阳、银川、石家庄、太原、大连
西安	济南、西宁、兰州、郑州、青岛
上海	南京、合肥、成都、武汉、杭州、拉萨、重庆、南昌、长沙、宁波
广州	贵阳、福州、台北、昆明、南宁、海口、厦门、深圳

附录 O 夏季透过标准玻璃窗的太阳总辐射照度最大值

（单位：W/m²）

城市	北京	天津	上海	福州	长沙	昆明	贵阳	武汉	成都	乌鲁木齐	大连
东	579	534	529	574	575	572	574	577	480	639	534
南	312	299	210	158	174	149	161	198	208	372	297
西	579	534	529	574	575	572	574	577	480	639	534
北	133	143	145	139	138	138	139	137	157	121	143

城市	太原	石家庄	南京	厦门	广州	拉萨	合肥	青岛	海口	西宁	呼和浩特
东	579	579	533	525	524	736	533	534	521	691	641
南	287	290	216	156	152	186	215	265	149	254	331
西	579	579	533	525	524	736	533	534	521	691	641
北	136	136	136	146	147	147	146	146	150	127	123

城市	哈尔滨	郑州	重庆	银川	杭州	南昌	济南	南宁	兰州	深圳	西安
东	575	534	480	579	532	576	534	523	640	525	534
南	384	248	202	295	198	177	272	151	251	159	243
西	575	534	480	579	532	576	534	523	640	525	534
北	128	146	157	135	145	138	145	148	128	147	146

附录 P　人体冷负荷系数

从开始工作时刻算起到计算时刻的持续时间

工作小时数(h)	1	2	3	4	5	6	7	8	9	10	11	12	13	14	15	16	17	18	19	20	21	22	23	24
1	0.44	0.32	0.05	0.03	0.02	0.02	0.02	0.01	0.01	0.01	0.01	0.01	0.01	0.01	0.01	0.00	0.00	0.00	0.00	0.00	0.00	0.00	0.00	0.00
2	0.44	0.77	0.38	0.08	0.05	0.04	0.03	0.03	0.03	0.02	0.02	0.02	0.01	0.01	0.01	0.01	0.01	0.01	0.01	0.01	0.01	0.00	0.00	0.00
3	0.44	0.77	0.82	0.41	0.10	0.07	0.06	0.05	0.04	0.04	0.03	0.03	0.02	0.02	0.02	0.02	0.01	0.01	0.01	0.01	0.01	0.01	0.01	0.01
4	0.45	0.77	0.82	0.85	0.43	0.12	0.08	0.07	0.06	0.05	0.04	0.04	0.03	0.03	0.03	0.02	0.02	0.02	0.02	0.01	0.01	0.01	0.01	0.01
5	0.45	0.77	0.82	0.85	0.87	0.45	0.14	0.10	0.08	0.07	0.06	0.05	0.04	0.04	0.03	0.03	0.03	0.02	0.02	0.02	0.02	0.01	0.01	0.01
6	0.45	0.77	0.83	0.85	0.87	0.89	0.46	0.15	0.11	0.09	0.08	0.07	0.06	0.05	0.04	0.04	0.03	0.03	0.03	0.02	0.02	0.02	0.02	0.01
7	0.46	0.78	0.83	0.85	0.87	0.89	0.90	0.48	0.16	0.12	0.10	0.09	0.07	0.06	0.06	0.05	0.04	0.04	0.03	0.03	0.03	0.02	0.02	0.02
8	0.46	0.78	0.83	0.86	0.88	0.89	0.91	0.92	0.49	0.17	0.13	0.11	0.09	0.08	0.07	0.06	0.05	0.05	0.04	0.04	0.03	0.03	0.02	0.02
9	0.46	0.78	0.83	0.86	0.88	0.89	0.91	0.92	0.93	0.49	0.18	0.14	0.11	0.10	0.09	0.07	0.06	0.06	0.05	0.04	0.04	0.03	0.03	0.03
10	0.47	0.79	0.84	0.86	0.88	0.90	0.91	0.92	0.93	0.94	0.51	0.19	0.14	0.12	0.10	0.09	0.08	0.07	0.06	0.05	0.05	0.04	0.04	0.03
11	0.47	0.79	0.84	0.87	0.88	0.90	0.91	0.92	0.93	0.94	0.95	0.51	0.20	0.15	0.12	0.11	0.09	0.08	0.07	0.06	0.05	0.05	0.04	0.04
12	0.48	0.80	0.85	0.87	0.89	0.90	0.92	0.93	0.93	0.94	0.95	0.96	0.52	0.20	0.15	0.13	0.11	0.10	0.08	0.07	0.07	0.06	0.05	0.04
13	0.49	0.80	0.85	0.88	0.89	0.91	0.92	0.93	0.94	0.94	0.95	0.96	0.96	0.53	0.21	0.16	0.13	0.12	0.10	0.09	0.08	0.07	0.06	0.05
14	0.49	0.81	0.86	0.88	0.90	0.91	0.92	0.93	0.94	0.95	0.95	0.96	0.96	0.97	0.53	0.21	0.16	0.14	0.12	0.10	0.09	0.08	0.07	0.06
15	0.50	0.82	0.86	0.89	0.90	0.91	0.93	0.94	0.94	0.95	0.96	0.96	0.97	0.97	0.97	0.54	0.22	0.17	0.14	0.12	0.11	0.09	0.08	0.07
16	0.51	0.83	0.87	0.89	0.91	0.92	0.93	0.94	0.95	0.95	0.96	0.96	0.97	0.97	0.98	0.98	0.54	0.22	0.17	0.14	0.12	0.11	0.09	0.08
17	0.52	0.84	0.88	0.90	0.91	0.93	0.94	0.94	0.95	0.96	0.96	0.97	0.97	0.98	0.98	0.98	0.98	0.54	0.22	0.17	0.15	0.13	0.11	0.10
18	0.54	0.85	0.89	0.91	0.92	0.93	0.94	0.95	0.96	0.96	0.97	0.97	0.98	0.98	0.98	0.98	0.99	0.99	0.55	0.23	0.17	0.15	0.13	0.11
19	0.55	0.86	0.90	0.92	0.93	0.94	0.95	0.96	0.96	0.97	0.97	0.97	0.98	0.98	0.98	0.98	0.99	0.99	0.99	0.55	0.23	0.18	0.15	0.13
20	0.57	0.88	0.92	0.93	0.94	0.95	0.96	0.96	0.97	0.97	0.98	0.98	0.98	0.99	0.99	0.99	0.99	0.99	0.99	0.99	0.55	0.23	0.18	0.15
21	0.59	0.90	0.93	0.94	0.95	0.96	0.96	0.97	0.97	0.98	0.99	0.98	0.99	0.99	0.99	0.99	0.99	0.99	0.99	0.99	0.99	0.56	0.23	0.18
22	0.62	0.92	0.95	0.96	0.97	0.97	0.97	0.98	0.98	0.98	0.99	0.99	0.99	1.00	1.00	1.00	1.00	1.00	1.00	1.00	1.00	1.00	0.56	0.23
23	0.68	0.95	0.97	0.98	0.98	0.98	0.99	0.99	0.99	0.99	1.00	0.99	1.00	1.00	1.00	1.00	1.00	1.00	1.00	1.00	1.00	1.00	1.00	0.56
24	1.00	1.00	1.00	1.00	1.00	1.00	1.00	1.00	1.00	1.00	1.00	1.00	1.00	1.00	1.00	1.00	1.00	1.00	1.00	1.00	1.00	1.00	1.00	1.00

附录 Q　照明冷负荷系数

从开灯时刻算起到计算时刻的持续时间

工作小时数(h)	1	2	3	4	5	6	7	8	9	10	11	12	13	14	15	16	17	18	19	20	21	22	23	24
1	0.37	0.33	0.06	0.04	0.03	0.03	0.02	0.02	0.02	0.01	0.01	0.01	0.01	0.01	0.01	0.01	0.01	0.00	0.00	0.00	0.37	0.33	0.06	0.04
2	0.37	0.69	0.38	0.09	0.07	0.06	0.05	0.04	0.04	0.03	0.03	0.02	0.02	0.02	0.02	0.01	0.01	0.01	0.01	0.01	0.37	0.69	0.38	0.09
3	0.37	0.70	0.75	0.42	0.13	0.09	0.08	0.07	0.06	0.05	0.04	0.04	0.03	0.03	0.02	0.02	0.02	0.02	0.01	0.01	0.37	0.70	0.75	0.42
4	0.38	0.70	0.75	0.79	0.45	0.15	0.12	0.10	0.08	0.07	0.06	0.05	0.05	0.04	0.04	0.03	0.03	0.02	0.02	0.02	0.38	0.70	0.75	0.79
5	0.38	0.70	0.76	0.79	0.82	0.48	0.17	0.13	0.11	0.10	0.08	0.07	0.06	0.05	0.05	0.04	0.04	0.03	0.03	0.02	0.38	0.70	0.76	0.79
6	0.38	0.70	0.76	0.79	0.82	0.84	0.50	0.19	0.15	0.13	0.11	0.09	0.08	0.07	0.06	0.05	0.05	0.04	0.04	0.03	0.38	0.70	0.76	0.79
7	0.39	0.71	0.76	0.80	0.82	0.85	0.87	0.52	0.21	0.17	0.14	0.12	0.10	0.09	0.08	0.07	0.06	0.05	0.05	0.04	0.39	0.71	0.76	0.80
8	0.39	0.71	0.77	0.80	0.83	0.85	0.87	0.89	0.53	0.22	0.18	0.15	0.13	0.11	0.10	0.08	0.07	0.06	0.06	0.05	0.39	0.71	0.77	0.80
9	0.40	0.72	0.77	0.80	0.83	0.85	0.87	0.89	0.90	0.55	0.23	0.19	0.16	0.14	0.12	0.10	0.09	0.08	0.07	0.06	0.40	0.72	0.77	0.80
10	0.40	0.72	0.78	0.81	0.83	0.86	0.87	0.89	0.90	0.92	0.56	0.25	0.20	0.17	0.14	0.13	0.11	0.09	0.08	0.07	0.40	0.72	0.78	0.81
11	0.41	0.73	0.78	0.81	0.84	0.86	0.88	0.89	0.91	0.92	0.93	0.57	0.25	0.21	0.18	0.15	0.13	0.11	0.10	0.09	0.41	0.73	0.78	0.81
12	0.42	0.74	0.79	0.82	0.84	0.86	0.88	0.90	0.91	0.92	0.93	0.94	0.58	0.26	0.21	0.18	0.16	0.14	0.12	0.10	0.42	0.74	0.79	0.82
13	0.43	0.75	0.79	0.82	0.85	0.87	0.89	0.90	0.91	0.93	0.93	0.94	0.95	0.59	0.27	0.22	0.19	0.16	0.14	0.12	0.43	0.75	0.79	0.82
14	0.44	0.75	0.80	0.83	0.86	0.87	0.89	0.91	0.91	0.93	0.94	0.94	0.95	0.96	0.60	0.28	0.22	0.19	0.17	0.14	0.44	0.75	0.80	0.83
15	0.45	0.77	0.81	0.84	0.86	0.88	0.90	0.91	0.92	0.93	0.94	0.95	0.95	0.96	0.96	0.60	0.28	0.23	0.20	0.17	0.45	0.77	0.81	0.84
16	0.47	0.78	0.82	0.85	0.87	0.89	0.90	0.92	0.92	0.94	0.94	0.95	0.95	0.96	0.97	0.97	0.61	0.29	0.23	0.20	0.47	0.78	0.82	0.85
17	0.48	0.79	0.83	0.86	0.88	0.90	0.91	0.92	0.93	0.94	0.95	0.95	0.96	0.96	0.97	0.97	0.98	0.61	0.29	0.24	0.48	0.79	0.83	0.86
18	0.50	0.81	0.85	0.87	0.89	0.91	0.92	0.93	0.93	0.95	0.95	0.96	0.96	0.97	0.97	0.97	0.98	0.98	0.62	0.29	0.50	0.81	0.85	0.87
19	0.52	0.83	0.87	0.89	0.90	0.92	0.93	0.94	0.94	0.95	0.96	0.96	0.96	0.97	0.98	0.98	0.98	0.98	0.98	0.62	0.52	0.83	0.87	0.89
20	0.55	0.85	0.88	0.90	0.92	0.93	0.94	0.95	0.95	0.96	0.96	0.97	0.98	0.98	0.98	0.99	0.99	0.99	0.99	0.99	0.55	0.85	0.88	0.90
21	0.58	0.87	0.91	0.92	0.93	0.94	0.95	0.96	0.96	0.97	0.97	0.98	0.98	0.99	0.99	0.99	0.99	0.99	0.99	0.99	0.58	0.87	0.91	0.92
22	0.62	0.90	0.93	0.94	0.95	0.96	0.96	0.97	0.97	0.98	0.98	0.98	0.98	0.99	0.99	0.99	0.99	1.00	0.99	0.99	0.62	0.90	0.93	0.94
23	0.67	0.94	0.96	0.97	0.97	0.98	0.98	0.98	0.99	0.99	0.99	0.99	0.99	0.99	1.00	0.99	1.00	1.00	1.00	1.00	0.67	0.94	0.96	0.97
24	1.00	1.00	1.00	1.00	1.00	1.00	1.00	1.00	1.00	1.00	1.00	1.00	1.00	1.00	1.00	1.00	1.00	1.00	1.00	1.00	1.00	1.00	1.00	1.00

附录 R　设备冷负荷系数

从开机时刻算起到计算时刻的持续时间

工作小时数(h)	1	2	3	4	5	6	7	8'	9	10	11	12	13	14	15	16	17	18	19	20	21	22	23	24
1	0.77	0.14	0.02	0.01	0.01	0.01	0.01	0.01	0.00	0.00	0.00	0.00	0.00	0.00	0.00	0.00	0.00	0.00	0.00	0.00	0.00	0.00	0.00	0.00
2	0.77	0.90	0.16	0.03	0.02	0.02	0.01	0.01	0.01	0.01	0.01	0.01	0.01	0.01	0.00	0.00	0.00	0.00	0.00	0.00	0.00	0.00	0.00	0.00
3	0.77	0.90	0.93	0.17	0.04	0.03	0.02	0.02	0.02	0.01	0.01	0.01	0.01	0.01	0.01	0.01	0.01	0.01	0.00	0.00	0.00	0.00	0.00	0.00
4	0.77	0.90	0.93	0.94	0.18	0.05	0.03	0.03	0.02	0.02	0.02	0.02	0.01	0.01	0.01	0.01	0.01	0.01	0.01	0.00	0.00	0.00	0.00	0.00
5	0.77	0.90	0.93	0.94	0.95	0.19	0.06	0.04	0.03	0.03	0.02	0.02	0.02	0.02	0.02	0.01	0.01	0.01	0.01	0.01	0.01	0.00	0.01	0.00
6	0.77	0.91	0.93	0.94	0.95	0.95	0.19	0.06	0.05	0.04	0.03	0.03	0.02	0.02	0.02	0.02	0.01	0.01	0.01	0.01	0.01	0.01	0.01	0.01
7	0.77	0.91	0.93	0.94	0.95	0.95	0.96	0.20	0.07	0.05	0.04	0.04	0.03	0.03	0.02	0.02	0.02	0.02	0.01	0.01	0.01	0.01	0.01	0.01
8	0.77	0.91	0.93	0.94	0.95	0.96	0.96	0.97	0.20	0.07	0.05	0.04	0.04	0.03	0.03	0.03	0.02	0.02	0.02	0.01	0.01	0.01	0.01	0.01
9	0.78	0.91	0.93	0.94	0.95	0.96	0.96	0.97	0.97	0.21	0.08	0.06	0.05	0.04	0.04	0.03	0.03	0.02	0.02	0.02	0.01	0.01	0.01	0.01
10	0.78	0.91	0.93	0.94	0.95	0.96	0.96	0.97	0.97	0.97	0.21	0.08	0.06	0.05	0.04	0.04	0.03	0.03	0.02	0.02	0.02	0.02	0.01	0.01
11	0.78	0.91	0.93	0.94	0.95	0.96	0.96	0.97	0.97	0.98	0.98	0.21	0.08	0.06	0.05	0.04	0.04	0.03	0.03	0.02	0.02	0.02	0.02	0.02
12	0.78	0.92	0.94	0.95	0.95	0.96	0.96	0.97	0.97	0.98	0.98	0.98	0.22	0.08	0.06	0.06	0.05	0.04	0.03	0.03	0.02	0.02	0.02	0.02
13	0.79	0.92	0.94	0.95	0.95	0.96	0.96	0.97	0.97	0.98	0.98	0.98	0.98	0.22	0.09	0.07	0.06	0.05	0.04	0.03	0.03	0.02	0.02	0.02
14	0.79	0.92	0.94	0.95	0.96	0.96	0.97	0.97	0.98	0.98	0.98	0.98	0.99	0.99	0.22	0.09	0.07	0.06	0.04	0.04	0.03	0.03	0.03	0.03
15	0.79	0.92	0.94	0.95	0.96	0.96	0.97	0.97	0.98	0.98	0.98	0.98	0.99	0.99	0.99	0.22	0.09	0.07	0.05	0.04	0.04	0.03	0.03	0.03
16	0.80	0.93	0.95	0.96	0.96	0.97	0.97	0.97	0.98	0.98	0.98	0.98	0.99	0.99	0.99	0.99	0.23	0.09	0.06	0.05	0.04	0.04	0.04	0.03
17	0.80	0.93	0.95	0.96	0.96	0.97	0.97	0.98	0.98	0.98	0.99	0.99	0.99	0.99	0.99	0.99	0.99	0.23	0.07	0.06	0.05	0.04	0.05	0.04
18	0.81	0.94	0.95	0.96	0.97	0.97	0.98	0.98	0.98	0.99	0.99	0.99	0.99	0.99	0.99	0.99	0.99	0.99	0.09	0.07	0.06	0.05	0.05	0.05
19	0.81	0.94	0.96	0.97	0.97	0.98	0.98	0.98	0.99	0.99	0.99	0.99	0.99	0.99	0.99	0.99	0.99	0.99	0.23	0.09	0.07	0.06	0.06	0.05
20	0.82	0.95	0.97	0.97	0.98	0.98	0.98	0.98	0.99	0.99	0.99	0.99	0.99	1.00	0.99	0.99	0.99	1.00	1.00	0.23	0.09	0.07	0.07	0.06
21	0.83	0.96	0.97	0.98	0.99	0.98	0.99	0.99	0.99	0.99	1.00	0.99	1.00	1.00	1.00	1.00	1.00	1.00	1.00	1.00	0.23	0.10	0.10	0.07
22	0.84	0.97	0.98	0.98	0.99	0.99	0.99	0.99	1.00	1.00	1.00	1.00	1.00	1.00	1.00	1.00	1.00	1.00	1.00	1.00	1.00	0.23	0.23	0.10
23	0.86	0.98	0.99	0.99	0.99	0.99	1.00	1.00	1.00	1.00	1.00	1.00	1.00	1.00	1.00	1.00	1.00	1.00	1.00	1.00	1.00	1.00	1.00	0.23
24	1.00	1.00	1.00	1.00	1.00	1.00	1.00	1.00	1.00	1.00	1.00	1.00	1.00	1.00	1.00	1.00	1.00	1.00	1.00	1.00	1.00	1.00	1.00	1.00

附录 S　通风管道单位长度摩擦阻力线算图

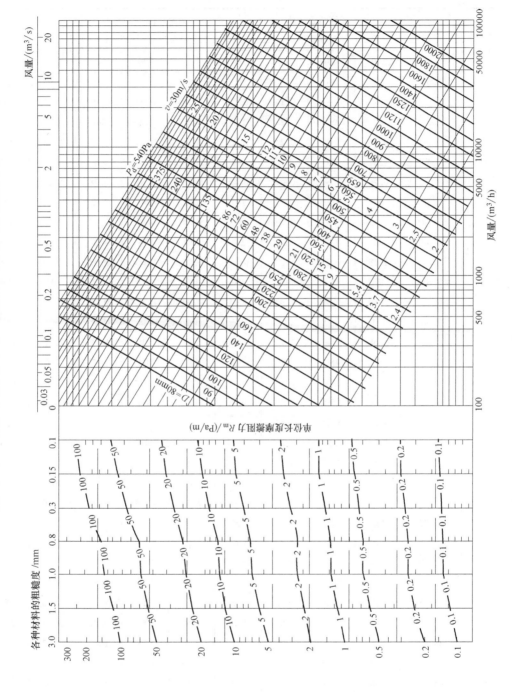

附录 T 风管计算表

表 T-1 钢板圆形风管计算表

速度/ (m/s)	动压/Pa	风管断面直径/mm									上行:风量/ (m³/h) 下行:单位摩擦阻力/ (Pa/m)	
		100	120	140	160	180	200	220	250	280		
1.0	0.60	28	40	55	71	91	112	135	175	219		
		0.22	0.17	0.14	0.12	0.10	0.09	0.08	0.07	0.06		
1.5	1.35	42	60	82	107	136	168	202	262	329		
		0.45	0.36	0.29	0.25	0.21	0.19	0.17	0.14	0.12		
2.0	2.40	55	80	109	143	181	224	270	349	439		
		0.76	0.60	0.49	0.42	0.36	0.31	0.28	0.24	0.21		
2.5	3.75	69	100	137	179	226	280	337	437	548		
		1.13	0.90	0.74	0.62	0.54	0.47	0.42	0.36	0.31		
3.0	5.40	83	120	164	214	272	336	405	542	658		
		1.58	1.25	1.03	0.87	0.75	0.66	0.58	0.50	0.43		
3.5	7.35	97	140	191	250	317	392	472	611	768		
		2.10	1.66	1.37	1.15	0.99	0.87	0.78	0.66	0.57		
4.0	9.60	111	160	219	286	362	448	540	698	877		
		2.68	2.12	1.75	1.48	1.27	1.12	0.99	0.85	0.74		
4.5	12.15	125	180	246	322	408	504	607	786	987		
		3.33	2.64	2.17	1.84	1.58	1.39	1.24	1.05	0.92		
5.0	15.00	139	200	273	357	453	560	675	873	1097		
		4.05	3.21	2.64	2.23	1.93	1.69	1.50	1.28	1.11		
5.5	18.15	152	220	300	393	498	616	742	960	1206		
		4.84	3.84	3.16	2.67	2.30	2.02	1.80	1.53	1.33		
6.0	21.60	166	240	328	429	544	672	810	1048	1316		
		5.69	4.51	3.72	3.14	2.71	2.38	2.12	1.80	1.57		
6.5	25.35	180	260	355	465	589	728	877	1135	1425		
		6.61	5.25	4.32	3.65	3.15	2.76	2.46	2.10	1.82		
7.0	29.40	194	280	382	500	634	784	945	1222	1535		
		7.60	6.03	4.96	4.20	3.62	3.17	2.83	2.41	2.10		
7.5	33.75	208	300	410	536	679	840	1012	1310	1645		
		8.66	6.87	5.65	4.78	4.12	3.62	3.22	2.75	2.39		
8.0	38.40	222	320	437	572	725	896	1080	1397	1754		
		9.78	7.76	6.39	5.40	4.66	4.09	3.64	3.10	2.70		
8.5	43.35	236	340	464	608	770	952	1147	1484	1864		
		10.96	8.70	7.16	6.06	5.23	4.58	4.08	3.48	3.03		
9.0	48.60	249	360	492	643	815	1008	1215	1571	1974		
		12.22	9.70	7.98	6.75	5.83	5.11	4.55	3.88	3.37		

（续）

速度 /（m/s）	动压 /Pa	风管断面直径 /mm					上行：风量/（m³/h） 下行：单位摩擦阻力/（Pa/m）			
		100	120	140	160	180	200	220	250	280
9.5	54.15	263	380	519	679	861	1064	1282	1659	2083
		13.54	10.74	8.85	7.48	6.46	5.66	5.04	4.30	3.74
10.0	60.00	277	400	546	715	906	1120	1350	1746	2193
		14.93	11.85	9.75	8.25	7.12	6.24	5.56	4.74	4.12
10.5	66.15	291	420	574	751	951	1176	1417	1833	2303
		16.38	13.00	10.70	9.05	7.81	6.85	6.10	5.21	4.53
11.0	72.60	305	440	601	786	997	1232	1485	1921	2412
		17.90	14.21	11.70	9.89	8.54	7.49	6.67	5.69	4.95
11.5	79.35	319	460	628	822	1042	1288	1552	2008	2522
		19.49	15.47	12.84	10.77	9.30	8.15	7.26	6.20	5.39
12.0	86.40	333	480	656	858	1087	1344	1620	2095	2632
		21.14	16.78	13.82	11.69	10.09	8.85	7.88	6.72	5.84
12.5	93.75	346	500	683	894	1132	1400	1687	2183	2741
		22.86	18.14	14.94	12.64	10.91	9.57	8.52	7.27	6.32
13.0	101.40	360	521	710	929	1178	1456	1755	2270	2851
		24.64	19.56	16.11	13.62	11.76	10.31	9.19	7.84	6.82
13.5	109.35	374	541	737	965	1223	1512	1822	2357	2961
		26.49	21.03	17.32	14.65	12.64	11.09	9.88	8.43	7.33
14.0	117.60	388	561	765	1001	1268	1568	1890	2444	3070
		28.41	22.55	18.87	15.71	13.56	11.89	10.60	9.04	7.86
14.5	126.15	402	581	792	1036	1314	1624	1957	2532	3180
		30.39	24.13	19.87	16.81	14.51	12.72	11.34	9.67	8.41
15.0	135.00	416	601	819	1072	1359	1680	2025	2619	3290
		32.44	25.75	21.21	17.94	15.49	13.58	12.10	10.33	8.98
15.5	144.15	430	621	847	1108	1404	1736	2092	2706	3399
		34.56	27.43	22.59	19.11	16.50	14.47	12.89	11.00	9.56
16.0	153.60	443	641	874	1144	1450	1792	2160	2794	3509
		36.74	29.17	24.02	20.32	17.54	15.38	13.71	11.70	10.17

通风与空调工程 第2版

（续）

速度 /（m/s）	动压 /Pa	风管断面直径 /mm				上行：风量/（m³/h） 下行：单位摩擦阻力/（Pa/m）				
		320	360	400	450	500	560	630	700	800
1.0	0.60	287	363	449	569	703	880	1115	1378	1801
		0.05	0.04	0.04	0.03	0.03	0.02	0.02	0.02	0.02
1.5	1.35	430	545	674	853	1054	1321	1673	2066	2701
		0.10	0.09	0.08	0.07	0.06	0.05	0.04	0.04	0.03
2.0	2.40	574	727	898	1137	1405	1761	2230	2755	3601
		0.17	0.15	0.13	0.11	0.10	0.09	0.08	0.07	0.06
2.5	3.75	717	908	1123	1422	1757	2201	2788	3444	4501
		0.26	0.23	0.20	0.17	0.15	0.13	0.11	0.10	0.08
3.0	5.40	860	1090	1347	1706	2108	2641	3345	4133	5402
		0.37	0.32	0.28	0.24	0.21	0.18	0.16	0.14	0.12
3.5	7.35	1004	1272	1572	1991	2459	3081	3903	4821	6302
		0.49	0.42	0.37	0.32	0.28	0.24	0.21	0.19	0.16
4.0	9.60	1147	1454	1796	2275	2811	3521	4460	5510	7202
		0.62	0.54	0.47	0.41	0.36	0.31	0.27	0.24	0.20
4.5	12.15	1291	1635	2021	2559	3162	3962	5018	6199	8102
		0.78	0.67	0.59	0.51	0.45	0.39	0.34	0.30	0.25
5.0	15.00	1434	1817	2245	2844	3513	4402	5575	6888	9003
		0.94	0.82	0.72	0.62	0.55	0.48	0.41	0.36	0.31
5.5	18.15	1578	1999	2470	3128	3864	4842	6133	7576	9903
		1.13	0.98	0.86	0.74	0.65	0.57	0.49	0.43	0.37
6.0	21.60	1721	2180	2694	3412	4216	5282	6691	8265	10803
		1.33	1.15	1.01	0.87	0.77	0.67	0.58	0.51	0.43
6.5	25.35	1864	2362	2919	3697	4567	5722	7248	8954	11703
		1.55	1.34	1.17	1.02	0.89	0.78	0.68	0.59	0.51
7.0	29.40	2008	2544	3143	3981	4918	6163	7806	9643	12604
		1.78	1.54	1.35	1.17	1.03	0.90	0.78	0.68	0.58
7.5	33.75	2151	2725	3368	4266	5270	6603	8363	10332	13504
		2.02	1.75	1.54	1.33	1.17	1.02	0.88	0.78	0.66
8.0	38.40	2295	2907	3592	4550	5621	7043	8921	11020	14404
		2.29	1.98	1.74	1.51	1.32	1.15	1.00	0.88	0.75
8.5	43.35	2438	3089	3817	4834	5972	7483	9478	11709	15304
		2.57	2.22	1.95	1.69	1.49	1.30	1.12	0.99	0.84
9.0	48.60	2581	3271	4041	5119	6324	7923	10036	12398	16205
		2.86	2.48	2.18	1.88	1.66	1.44	1.25	1.10	0.94

（续）

速度 /（m/s）	动压 /Pa	风管断面直径 /mm				上行：风量/（m³/h） 下行：单位摩擦阻力/（Pa/m）				
		320	360	400	450	500	560	630	700	800
9.5	54.15	2725	3452	4266	5403	6675	8363	10593	13087	17105
		3.17	2.74	2.41	2.09	1.84	1.60	1.39	1.22	1.04
10.0	60.00	2868	3634	4490	5687	7026	8804	11151	13775	18005
		3.50	3.03	2.66	2.30	2.02	1.77	1.53	1.35	1.15
10.5	66.15	3012	3816	4715	5972	7378	9244	11709	14464	18906
		3.84	3.32	2.92	2.53	2.22	1.94	1.68	1.48	1.26
11.0	72.60	3155	3997	4939	6256	7729	9684	12266	15153	19806
		4.20	3.63	3.19	2.76	2.43	2.12	1.84	1.62	1.38
11.5	79.35	3298	4179	5164	6541	8080	10124	12824	15842	20706
		4.57	3.95	3.47	3.01	2.65	2.31	2.00	1.76	1.50
12.0	86.40	3442	4361	5388	6825	8432	10564	13381	16530	21606
		4.96	4.29	3.77	3.26	2.87	2.50	2.17	1.91	1.62
12.5	93.75	3585	4542	5613	7109	8783	11005	13939	17219	22507
		5.36	4.64	4.08	3.53	3.10	2.71	2.35	2.07	1.76
13.0	101.40	3729	4724	5837	7394	9134	11445	14496	17908	23407
		5.78	5.00	4.40	3.81	3.35	2.92	2.53	2.23	1.90
13.5	109.35	3872	4906	6062	7678	9485	11885	15054	18597	24307
		6.22	5.38	4.73	4.09	3.60	3.14	2.72	2.39	2.04
14.0	117.60	4016	5087	6286	7962	9837	12325	15611	19286	25207
		6.67	5.77	5.07	4.39	3.86	3.37	2.92	2.57	2.19
14.5	126.15	4159	5269	6511	8247	10188	12765	16169	19974	26108
		7.13	6.17	5.42	4.70	4.13	3.60	3.12	2.75	2.34
15.0	135.00	4302	5451	6735	8531	10539	13205	16726	20663	27008
		7.61	6.59	5.79	5.01	4.41	3.85	3.33	2.93	2.50
15.5	144.15	4446	5633	6960	8816	10891	13646	17284	21352	27908
		8.11	7.02	6.17	5.34	4.70	4.10	3.55	2.13	2.66
16.0	153.60	4589	5814	7184	9100	11242	14086	17842	22041	28808
		8.62	7.46	6.56	5.68	5.00	4.36	3.78	2.32	2.83

（续）

速度 /（m/s）	动压 /Pa	风管断面直径 /mm 上行：风量/（m³/h） 下行：单位摩擦阻力/（Pa/m）							
		900	1000	1120	1250	1400	1600	1800	2000
1.0	0.60	2280	2816	3528	4397	5518	7211	9130	11276
		0.01	0.01	0.01	0.01	0.01	0.01	0.01	0.01
1.5	1.35	3420	4224	5292	6595	8277	10817	13696	16914
		0.03	0.03	0.02	0.02	0.02	0.01	0.01	0.01
2.0	2.40	4560	5632	7056	8793	11036	14422	18261	22552
		0.05	0.04	0.04	0.03	0.03	0.02	0.02	0.02
2.5	3.75	5700	7040	8819	10992	13795	18028	22826	28190
		0.07	0.06	0.06	0.05	0.04	0.04	0.03	0.03
3.0	5.40	6840	8448	10583	13190	16554	21633	27391	33828
		0.10	0.09	0.08	0.07	0.06	0.05	0.04	0.04
3.5	7.35	7980	9865	12347	15388	19313	25239	31956	39465
		0.14	0.12	0.11	0.09	0.08	0.07	0.06	0.05
4.0	9.60	9120	11265	14111	17587	22072	28845	36522	45103
		0.18	0.15	0.14	0.12	0.10	0.09	0.08	0.07
4.5	12.15	10260	12673	15875	19785	24831	32450	41087	50741
		0.22	0.19	0.17	0.15	0.13	0.11	0.10	0.08
5.0	15.00	11400	14081	17639	21983	27590	36056	45652	56379
		0.27	0.24	0.21	0.18	0.16	0.13	0.12	0.10
5.5	18.15	12540	15489	19403	24182	30349	39661	50217	62017
		0.32	0.28	0.25	0.22	0.19	0.16	0.14	0.12
6.0	21.60	13680	16897	21167	26380	33108	43267	54782	67655
		0.38	0.33	0.29	0.25	0.22	0.19	0.16	0.14
6.5	25.35	14820	18305	22930	28579	35867	46872	59348	73293
		0.44	0.39	0.34	0.30	0.26	0.22	0.19	0.17
7.0	29.40	15960	19713	24694	30777	38626	50478	63913	78931
		0.50	0.44	0.39	0.34	0.30	0.25	0.22	0.19
7.5	33.75	1710	21121	26458	32975	41385	54083	68478	84569
		0.57	0.51	0.44	0.39	0.34	0.29	0.25	0.22
8.0	38.40	18240	22529	28222	35174	44144	57689	73043	90207
		0.65	0.57	0.50	0.44	0.38	0.33	0.28	0.25
8.5	43.35	19381	23937	29986	37372	46903	61295	77608	95845
		0.73	0.64	0.56	0.49	0.43	0.37	0.32	0.28
9.0	48.60	20521	25345	31750	39570	49663	64900	82174	101483
		0.81	0.72	0.63	0.55	0.48	0.41	0.35	0.31

（续）

速度 / (m/s)	动压 /Pa	风管断面直径 /mm				上行：风量/ (m³/h) 下行：单位摩擦阻力/ (Pa/m)			
		900	1000	1120	1250	1400	1600	1800	2000
9.5	54.15	21661	26753	33514	41769	52422	68506	86739	107121
		0.90	0.79	0.69	0.61	0.53	0.45	0.39	0.35
10.0	60.00	22801	28161	35278	43967	55181	72111	91304	112759
		0.99	0.88	0.76	0.67	0.59	0.50	0.43	0.38
10.5	66.15	23941	29569	37042	40165	57940	75717	95869	118396
		1.09	0.96	0.84	0.74	0.64	0.55	0.48	0.42
11.0	72.60	25081	30978	38805	48364	60699	79322	100434	124034
		1.19	1.05	0.92	0.80	0.70	0.60	0.52	0.46
11.5	79.35	26221	32386	40569	50562	63458	82928	105000	129672
		1.30	1.14	1.00	0.88	0.77	0.65	0.57	0.50
12.0	86.40	27361	33794	42333	52760	66217	86534	109565	135310
		1.41	1.24	1.08	0.95	0.83	0.71	0.62	0.54
12.5	93.75	28501	35202	44097	54959	68976	90139	114130	140948
		1.52	1.34	1.17	1.03	0.90	0.77	0.67	0.59
13.0	101.40	29641	36610	45861	57157	71735	93745	118695	146586
		1.64	1.45	1.27	1.11	0.97	0.83	0.72	0.63
13.5	109.35	30781	38018	47625	59355	74494	97350	123260	152224
		1.77	1.56	1.36	1.19	1.04	0.89	0.77	0.68
14.0	117.60	31921	39426	49389	61554	77253	100956	127826	157862
		1.90	1.67	1.46	1.28	1.12	0.95	0.83	0.73
14.5	126.15	33061	40834	51153	63752	80012	104561	132391	163500
		2.03	1.79	1.56	1.37	1.20	1.02	0.89	0.78
15.0	135.00	34201	42242	52916	65950	82771	108167	136956	169138
		2.17	1.19	1.67	1.46	1.28	1.09	0.95	0.83
15.5	144.15	35341	43650	54680	68149	85530	111773	141521	174776
		2.31	2.03	1.78	1.56	1.36	1.16	1.01	0.89
16.0	153.60	36481	15058	56444	70347	88289	115378	146086	180414
		2.45	2.16	1.89	1.66	1.45	1.23	1.07	0.95

表 T-2 钢板矩形风管计算表

速度 /(m/s)	动压 /Pa	风管断面宽×高 /mm				上行:风量/(m³/h) 下行:单位摩擦阻力/(Pa/m)				
		120	160	200	160	250	200	250	200	250
		120	120	120	160	120	160	160	200	200
1.0	0.60	50	67	84	90	105	113	140	141	176
		0.18	0.15	0.13	0.12	0.12	0.11	0.09	0.09	0.08
1.5	1.35	75	101	126	135	157	169	210	212	264
		0.36	0.30	0.27	0.25	0.25	0.22	0.19	0.19	0.16
2.0	2.40	100	134	168	180	209	225	281	282	352
		0.61	0.51	0.46	0.42	0.41	0.37	0.33	0.32	0.28
2.5	3.75	125	168	210	225	262	282	351	353	440
		0.91	0.77	0.68	0.63	0.62	0.55	0.49	0.47	0.42
3.0	5.40	150	201	252	270	314	338	421	423	528
		1.27	1.07	0.95	0.88	0.87	0.77	0.68	0.66	0.58
3.5	7.35	175	235	294	315	366	394	491	494	616
		1.68	1.42	1.26	1.16	1.15	1.02	0.91	0.88	0.77
4.0	9.60	201	268	336	359	419	450	561	565	704
		2.15	1.81	1.62	1.49	1.47	1.30	1.16	1.12	0.99
4.5	12.15	226	302	378	404	471	507	631	635	792
		2.67	2.25	2.01	1.85	1.83	1.62	1.45	1.40	1.23
5.0	15.00	251	336	421	449	523	563	702	706	880
		3.25	2.74	2.45	2.25	2.23	1.97	1.76	1.70	1.49
5.5	18.15	276	369	463	494	576	619	772	776	968
		3.88	3.27	2.92	2.69	2.66	2.36	2.10	2.03	1.79
6.0	21.60	301	403	505	539	628	676	842	847	1056
		4.56	3.85	3.44	3.17	3.13	2.77	2.48	2.39	2.10
6.5	25.35	326	436	547	584	681	732	912	917	1144
		5.30	4.47	4.00	3.68	3.64	3.22	2.88	2.78	2.44
7.0	29.40	351	470	589	629	733	788	982	988	1232
		6.09	5.14	4.59	4.23	4.18	3.70	3.31	3.19	2.81
7.5	33.75	376	503	631	674	785	845	1052	1059	1320
		6.94	5.86	5.23	4.82	4.77	4.22	3.77	3.64	3.20
8.0	38.40	401	537	673	719	838	901	1123	1129	1408
		7.84	6.62	5.91	5.44	5.39	4.77	4.26	4.11	3.61
8.5	43.35	426	571	715	764	890	957	1193	1200	1496
		8.79	7.42	6.63	6.10	6.04	5.35	4.78	4.61	4.06

（续）

速度 /(m/s)	动压 /Pa	风管断面宽×高 /mm 				上行:风量/(m³/h) 下行:单位摩擦阻力/(Pa/m)				
		120	160	200	160	250	200	250	200	250
		120	120	120	160	120	160	160	200	200
9.0	48.60	451	604	757	809	942	1014	1263	1270	1584
		9.80	8.27	7.39	6.80	6.73	5.96	5.32	5.14	4.52
9.5	54.15	476	638	799	854	995	1070	1333	1341	1672
		10.86	9.17	8.19	7.54	7.46	6.61	5.90	5.70	5.01
10.0	60.00	501	671	841	899	1047	1126	1403	1411	1760
		11.97	10.11	9.03	8.31	8.23	7.28	6.51	6.28	5.52
10.5	66.15	526	705	883	944	1099	1183	1473	1482	1848
		13.14	11.09	9.91	9.12	9.03	7.99	7.14	6.89	6.06
11.0	72.60	551	738	925	989	1152	1239	1544	1552	1936
		14.36	12.12	10.83	9.97	9.87	8.74	7.80	7.54	6.63
11.5	79.35	576	772	967	1034	1204	1295	1614	1623	2024
		15.63	13.20	11.79	10.86	10.74	9.51	8.50	8.20	7.21
12.0	86.40	602	805	1009	1078	1256	1351	1684	1694	2112
		16.96	14.32	12.79	11.78	11.65	10.32	9.22	8.90	7.83
12.5	93.75	627	839	1051	1123	1309	1408	1754	1764	2200
		18.34	15.48	13.83	12.74	12.60	11.16	9.97	9.63	8.46
13.0	101.40	625	873	1093	1168	1361	1464	1824	1835	2288
		19.77	16.69	14.91	13.73	13.59	12.03	10.75	10.38	9.13
13.5	109.35	677	906	1135	1213	1413	1520	1894	1905	2376
		21.25	17.94	16.03	14.76	14.61	12.93	11.55	11.16	9.81
14.0	117.60	702	940	1178	1258	1466	1577	1965	1976	2464
		22.79	19.24	17.19	15.83	15.67	13.87	12.39	11.97	10.52
14.5	126.15	727	973	1220	1303	1518	1633	2035	2046	2552
		24.38	20.59	18.39	16.94	16.76	14.84	13.26	12.80	11.26
15.0	135.00	752	1007	1262	1348	1570	1689	2105	2117	2640
		26.03	21.98	19.64	18.08	17.89	15.84	14.15	13.67	12.02
15.5	144.15	777	1040	1304	1393	1623	1746	2175	2188	2728
		27.73	23.41	20.92	19.26	19.06	16.88	15.08	14.56	12.80
16.0	153.60	802	1074	1346	1438	1675	1802	2245	2258	2816
		29.48	24.89	22.24	20.48	20.26	17.94	16.03	15.48	13.61

（续）

速度/(m/s)	动压/Pa	风管断面宽×高 /mm 上行:风量/(m³/h) 下行:单位摩擦阻力/(Pa/m)								
		320	250	320	400	320	500	400	320	500
		160	250	200	200	250	200	250	320	250
1.0	0.60	180	221	226	283	283	354	354	363	443
		0.08	0.07	0.07	0.06	0.06	0.06	0.05	0.05	0.05
1.5	1.35	270	331	339	424	424	531	531	544	665
		0.17	0.14	0.14	0.13	0.12	0.12	0.11	0.10	0.10
2.0	2.40	360	441	451	565	566	707	708	726	887
		0.29	0.24	0.24	0.22	0.21	0.20	0.18	0.18	0.17
2.5	3.75	450	551	564	707	707	884	885	907	1108
		0.44	0.36	0.37	0.33	0.31	0.30	0.28	0.26	0.25
3.0	5.40	540	662	677	848	849	1061	1063	1089	1330
		0.61	0.50	0.51	0.46	0.43	0.42	0.39	0.37	0.35
3.5	7.35	630	772	790	989	990	1238	1240	1270	1551
		0.81	0.66	0.68	0.61	0.58	0.56	0.51	0.49	0.46
4.0	9.60	720	882	903	1130	1132	1415	1417	1452	1773
		1.04	0.85	0.87	0.79	0.74	0.72	0.66	0.63	0.60
4.5	12.15	810	992	1016	1272	1273	1592	1594	1633	1995
		1.29	1.06	1.08	0.98	0.92	0.90	0.82	0.78	0.74
5.0	15.00	900	1103	1129	1413	1414	1769	1771	1815	2216
		1.57	1.29	1.32	1.19	1.12	1.09	1.00	0.95	0.90
5.5	18.15	990	1213	1242	1554	1556	1945	1948	1996	2438
		1.88	1.54	1.57	1.42	1.33	1.31	1.19	1.13	1.08
6.0	21.60	1080	1323	1354	1696	1697	2122	2125	2177	2660
		2.22	1.81	1.85	1.68	1.57	1.54	1.40	1.33	1.27
6.5	25.35	1170	1433	1467	1837	1839	2299	2302	2359	2881
		2.57	2.11	2.15	1.95	1.83	1.79	1.63	1.55	1.48
7.0	29.40	1260	1544	1580	1978	1980	2476	2479	2540	3103
		2.96	2.42	2.47	2.24	2.10	2.06	1.87	1.78	1.70
7.5	33.75	1350	1654	1693	2120	2122	2653	2656	2722	3325
		3.37	2.76	2.82	2.55	2.39	2.34	2.13	2.03	1.93
8.0	38.40	1440	1764	1806	2261	2263	2830	2833	2903	3546
		3.81	3.12	3.18	2.88	2.70	2.65	2.41	2.30	2.19
8.5	43.35	1530	1874	1919	2420	2405	3007	3010	3085	3768
		4.27	3.50	3.57	3.23	3.03	2.97	2.71	2.58	2.45
9.0	48.60	1620	1985	2032	2544	2546	3184	3188	3266	3989
		4.76	3.90	3.98	3.61	3.38	3.31	3.02	2.87	2.73

速度/(m/s)	动压/Pa	风管断面宽×高 /mm　　　上行:风量/(m³/h)　　下行:单位摩擦阻力/(Pa/m)								
		400	630	500	400	500	630	500	630	800
		320	250	320	400	400	320	500	400	320
1.0	0.60	454	558	569	569	712	716	891	896	910
		0.04	0.04	0.04	0.04	0.03	0.04	0.03	0.03	0.03
1.5	1.35	682	836	853	853	1068	1073	1337	1344	1364
		0.09	0.09	0.08	0.08	0.07	0.07	0.06	0.06	0.07
2.0	2.40	909	1115	1137	1138	1424	1431	1782	1792	1819
		0.15	0.15	0.14	0.13	0.12	0.12	0.10	0.10	0.11
2.5	3.75	1136	1394	1422	1422	1780	1789	2228	2240	2274
		0.23	0.23	0.21	0.20	0.17	0.19	0.15	0.16	0.17
3.0	5.40	1363	1673	1706	1706	2136	2147	2673	2688	2729
		0.32	0.32	0.29	0.28	0.24	0.26	0.21	0.22	0.24
3.5	7.35	1590	1951	1990	1991	2492	2504	3119	3136	3183
		0.43	0.43	0.38	0.37	0.33	0.35	0.28	0.29	0.32
4.0	9.60	1817	2230	2275	2275	2848	2862	3564	3584	3638
		0.55	0.55	0.49	0.47	0.42	0.44	0.36	0.37	0.40
4.5	12.15	2045	2509	2559	2560	3204	3220	4010	4032	4093
		0.68	0.68	0.61	0.59	0.52	0.55	0.45	0.46	0.50
5.0	15.00	2272	2788	2843	2844	3560	3578	4455	4481	4548
		0.83	0.83	0374	0372	0.63	0.67	0.55	0.56	0.61
5.5	18.15	2499	3066	3128	3129	3916	3935	4901	4929	5002
		0.99	0.99	0.89	0.86	0.76	0.80	0.65	0.67	0.73
6.0	21.60	2726	3345	3412	3413	4272	4293	5346	5377	5457
		1.17	1.17	1.04	1.01	0.89	0.94	0.77	0.79	0.86
6.5	25.35	2935	3624	3696	3697	4627	4651	5792	5825	5912
		1.36	1.36	1.21	1.18	1.03	1.10	0.90	0.92	1.00
7.0	29.40	3180	3903	3980	3982	4983	5009	6237	6273	6367
		4.57	1.56	1.40	1.35	1.19	1.26	1.03	1.06	1.15
7.5	33.75	3408	4148	4265	4266	5339	5366	6683	6721	6822
		1.78	1.78	1.59	1.54	1.36	1.44	1.17	1.21	1.31
8.0	38.40	3635	4460	4549	4551	5695	5724	7158	7169	7276
		2.02	2.01	1.80	1.74	1.53	1.63	1.33	1.36	1.48
8.5	43.35	3862	4739	4833	4835	6051	6082	7574	7617	7731
		2.26	2.25	2.02	1.96	1.72	1.82	1.49	1.53	1.67

(续)

速度/(m/s)	动压/Pa	风管断面宽×高/mm 上行:风量/(m³/h) 下行:单位摩擦阻力/(Pa/m)								
		400	630	500	400	500	630	500	630	800
		320	250	320	400	400	320	500	400	320
9.0	48.60	4089	5018	5118	5119	6407	6440	8019	8065	8186
		2.52	2.51	2.25	2.18	1.92	2.03	1.66	1.71	1.86
9.5	54.15	4316	5297	5402	5404	6763	6798	8465	8513	8641
		2.80	2.78	2.9	2.42	2.13	2.25	1.84	1.89	2.06
10.0	60.000	4543	5575	5686	5688	7119	7155	8910	8961	9095
		3.08	3.07	2.75	2.67	2.34	2.49	2.03	2.09	2.27
10.5	66.15	4771	5854	5971	5973	7475	7513	9356	9409	9550
		3.38	3.37	3.02	2.93	2.57	2.73	2.23	2.29	2.49
11.00	72.60	4998	6133	6255	6257	7831	7871	9801	9857	10005
		3.70	3.68	3.30	3.20	2.81	2.98	2.44	2.50	2.72
11.5	79.35	5225	6412	6539	6541	8187	8229	10247	10305	10460
		4.03	4.01	3.59	3.48	3.06	3.25	2.65	2.73	2.97
12.0	86.40	5452	6690	6824	6826	8543	8586	10692	10753	10914
		4.37	4.35	3.90	3.78	3.32	3.52	2.88	296	3.22
12.5	93.75	5679	6969	7108	7110	8899	8944	11138	11201	11369
		4.73	4.70	4.22	4.09	3.59	3.81	3.11	3.20	3.48
13.0	101.40	5906	7248	7392	7395	9255	9302	11583	11649	11824
		5.10	5.07	4.55	4.41	3.88	4.11	3.36	3.45	3.75
13.5	109.35	6134	7527	7677	7679	9611	9660	12029	12097	12279
		5.48	5.45	4.89	4.74	4.17	4.42	3.61	3.71	4.04
14.0	117.60	6361	7805	7961	7964	967	10017	12474	12546	12734
		5.88	5.85	5.24	5.08	4.47	4.74	3.87	3.98	4.33
14.5	126.15	6588	8084	8245	8248	10323	10375	12920	12994	13188
		6.29	6.26	5.61	5.44	4.78	5.07	4.14	4.26	4.63
15.0	135.00	6815	8363	8530	8532	10679	10733	13365	13442	13643
		6.71	6.68	5.99	5.81	5.11	5.41	4.42	4.55	4.59
15.5	144.15	7042	8642	8814	8817	11035	11091	13811	13890	14098
		7.15	7.12	6.38	6.19	5.44	5.777	4.71	4.84	5.27
16.0	153.60	7269	8920	9098	9101	11391	11449	14256	14338	14553
		7.60	7.57	6.78	6.58	5.78	6.13	5.01	5.15	5.60

（续）

速度 /(m/s)	动压 /Pa	风管断面宽×高 /mm					上行:风量/(m³/h) 下行:单位摩擦阻力/(Pa/m)			
		630	1000	800	630	1000	800	1250	1000	800
		500	320	400	630	400	500	400	500	630
1.0	0.60	1122	1138	1139	1415	1425	1426	1780	1784	1799
		0.03	0.03	0.03	0.02	0.02	0.02	0.02	0.02	0.02
1.5	1.35	1683	1707	1709	2123	2137	2139	2670	2676	2698
		0.05	0.06	0.06	0.04	0.05	0.05	0.05	0.04	0.04
2.0	2.40	2244	2276	2278	2831	2850	2852	3560	3568	3598
		0.09	0.10	0.09	0.08	0.09	0.08	0.08	0.07	0.07
2.5	3.75	2805	2844	2848	3538	3562	3565	4450	4460	4497
		0.13	0.16	0.14	0.11	0.13	0.12	0.12	0.11	0.10
3.0	5.40	3365	3413	3417	4246	4275	4278	5340	5351	5397
		0.19	0.22	0.20	0.16	0.18	0.16	0.17	0.15	0.14
3.5	7.35	3726	3982	3987	4953	4987	4991	6229	6243	6296
		0.25	0.29	0.26	0.21	0.24	0.22	0.22	0.20	0.19
4.0	9.60	4487	4551	4556	5661	5700	5704	7119	7135	7196
		0.32	0.38	0.33	0.27	0.31	0.28	0.29	0.25	0.24
4.5	12.15	5048	5120	5126	6369	6412	6417	8009	8027	8095
		0.39	0.47	0.42	0.34	0.38	0.35	0.36	0.32	0.30
5.0	15.00	5609	5689	5695	7076	7125	7130	8899	8919	8995
		0.48	0.57	0.51	0.41	0.47	0.42	0.43	0.39	0.36
5.5	18.15	6170	6258	6265	7784	7837	7843	9789	9811	9894
		0.57	0.68	0.61	0.49	0.56	0.51	0.52	0.46	0.43
6.0	21.60	6731	6827	6834	8492	8549	8556	10679	10703	10794
		0.68	0.80	0.71	0.58	0.66	0.60	0.61	0.54	0.51
6.5	25.35	7292	7396	7404	9199	9262	9269	11569	11595	11693
		0.79	0.93	0.83	0.68	0.76	0.70	0.71	0.63	0.59
7.0	29.40	7853	7964	7974	9907	9974	9982	12459	12487	12593
		0.90	1.07	0.95	0.78	0.88	0.80	0.82	0.73	0.68
7.5	33.75	8414	8533	8543	10614	10687	10695	13349	13379	13492
		1.03	1.22	1.09	0.89	1.00	0.91	0.93	0.83	0.77
8.0	38.40	8975	9102	9113	11322	11399	11408	14239	14271	14392
		1.16	1.38	1.23	1.00	1.13	1.03	1.05	0.94	0.87
8.5	43.35	9536	9671	9682	12030	12112	12121	15129	15163	15291
		1.31	1.55	1.38	1.12	1.27	1.16	1.18	1.05	0.98

（续）

速度 /(m/s)	动压 /Pa	风管断面宽×高 /mm 上行:风量/(m³/h) 下行:单位摩擦阻力/(Pa/m)								
		630	1000	800	630	1000	800	1250	1000	800
		500	320	400	630	400	500	400	500	630
9.0	48.60	10096	10240	10252	12737	12824	12834	16019	16054	16191
		1.46	1.73	1.54	1.25	1.41	1.29	1.32	1.17	1.09
9.5	54.15	10657	10809	10821	13445	13537	13547	16909	16946	17090
		1.61	1.92	1.70	1.39	1.57	1.43	1.46	1.30	1.21
10.0	60.00	11218	11378	11391	14153	14249	14260	17798	17838	17990
		1.78	2.11	1.88	1.53	1.73	1.58	1.61	1.43	1.34
10.5	66.15	11779	11947	11960	14860	14962	14973	18688	18730	18889
		1.95	2.32	2.06	1.68	1.90	1.73	1.77	1.57	1.47
11.0	72.60	12340	12516	12530	15568	15674	15686	19578	19622	19789
		2.13	2.54	2.26	1.84	2.07	1.89	1.93	1.72	1.61
11.5	79.35	12901	13084	13099	16276	16386	16399	20468	20514	20688
		2.32	2.76	2.46	2.00	2.26	2.06	2.11	1.87	1.75
12.0	86.40	13462	13653	13669	16983	17099	17112	21358	21406	21588
		2.52	3.00	2.66	2.17	2.45	2.24	2.28	2.03	1.90
12.5	93.75	14023	14222	14238	17691	17811	17825	22248	22298	22487
		2.73	3.24	2.88	2.35	2.65	2.42	2.47	2.20	2.05
13.0	101.40	14584	14791	14808	18398	18524	18538	23138	23190	23387
		2.94	3.50	3.11	2.54	2.86	2.61	2.66	2.37	2.21
13.5	109.35	15145	15360	15377	19106	19236	19251	24028	24082	24286
		3.16	3.76	3.34	2.73	3.07	2.81	2.87	2.55	2.38
14.0	117.60	15706	15929	15947	19814	19949	19964	24918	24974	25186
		3.39	4.03	3.58	2.92	3.30	3.01	3.07	2.73	2.55
14.5	126.15	16267	16498	16517	20521	20661	20677	25808	25866	26085
		3.63	4.31	3.83	3.13	3.53	3.22	3.29	2.92	2.73
15.0	135.00	16827	17067	17068	21229	21374	21390	26698	26757	26985
		3.88	4.60	4.09	3.34	3.77	3.44	3.51	3.12	2.91
15.5	144.15	17388	17636	17656	21937	22086	22103	27588	27649	27884
		4.13	4.19	4.36	3.56	4.01	3.66	3.74	3.32	3.11
16.0	153.60	17949	18204	18225	22644	22799	22816	28478	28541	28748
		4.39	5.22	4.64	3.78	4.27	3.89	3.98	3.53	3.30

（续）

速度 /(m/s)	动压 /Pa	风管断面宽×高 /mm						上行:风量/(m³/h) 下行:单位摩擦阻力/(Pa/m)		
		1250	1000	800	1250	1600	1000	1250	1000	1600
		500	630	800	630	500	800	800	1000	630
1.0	0.60	2229	2250	2287	2812	2812	2854	2861	3578	3602
		0.02	0.02	0.02	0.02	0.02	0.01	0.01	0.01	0.01
1.5	1.35	3343	3376	3430	4218	4282	4291	5362	5368	5402
		0.04	0.03	0.03	0.03	0.04	0.03	0.03	0.03	0.03
2.0	2.40	4457	4501	4574	5624	5709	5721	7150	7157	7203
		0.07	0.06	0.06	0.05	0.06	0.05	0.04	0.04	0.05
2.5	3.75	5572	5626	5717	7030	7136	7151	8937	8946	9004
		0.10	0.09	0.09	0.08	0.09	0.07	0.07	0.06	0.07
3.0	5.40	6686	6751	6860	8436	8563	8582	10725	10735	10805
		0.14	0.12	0.12	0.11	0.13	0.10	0.09	0.09	0.10
3.5	7.35	7800	7876	8004	9842	9990	10012	12512	12525	12605
		0.18	0.17	0.16	0.15	0.17	0.14	0.12	0.12	0.14
4.0	9.60	8914	9002	9147	11248	11417	11442	11442	14300	14314
		0.23	0.21	0.20	0.19	0.22	0.18	0.16	0.16	0.18
4.5	12.15	10029	10127	10290	12654	12845	12873	16087	16013	16207
		0.29	0.26	0.25	0.24	0.27	0.22	0.20	0.19	0.22
5.0	15.00	11143	11252	11434	14060	14272	14303	17875	17892	18008
		0.35	0.32	0.31	0.29	0.33	0.27	0.24	0.24	0.27
5.5	18.15	12257	12377	12577	15466	15699	15733	19662	19681	19809
		0.42	0.39	0.37	0.35	0.39	0.33	0.29	0.28	0.32
6.0	21.60	13372	13503	13721	16872	17126	17164	21450	21471	21609
		0.50	0.45	0.44	0.41	0.46	0.38	0.34	0.33	0.38
6.5	25.35	14486	14628	14864	18278	18553	18594	23237	23260	23410
		0.58	0.53	0.51	0.48	0.54	0.45	0.40	0.39	0.44
7.0	29.40	15600	15753	16007	19684	19980	20024	25025	25049	25211
		0.67	0.61	0.58	0.55	0.62	0.51	0.46	0.44	0.50
7.5	33.75	16715	16878	17151	21090	21408	21454	26812	26838	27012
		0.76	0.69	0.66	0.63	0.71	0.58	0.52	0.51	0.57
8.0	38.40	17829	18003	18294	22496	22835	25885	28600	28627	28812
		0.86	0.78	0.75	0.71	0.80	0.66	0.59	0.57	0.65
8.5	43.35	18943	19129	19437	23902	24262	24315	30387	30417	30613
		0.97	0.88	0.84	0.80	0.89	0.74	0.66	0.64	0.73

（续）

速度 /(m/s)	动压 /Pa	风管断面宽×高 /mm					上行:风量/(m³/h) 下行:单位摩擦阻力/(Pa/m)				
		1250	1000	800	1250	1600	1000	1250	1000	1600
		500	630	800	630	500	800	800	1000	630
9.0	48.60	20058	20254	20581	25308	25689	25745	32175	32206	32414
		1.08	0.98	0.94	0.89	1.00	0.83	0.74	0.72	0.81
9.5	54.15	21172	21379	21724	26714	27116	27176	33962	33995	34215
		1.20	1.08	1.04	0.99	1.11	0.92	0.82	0.79	0.90
10.0	60.00	22286	22504	22868	28120	28543	28606	35749	35784	36015
		1.32	1.20	1.15	1.09	1.22	1.01	0.90	0.88	0.99
10.5	66.15	23401	23629	24011	29526	29971	30036	37537	37574	37816
		1.45	1.31	1.26	1.19	1.34	1.11	0.99	0.96	1.09
11.0	72.60	24515	24755	25154	30932	31398	31467	39324	39363	39617
		1.58	1.44	1.38	1.30	1.46	1.21	1.08	1.05	1.19
11.5	79.35	25629	25880	26298	32338	32825	32897	41112	41152	41418
		1.72	1.56	1.50	1.42	1.59	1.32	1.18	1.15	1.30
12.0	86.40	26743	27005	27441	33744	34252	34327	42899	42941	43219
		1.87	1.70	1.63	1.54	1.73	1.43	1.28	1.24	1.41
12.5	93.75	27858	28130	28584	35150	35679	35757	44687	44730	45019
		2.02	1.84	1.76	1.67	1.87	1.55	1.39	1.34	1.52
13.0	101.40	28972	29256	29728	36556	37106	37188	46474	46520	46820
		2.18	1.98	1.90	1.80	2.02	1.67	1.49	1.45	1.64
13.5	109.35	30086	30381	30871	37962	38534	38618	48262	48309	48621
		2.35	2.13	2.04	1.93	2.17	1.80	1.61	1.56	1.76
14.0	117.60	31201	31506	32015	39368	39961	40048	50049	50098	50422
		2.52	2.28	2.19	2.07	2.33	1.93	1.72	1.67	1.89
14.5	126.15	32315	32631	33158	40774	41388	41479	51837	51887	52222
		2.69	2.44	2.34	2.22	2.49	2.06	1.85	1.79	2.02
15.0	135.00	33429	33756	34301	42180	42815	42909	53624	53676	54023
		2.87	2.61	2.50	2.37	2.66	2.20	1.97	1.91	2.16
15.5	144.15	34544	34882	35445	43586	44242	44339	55412	55466	55824
		3.06	2.78	2.66	2.52	2.83	2.35	2.10	2.04	2.30
16.0	153.60	35658	36007	36588	44992	45669	45769	57199	57255	57625
		3.25	2.95	2.83	2.68	3.01	2.49	2.23	2.16	2.45

（续）

速度 /（m/s）	动压 /Pa	风管断面宽×高 /mm			上行:风量/（m³/h）			
		1250	1600	2000	下行:单位摩擦阻力/（Pa/m）			
					1600	2000	1600	2000
		1000	800	800	1000	1000	1250	1250
1.0	0.60	4473	4579	5726	5728	7163	7165	8960
		0.01	0.01	0.01	0.01	0.01	0.01	0.01
1.5	1.35	6709	6868	8589	8592	10745	10748	13440
		0.02	0.02	0.02	0.02	0.02	0.02	0.02
2.0	2.40	8945	9157	11452	11456	14327	14330	17921
		0.04	0.04	0.04	0.03	0.03	0.03	0.03
2.5	3.75	11181	11447	14314	14321	17908	17913	22401
		0.06	0.06	0.06	0.05	0.05	0.04	0.04
3.0	5.40	13418	13736	17177	17185	21490	21495	26881
		0.08	0.08	0.08	0.07	0.06	0.06	0.05
3.5	7.35	15654	16025	20040	20049	25072	25078	31361
		0.11	0.11	0.10	0.09	0.09	0.08	0.07
4.0	9.60	17890	18315	22903	22913	28653	28661	35841
		0.14	0.14	0.13	0.12	0.11	0.10	0.09
4.5	12.15	20126	20604	25766	25777	32235	32235	32243
		0.17	0.18	0.16	0.15	0.14	0.13	0.12
5.0	15.00	22363	22893	28629	28641	35817	35826	44801
		0.21	0.22	0.20	0.18	0.17	0.16	0.14
5.5	18.15	24599	25183	31492	31505	39398	39408	49281
		0.25	0.26	0.24	0.22	0.20	0.19	0.17
6.0	21.60	26835	27472	34355	34369	42980	42991	53762
		0.29	0.31	0.28	0.26	0.24	0.22	0.20
6.5	25.36	29071	29761	37218	37233	46562	46574	58242
		0.34	0.36	0.33	0.30	0.27	0.26	0.23
7.0	29.40	31308	32051	40080	40098	50143	50156	62722
		0.39	0.41	0.38	0.35	0.31	0.30	0.27
7.5	33.75	33544	34340	42943	42962	53725	53739	67202
		0.45	0.47	0.43	0.39	0.36	0.34	0.30
8.0	38.40	35780	36629	45806	45826	57307	57321	71682
		0.50	0.53	0.49	0.45	0.41	0.38	0.34
8.5	43.35	38016	38919	48669	48690	60888	60904	76162
		0.57	0.60	0.55	0.50	0.46	0.43	0.38

（续）

速度 /(m/s)	动压 /Pa	风管断面宽×高 /mm 上行:风量/(m³/h) 下行:单位摩擦阻力/(Pa/m)						
		1250 1000	1600 800	2000 800	1600 1000	2000 1000	1600 1250	2000 1250
9.0	48.60	40253	41208	51532	51554	64470	64486	80642
		0.63	0.66	0.61	0.56	0.51	0.48	0.43
9.5	54.15	42489	43497	54395	54418	68052	68069	85122
		0.70	0.74	0.68	0.62	0.56	0.53	0.47
10.0	60.00	44725	45787	57258	57282	71633	71652	89603
		0.77	0.81	0.75	0.68	0.62	0.58	0.52
10.5	66.15	46961	48076	60121	60146	75215	75234	94083
		0.85	0.89	0.82	0.75	0.68	0.64	0.57
11.0	72.60	49198	50365	62983	63010	78797	78817	98563
		0.93	0.97	0.90	0.82	0.75	0.70	0.63
11.5	79.35	51434	52655	65846	65876	82378	82399	103043
		1.01	1.06	0.98	0.89	0.81	0.76	0.68
12.0	86.40	53670	54944	68709	68739	85960	85982	107523
		1.10	1.15	1.06	0.97	0.88	0.83	0.74
12.5	93.75	55906	57233	71572	71603	89542	89564	112003
		1.19	1.25	1.15	1.05	0.95	0.90	0.80
13.0	101.40	58143	59523	74435	74467	93123	93147	116483
		1.28	1.34	1.24	1.13	1.03	0.97	0.87
13.5	109.35	60379	61812	77298	77331	96705	96730	120964
		1.37	1.44	1.33	1.22	1.11	1.04	0.93
14.0	117.60	62615	64101	80161	80195	100287	100312	125444
		1.47	1.55	1.43	13.0	1.19	1.11	1.00
14.5	126.15	64851	66391	83024	83059	103868	103895	129924
		1.58	1.66	1.53	1.40	1.27	1.19	1.07
15.0	135.00	37088	68680	85887	85923	107450	107477	134404
		1.68	1.77	1.63	1.49	1.35	1.27	1.14
15.5	144.15	68324	70969	88749	88787	111031	111060	138884
		1.79	1.89	1.74	1.59	1.44	1.36	1.22
16.0	153.60	71560	73259	91612	91651	114613	114643	143364
		1.91	2.01	1.85	1.69	1.53	1.44	1.29

附录 U　局部阻力系数

序号	名称	图形和断面	局部阻力系数 ζ(ζ 值以图内所示的速度 v 计算)											
1	伞形风帽		进风	h/D_0										
				0.1	0.2	0.3	0.4	0.5	0.6	0.7	0.8	0.9	1.0	∞
				2.63	1.83	1.53	1.39	1.31	1.19	1.15	1.08	1.07	1.06	1.06
				4.00	2.30	1.60	1.30	1.15	1.10	—	1.00	—	1.00	—
2	带扩散管的伞形风帽		进风	1.32	0.77	0.60	0.48	0.41	0.30	0.29	0.28	0.25	0.25	0.25
			排风	2.60	1.30	0.80	0.7	0.60	0.60	—	0.60	—	0.60	—

序号	名称	图形和断面						
3	渐扩管		$\dfrac{F_1}{F_0}$	α				
				10°	15°	20°	25°	30°
			1.25	0.02	0.03	0.05	0.06	0.07
			1.50	0.03	0.06	0.10	0.12	0.13
			1.75	0.05	0.09	0.14	0.17	0.19
			2.00	0.06	0.13	0.20	0.23	0.26
			2.25	0.08	0.16	0.26	0.38	0.33
			3.50	0.09	0.19	0.30	0.36	0.39

序号	名称	图形和断面										
4	渐扩管		α	22.5°		30°		45°		90°	
			ζ_1	0.6		0.8		0.9		1.0	
5	突扩		$\dfrac{F_1}{F_2}$	0	0.1	0.2	0.3	0.4	0.5	0.6	0.7	0.9	1.0
			ζ_1	1.0	0.81	0.64	0.49	0.36	0.25	0.16	0.09	0.01	0
6	突缩		$\dfrac{F_1}{F_2}$	0	0.1	0.2	0.3	0.4	0.5	0.6	0.7	0.9	1.0
			ζ_1	0.5	0.47	0.42	0.38	0.34	0.30	0.25	0.20	0.09	0
7	渐缩管		当 α≤45°时　ζ=0.10										

序号	名称	图形和断面						
8	伞形罩		α	20°	40°	60°	90°	100°
			圆形	0.11	0.06	0.09	0.16	0.27
			矩形	0.19	0.13	0.16	0.25	0.33

（续）

序号	名称	图形和断面	局部阻力系数ζ(ζ值以图内所示的速度v计算)
9	圆(方)弯管		图形：局部阻力系数曲线，纵坐标 0.1~0.5，横坐标 a 0~180，曲线标注 $r/d=0.75$、1.0、1.25、1.5、2.0、3.0、6.0

10　矩形弯头

r/b	a/b										
	0.25	0.5	0.75	1.0	1.5	2.0	3.0	4.0	5.0	6.0	8.0
0.5	1.5	1.4	1.3	1.2	1.1	1.0	1.0	1.1	1.1	1.2	1.2
0.75	0.57	0.52	0.48	0.44	0.40	0.39	0.39	0.40	0.42	0.43	0.44
1.0	0.27	0.25	0.23	0.21	0.19	0.18	0.18	0.19	0.20	0.27	0.21
1.5	0.22	0.20	0.19	0.17	0.15	0.14	0.14	0.15	0.16	0.17	0.17
2.0	0.20	0.18	0.16	0.15	0.14	0.13	0.13	0.14	0.14	0.15	0.15

11　板弯头带导叶

1. 单叶式 $\zeta = 0.35$
2. 双叶式 $\zeta = 0.10$

12　乙形管

l_0/D_0	0	1.0	2.0	3.0	4.0	5.0	6.0
R_0/D_0	0	1.90	3.74	5.60	7.46	9.30	11.3
ζ	0	0.15	0.15	0.16	0.16	0.16	0.16

13　乙形管

l/b_0	0	0.4	0.6	0.8	1.0	1.2	1.4	1.6	1.8	2.0
ζ	0	0.62	0.89	1.61	2.63	3.61	4.01	4.18	4.22	4.18
l/b_0	2.4	2.8	3.2	4.0	5.0	6.0	7.0	9.0	10.0	∞
ζ	3.75	3.31	3.20	3.08	2.92	2.80	2.70	2.5	2.41	2.30

14　Z形管

l/b_0	0	0.4	0.6	0.8	1.0	1.2	1.4	1.6	1.8	2.0
ζ	1.15	2.40	2.90	3.31	3.44	3.40	3.36	3.28	3.20	3.11
l/b_0	2.4	2.8	3.2	4.0	5.0	6.0	7.0	9.0	10.0	∞
ζ	3.16	3.18	3.15	3.00	2.89	2.78	2.70	2.50	2.41	2.30

（续）

序号	名称	图形和断面	局部阻力系数 ζ（ζ 值以图内所示的速度 v 计算）

局部阻力系数 $\zeta \left(\begin{matrix} \zeta_1 \\ \zeta_2 \end{matrix}\ 值以图内所示速度\ \begin{matrix} v_1 \\ v_2 \end{matrix}\ 计算\right)$

15　合流三通　$v_1F_1 \rightarrow v_3F_3$，$v_2F_2$，$\alpha$，$F_1+F_2=F_3$，$\alpha=30°$

$\dfrac{L_2}{L_3}$	F_2/F_3											
	0.00	0.03	0.05	0.1	0.2	0.3	0.4	0.5	0.6	0.7	0.8	1.0
	ζ_2											
0.06	-1.13	-0.07	-0.30	+1.82	10.1	23.3	41.5	65.2	—	—	—	—
0.10	-1.22	-1.00	-0.76	0.02	2.88	7.34	13.4	21.1	29.4	—	—	—
0.20	-1.50	-1.35	-1.22	-0.84	-0.05	1.4	2.70	4.46	6.48	8.70	11.4	17.3
0.33	-2.00	-1.80	-1.70	-1.40	-0.72	-0.12	0.52	1.20	1.89	2.56	3.30	4.80
0.50	-3.00	-2.80	-2.6	-2.24	-1.44	-0.91	-0.36	0.14	0.56	0.84	1.18	1.53
	ζ_1											
0.01	0.00	0.06	0.04	-0.10	-0.81	-2.10	-4.07	-6.60	—	—	—	—
0.10	0.01	0.10	0.08	0.04	-0.33	-1.05	-2.14	-3.60	-5.40	—	—	—
0.20	0.06	0.10	0.13	0.16	0.06	-0.24	-0.73	-1.40	-2.30	-3.34	-3.59	-8.64
0.33	0.42	0.45	0.48	0.51	0.52	0.32	0.07	-0.32	-0.83	-1.47	-2.19	-4.00
0.50	1.40	1.40	1.40	1.36	1.26	1.09	0.86	0.53	0.15	-0.52	-0.82	-2.07

16　合流三通（分支管）　$v_1F_1 \rightarrow v_3F_3$，$v_2F_2$，$\alpha$，$F_1+F_2>F_3$，$F_1=F_3$，$\alpha=30°$

$\dfrac{L_2}{L_3}$	F_2/F_3						
	0.1	0.2	0.3	0.4	0.6	0.8	1.0
	ζ_2						
0	-1.00	-1.00	-1.00	-1.00	1.00	-1.00	-1.00
0.1	+0.21	-0.46	-0.57	-0.60	-0.62	-0.63	-0.63
0.2	3.1	+0.37	-0.06	-0.20	-0.28	-0.30	-0.35
0.3	7.6	1.5	0.50	0.20	+0.05	-0.08	-0.10
0.4	13.50	2.95	1.15	0.59	0.26	0.18	+0.16
0.5	21.2	4.58	1.78	0.97	0.44	0.35	0.27
0.6	30.4	6.42	2.60	1.37	0.64	0.46	0.31
0.7	41.3	8.5	3.40	1.77	0.76	0.56	0.40
0.8	53.8	11.5	4.22	2.14	0.85	0.53	0.45
0.9	58.0	14.2	5.30	2.58	0.89	0.52	0.40
1.0	83.7	17.3	6.33	2.92	0.89	0.39	0.27

17　合流三通（直管）　$v_1F_1 \rightarrow v_3F_3$，$v_2F_2$，$\alpha$，$F_1+F_2>F_3$，$F_1=F_3$，$\alpha=30°$

$\dfrac{L_2}{L_3}$	F_2/F_3						
	0.1	0.2	0.3	0.4	0.6	0.8	1.0
	ζ_1						
0	0.00	0	0	0	0	0	0
0.1	0.02	0.11	0.13	0.15	0.16	0.17	0.17
0.2	-0.33	0.01	0.13	0.18	0.20	0.24	0.29
0.3	-1.10	-0.25	-0.01	+0.10	0.22	0.30	0.35
0.4	-2.15	-0.75	-0.30	-0.05	0.17	0.26	0.36
0.5	-3.60	-1.43	-0.70	-0.35	0.00	0.21	0.32
0.6	-5.40	-2.35	-1.25	-0.70	-0.20	+0.06	0.25
0.7	-7.60	-3.40	-1.95	-1.2	-0.50	-0.15	+0.10
0.8	-10.1	-4.61	-2.74	-1.82	-0.90	-0.43	-0.15
0.9	-13.0	-6.02	-3.70	-2.55	-1.40	-0.80	-0.45
1.0	-16.30	-7.70	-4.75	-3.35	-1.90	-1.17	-0.75

（续）

序号	名称	图形和断面	局部阻力系数 ζ（ζ 值以图内所示的速度 v 计算）

ζ 值

支管 ζ_{31}（对应 v_3）

$\dfrac{F_2}{F_1}$	$\dfrac{F_3}{F_1}$	L_3/L_2									
		0.2	0.4	0.6	0.8	1.0	1.2	1.4	1.6	1.8	2.0
0.3	0.2	−2.4	−0.01	2.0	3.8	5.3	6.6	7.8	8.9	9.8	11
	0.3	−2.8	−1.2	0.12	1.1	1.9	2.6	3.2	3.7	4.2	4.6
0.4	0.2	−1.2	0.93	2.8	4.5	5.9	7.2	8.4	9.5	10	11
	0.3	−1.6	−0.27	0.18	1.7	2.4	3.0	3.6	4.1	4.5	4.9
	0.4	−1.8	−0.72	0.07	0.66	1.1	1.5	1.8	2.1	2.3	2.5
0.5	0.2	−0.46	1.5	3.3	4.9	6.4	7.7	8.8	9.9	11	12
	0.3	−0.94	0.25	1.2	2.0	2.7	3.3	3.8	4.2	4.7	5.0
	0.4	−1.1	−0.24	0.42	0.92	1.3	1.6	1.9	2.1	2.3	2.5
	0.5	−1.2	−0.38	0.18	0.58	0.88	1.1	1.3	1.5	1.6	1.7
0.6	0.2	−0.55	1.3	3.1	4.7	6.1	7.4	8.6	9.6	11	12
	0.3	−1.1	0	0.88	1.6	2.3	2.8	3.3	3.7	4.1	4.5
	0.4	−1.2	−0.48	0.10	0.54	0.89	1.2	1.4	1.6	1.8	2.0
	0.5	−1.3	−0.62	−0.14	0.21	0.47	0.68	0.85	0.99	1.1	1.2
	0.6	−1.3	−0.69	−0.26	0.04	0.26	0.42	0.57	0.66	0.75	0.82
0.8	0.2	0.06	1.8	3.5	5.1	6.5	7.8	8.9	10	11	12
	0.3	−0.52	0.35	1.1	1.7	2.3	2.8	3.2	3.6	3.9	4.2
	0.4	−0.67	−0.05	0.43	0.80	1.1	1.4	1.6	1.8	1.9	2.1
	0.6	−0.75	−0.27	0.05	0.28	0.45	0.58	0.68	0.76	0.83	0.88
	0.7	−0.77	−0.31	−0.02	0.18	0.32	0.43	0.50	0.56	0.61	0.65
	0.8	−0.78	−0.34	−0.07	0.12	0.24	0.33	0.39	0.44	0.47	0.50
1.0	0.2	0.40	2.1	3.7	5.2	6.6	7.8	9.0	11	11	12
	0.3	−0.21	0.54	1.2	1.8	2.3	2.7	3.1	3.7	3.7	4.0
	0.4	−0.33	0.21	0.62	0.96	1.2	1.5	1.7	2.0	2.0	2.1
	0.5	−0.38	0.05	0.37	0.60	0.79	0.93	1.1	1.2	1.2	1.3
	0.6	−0.41	−0.02	0.23	0.42	0.55	0.66	0.73	0.80	0.85	0.89
	0.8	−0.44	−0.10	0.11	0.24	0.33	0.39	0.43	0.46	0.47	0.48
	1.0	−0.46	−0.14	0.05	0.16	0.23	0.27	0.29	0.30	0.30	0.29

18　合流三通

支管 ζ_{21}（对应 v_2）

$\dfrac{F_2}{F_1}$	$\dfrac{F_3}{F_1}$	L_3/L_2									
		0.2	0.4	0.6	0.8	1.0	1.2	1.4	1.6	1.8	2.0
0.3	0.2	5.3	−0.01	2.0	1.1	0.34	−0.20	−0.61	−0.93	−1.2	−1.4
	0.3	5.4	3.7	2.5	1.6	1.0	0.53	0.16	−0.14	−0.33	−0.58
0.4	0.2	1.9	1.1	0.46	−0.07	−0.49	−0.83	−1.1	−1.3	−1.5	−1.7
	0.3	2.0	1.4	0.81	0.42	0.08	−0.20	−0.43	−0.62	−0.78	−0.92
	0.4	2.0	1.5	1.0	0.68	0.39	0.16	−0.04	−0.21	−0.35	−0.47
0.5	0.2	0.77	0.34	−0.09	−0.48	−0.81	−1.1	1.3	−1.5	−1.7	−1.8
	0.3	0.85	0.56	0.25	0.03	−0.27	−0.48	−0.67	−0.82	−0.96	−1.1
	0.4	0.88	0.66	0.43	0.21	0.02	−0.15	−0.30	−0.42	−0.54	−0.64
	0.5	0.91	0.73	0.54	0.36	0.21	0.06	−0.06	−0.17	−0.26	−0.35

19　通风机出口变径管

$\alpha°$	A_0/A_1					
	1.5	2	2.5	3	3.5	4
10	0.08	0.09	0.1	0.1	0.11	0.11
15	0.1	0.11	0.12	0.13	0.11	0.15
20	0.12	0.14	0.15	0.16	0.17	0.18
25	0.15	0.18	0.21	0.23	0.25	0.26
30	0.18	0.25	0.3	0.33	0.35	0.35
35	0.21	0.31	0.38	0.41	0.43	0.44

序号	名称	图形和断面	局部阻力系数 ζ(ζ 值以图内所示的速度 v 计算)									
20	分流三通		支管道（对应 v_3）									
			v_2/v_1	0.2	0.4	0.6	0.7	0.8	0.9	1.0	1.1	1.2
			ζ_{13}	0.76	0.60	0.52	0.50	0.51	0.52	0.56	0.6	0.68
			v_3/v_1	1.4	1.6	1.8	2.0	2.2	2.4	2.6	2.8	3.0
			ζ_{13}	0.86	1.1	1.4	1.8	2.2	2.6	3.1	3.7	4.2
			主管道（对应 v_2）									
			v_2/v_1	0.2	0.4	0.6	0.8	1.0	1.2	1.4	1.6	1.8
			ζ_{12}	0.14	0.06	0.05	0.09	0.18	0.30	0.46	0.64	0.84

序号	名称	图形和断面	$\dfrac{L_2}{L_1}$	$\dfrac{F_2}{F_3}$			$\dfrac{F_2}{F_3}$	
				0.25	0.50	1.0	0.5	1.0
				ζ_2（对应 v_2）			ζ_3（对应 v_3）	
21	90°矩形断面吸入三通		0.1	−0.6	−0.6	−0.6	0.20	0.20
			0.2	0.0	−0.2	−0.3	0.20	0.22
			0.3	0.4	0.0	−0.1	0.10	0.25
			0.4	1.2	0.25	0.0	0.0	0.24
			0.5	2.3	0.40	0.1	−0.1	0.20
			0.6	3.6	0.70	0.2	−0.2	0.18
			0.7	—	1.0	0.3	−0.3	0.15
			0.8	—	1.5	0.4	−0.4	0.00

序号	名称	图形和断面	F_2/F_1	0.5	1
22	矩形三通		分流	0.304	0.247
			合流	0.233	0.072

序号	名称	图形和断面	合流（$R_0/D_1=2$）											
23	圆形三通		L_3/L_1	0	0.10	0.20	0.30	0.40	0.50	0.60	0.70	0.80	0.90	1.0
			ζ_1	−0.13	−0.10	−0.07	−0.03	0	0.03	0.03	0.03	0.03	0.05	0.08
			分流（$F_3/F_1=0.5$，$L_3/L_1=0.5$）											
			R_0/D_1	0.5		0.75		1.0		1.5		2.0		
			ζ_1	1.10		0.60		0.40		0.25		0.20		

序号	名称	图形和断面	v_2/v_1	0.6	0.8	1.0	1.2	1.4	1.6
24	直角三通		ζ_{12}	1.18	1.32	1.50	1.72	1.98	2.28
			ζ_{21}	0.6	0.8	1.0	1.6	1.9	2.5

（续）

序号	名称	图形和断面	局部阻力系数 ζ(ζ值以图内所示的速度v计算)

25 矩形送出三通

$v_2/v_1 <1$ 时可不计，$v_2/v_1 \geqslant 1$ 时

x	0.25	0.5	0.75	1.0	1.25
ζ_2	0.21	0.07	0.05	0.15	0.36
ζ_3	0.30	0.20	0.30	0.4	0.65

表中：$x = \left(\dfrac{v_3}{v_1}\right) \times \left(\dfrac{a}{b}\right)^{1/4}$

$\Delta P = \zeta \dfrac{\rho v_1^2}{2}$

26 矩形吸入三通

v_1/v_3	0.4	0.6	0.8	1.0	1.2	1.5
$\dfrac{F_1}{F_3}=0.75$	-1.2	-0.3	0.35	0.8	1.1	—
0.67	-1.7	-0.9	-0.3	0.1	0.45	0.7
0.60	-2.1	-0.3	-0.8	0.4	0.1	0.2
ζ_2	-1.3	-0.9	-0.5	0.1	0.55	1.4

$\Delta P = \zeta \dfrac{\rho v_3^2}{2}$

27 侧孔吸风

$\dfrac{F_2}{F_1}$	\multicolumn{5}{c}{L_2/L_0}				
	0.1	0.2	0.3	0.4	0.5
	\multicolumn{5}{c}{ζ_0}				
0.1	0.8	1.3	1.4	1.4	1.4
0.2	-1.4	0.9	1.3	1.4	1.4
0.4	-9.5	0.2	0.9	1.2	1.3
0.6	-21.2	-2.5	0.3	1.0	1.2

$\dfrac{F_2}{F_1}$	\multicolumn{4}{c}{L_2/L_0}			
	0.1	0.2	0.3	0.4
	\multicolumn{4}{c}{ζ_1}			
0.1	0.1	-0.1	-0.8	-2.6
0.2	0.1	0.2	-0.01	-0.6
0.4	0.2	0.3	0.3	0.2
0.6	0.2	0.3	0.4	0.4

28 调节式送风口

α	30°	40°	50°	60°	70°	80°	90°	100°	110°
流线形叶片	6.4	2.7	1.7	1.6	—	—	—	—	—
简易叶片	—	—	—	1.2	1.2	1.4	1.8	2.4	3.5

29 带外挡板的条缝形送风口

v_1/v_0	0.6	0.8	1.0	1.2	1.5	2.0
ζ_1	2.73	3.3	4.0	4.9	6.5	10.4

（续）

序号	名称	图形和断面	局部阻力系数 ζ（ζ 值以图内所示的速度 v 计算）

30　侧面送风口

$$\zeta = 2.04$$

31　45°固定金属百叶窗

$\dfrac{F_1}{F_0}$	0.1	0.2	0.3	0.4	0.5	0.6	0.7	0.8	0.9	1.0
进风 ζ	—	45	17	6.8	4.0	2.3	1.4	0.9	0.6	0.5
排风 ζ	—	58	24	13	8.0	5.3	3.7	2.7	2.0	1.5

F_0—净面积

32　单面空气分布器

当网络净面积为 80% 时　　$r = 0.2D$　　$R = 1.2D$

$b = 0.7D$　　$l = 1.25D$

$\zeta = 1.0$　　　　　　　$K = 1.8D$

33　侧面孔口（最后孔口）

$F = b \times h$　　$h = 0.875 D_0$

F_1/F_0	0.2	0.3	0.4	0.5	0.6	0.7	0.8	0.9	1.0	1.2	1.4	1.6	1.8
送出 单孔 ζ	65.7	30.0	16.4	10.0	7.30	5.50	4.48	3.67	3.6	2.44	—	—	—
送出 双孔 ζ	67.7	33.0	17.2	11.6	8.45	6.80	5.86	5.00	4.38	3.47	2.9	2.52	2.52
吸入 单孔 ζ	64.5	30.0	14.9	9.00	6.27	4.54	3.54	2.70	2.28	1.60	—	—	—
吸入 双孔 ζ	66.5	36.5	17.0	12.0	8.75	6.85	5.50	4.54	3.84	2.76	2.01	1.40	1.10

34　墙孔

$\dfrac{l}{h}$	0.0	0.2	0.4	0.6	0.8	1.0	1.2	1.4	1.6	1.8	2.0	4.0
ζ	2.83	2.72	2.60	2.34	1.95	1.76	1.67	1.62	1.6	1.6	1.55	1.55

35　孔板送风口

v	开孔率				
	0.2	0.3	0.4	0.5	0.6
0.5	30	12	6.0	3.6	2.3
1.0	33	13	6.8	4.1	2.7
1.5	35	14.5	7.4	4.6	3.0
2.0	39	15.5	7.8	4.9	3.2
2.5	40	16.5	8.3	5.2	3.4
3.0	41	17.5	8.0	5.5	3.7

$$\Delta P = \zeta \dfrac{v^2 \rho}{2}$$

v 为面风速

249

(续)

序号	名称	图形和断面	局部阻力系数 ζ(ζ 值以图内所示的速度 v 计算)												
36	插板槽		ζ 值(相应风速为管内风速 v_0)												
			h/D_0	0	0.1	0.13	0.2	0.3	0.4	0.5	0.6	0.7	0.8	0.9	1.0
			1. 圆管												
			F_h/F_0	0	—	0.16	0.25	0.38	0.50	0.61	0.71	0.81	0.90	0.96	1.0
			ζ	∞	—	97.9	35.0	10.0	4.60	2.06	0.98	0.44	0.17	0.06	0
			2. 矩形管												
			ζ	∞	193	—	44.5	17.8	8.12	4.02	2.08	0.95	0.39	0.09	0

序号	名称	图形和断面	局部阻力系数
37	蝶阀		ζ 值(相应风速为管内风速 v_0)

θ	0°	10°	20°	30°	40°	50°	60°
1. 圆管							
ζ_0	0.20	0.52	1.5	4.5	11	29	108
2. 矩形管							
ζ_0	0.04	0.33	1.2	3.3	9.0	26	70

序号 38　矩形风管平行式多叶阀

ζ 值(相应风速为管内风速 v_0)

$\dfrac{l}{s}$	θ								
	80°	70°	60°	50°	40°	30°	20°	10°	0°
0.3	116	32	14	9.0	5.0	2.3	1.4	0.79	0.52
0.4	152	38	16	9.0	6.0	2.4	1.5	0.85	0.52
0.5	188	45	18	9.0	6.0	2.4	1.5	0.92	0.52
0.6	245	45	21	9.0	5.4	2.4	1.5	0.92	0.52
0.8	284	55	22	9.0	5.4	2.5	1.5	0.92	0.52
1.0	361	65	24	10	5.4	2.6	1.6	1.0	0.52
1.5	576	102	28	10	5.4	2.7	1.6	1.0	0.52

$$\frac{l}{s}=\frac{n\cdot b}{2(a+b)}$$

l——合计的阀门叶片总长度(mm)

s——风管的周长(mm)

n——阀门叶片的数量

b——平行于叶片轴的风管尺寸(mm)

序号 39　矩形风管对开式多叶阀

ζ 值(相应风速为管内风速 v_0)

$\dfrac{l}{s}$	θ								
	80°	70°	60°	50°	40°	30°	20°	10°	0°
0.3	807	284	73	21	9.0	4.1	2.1	0.85	0.52
0.4	915	332	100	28	11	5.0	2.2	0.92	0.52
0.5	1045	377	122	33	13	5.4	2.3	1.0	0.52
0.6	1121	411	148	38	14	6.0	2.3	1.0	0.52
0.8	1299	495	188	54	18	6.6	2.4	1.1	0.52
1.0	1521	547	245	65	21	7.3	2.7	1.2	0.52
1.5	1654	677	361	107	28	9.0	3.2	1.4	0.52

附录 V　通风管道统一规格

表 V-1　圆形通风管道规格

外径 D/mm	钢板制风管		塑料制风管		外径 D/mm	除尘风管		气密性风管	
	外径允许偏差 /mm	壁厚 /mm	外径允许偏差 /mm	壁厚 /mm		外径允许偏差 /mm	壁厚 /mm	外径允许偏差 /mm	壁厚 /mm
100		0.5		3.0	80 90 100		1.5		2.0
120					110 120				
140					(130) 140				
160					(150) 160				
180					(170) 180				
200					190 200				
220			±1		(210) 220				
250					(240) 250				
280					(260) 280				
320		0.75		4.0	(300) 320				
360					(340) 360				
400	±1				(380) 400	±1		±1	
450					(420) 450				
500					(480) 500				
560					(530) 560				
630					(600) 630				
700		1.0		5.0	(670) 700				
800					(750) 800				
900					(850) 900		2.0		3.0~4.0
1000			±1.5		(950) 1000				
1120					(1060) 1120				
1250					(1180) 1250				
1400					(1320) 1400				
1600		1.2~1.5		6.0	(1500) 1600				
1800					(1700) 1800		3.0		4.0~6.0
2000					(1900) 2000				

表 V-2　矩形通风管道规格

外边长 (A×B)/mm	钢板制风管		塑料制风管		外边长 (A×B)/mm	钢板制风管		塑料制风管	
	外边长允许偏差/mm	壁厚/mm	外边长允许偏差/mm	壁厚/mm		外边长允许偏差/mm	壁厚/mm	外边长允许偏差/mm	壁厚/mm
120×120					630×500				
160×120					630×630				
160×160					800×320				5.0
220×120		0.5			800×400				
200×160					800×500				
200×200					800×630				
250×120				3.0	800×800		1.0		
250×160					1000×320				
250×200					1000×400				
250×250					1000×500				
320×160					1000×630				
320×200					1000×800				
320×250	-2		-2		1000×1000	-2		-3	6.0
320×320					1250×400				
400×200					1250×500				
400×250		0.75			1250×630				
400×320					1250×800				
400×400					1250×1000				
500×200				4.0	1600×500				
500×250					1600×630		1.2		
500×320					1600×800				
500×400					1600×1000				
500×500					1600×1250				8.0
630×250					2000×800				
630×320		1.0	-3.0	5.0	2000×1000				
630×400					2000×1250				

注：1. 本通风管道统一规格是经"通风管道定型化"审查会议通过，作为通用规格在全国使用。

2. 除尘、气密性风管规格中分基本系列和辅助系列，应优先采用基本系列（即不加括号数字）。

附录W　管道单位沿程阻力计算表

表W-1　冷冻水管道单位沿程阻力计算表

水流速 v/(m/s)		DN15	DN20	DN25	DN32	DN40	DN50	DN65	DN80	DN100	DN125	DN150	DN200	DN250	DN300	DN350	DN400
										公称直径							
0.2	W	0.14	0.26	0.41	0.72	0.95	1.59	2.61	3.66	6.35	8.84	12.72	24.23	37.93	53.99	72.07	92.30
	R_2	73.38	48.76	35.32	24.33	20.31	14.52	10.5	8.44	5.89	4.81	3.83	2.55	0.98	1.57	1.28	1.08
	R_5	88.49	57.98	41.5	28.25	23.45	16.58	11.87	9.52	6.67	5.4	4.22	2.75	2.06	1.67	1.37	1.18
0.3	W	0.21	0.38	0.62	1.08	1.43	2.38	3.92	5.50	9.53	13.25	19.09	36.35	56.90	80.99	108.11	138.45
	R_2	151.47	100.94	73.18	50.42	42.18	30.12	21.78	17.56	12.36	10.01	7.95	5.3	4.02	3.24	2.65	2.35
	R_5	189.04	123.9	88.88	60.63	50.23	35.51	25.51	20.4	14.22	11.48	9.12	5.98	4.51	3.63	3.04	2.55
0.4	W	0.28	0.51	0.82	1.45	1.90	3.18	5.23	7.33	12.71	17.67	25.45	48.46	75.87	107.99	144.14	184.59
	R_2	255.94	170.79	124	85.54	71.51	51.21	37.08	29.82	20.99	17.07	13.54	9.03	6.87	5.49	4.61	3.92
	R_5	326.77	214.25	153.62	104.57	86.92	61.51	44.15	35.32	24.62	19.91	15.7	10.4	7.85	6.28	5.2	4.51
0.5	W	0.35	0.64	1.03	1.81	2.38	3.97	6.54	9.16	15.88	22.09	31.81	60.58	94.83	134.98	180.18	230.74
	R_2	386.81	258.3	187.67	129.49	108.2	77.5	56.21	45.22	31.88	25.9	20.6	13.73	10.4	8.34	6.97	5.98
	R_5	501.68	329.03	236.03	160.69	133.42	94.57	67.59	54.35	37.87	30.61	24.23	15.99	12.07	9.61	8.04	6.87
0.6	W	0.42	0.77	1.24	2.17	2.85	4.77	7.84	10.99	19.06	26.51	38.17	72.69	113.80	161.98	216.21	276.89
	R_2	543.87	363.26	263.99	182.37	152.45	109.19	79.17	63.77	44.93	36.49	29.04	19.42	14.72	11.77	9.91	8.44
	R_5	713.68	468.04	335.8	228.67	189.92	134.5	96.63	77.3	53.96	43.46	34.43	22.86	17.17	13.73	11.48	9.81
0.7	W	0.49	0.89	1.44	2.53	3.33	5.56	9.15	12.83	22.24	30.13	44.53	84.81	132.77	188.98	252.25	323.04
	R_2	727.12	485.79	353.16	243.97	203.95	146.07	105.95	85.35	60.14	48.85	38.85	26	19.62	15.79	13.24	11.38
	R_5	962.85	631.57	453.03	308.52	256.24	181.58	130.37	104.38	72.89	58.86	46.5	30.8	22.56	18.54	15.5	13.24
0.8	W	0.56	1.02	1.65	2.89	3.80	6.35	10.46	14.66	25.42	35.34	50.89	96.92	151.73	215.97	288.28	369.19
	R_2	936.56	625.78	454.99	314.41	262.81	188.35	136.65	110.07	77.6	62.98	50.13	33.45	25.41	20.4	17.07	14.62
	R_5	1249.21	819.33	587.82	400.35	332.56	235.54	169.22	135.48	94.57	76.32	60.33	39.93	30.12	24.03	20.11	17.17

（续）

公称直径

水流速 v/(m/s)		DN15	DN20	DN25	DN32	DN40	DN50	DN70	DN80	DN100	DN125	DN150	DN200	DN250	DN300	DN350	DN400
0.9	W	0.63	1.15	1.86	3.25	4.28	7.15	11.77	16.49	28.59	39.76	57.26	109.04	170.70	242.97	324.32	415.34
	R_2	1172.1	783.33	569.67	393.58	329.03	235.83	171.09	137.93	97.22	78.97	62.78	41.99	31.78	25.51	21.39	18.34
	R_5	1572.64	1031.52	740.07	504.04	418.2	296.65	212.98	170.6	119	96.14	76.03	50.33	37.87	30.31	25.31	21.68
1.0	W	0.70	1.28	2.06	3.6	4.75	7.94	13.07	18.32	31.77	44.18	63.62	121.15	189.67	269.97	360.35	461.48
	R_2	1433.83	958.34	697	481.67	402.7	288.61	209.44	168.73	119	90.63	76.81	51.4	38.95	31.29	26.19	22.46
	R_5	1933.16	1268.14	909.78	619.7	514.73	364.64	261.93	209.64	146.37	118.21	93.39	61.9	46.6	37.28	31.1	26.59
1.1	W	0.77	1.40	2.27	3.98	5.23	8.74	14.38	20.15	34.95	48.60	69.98	133.27	208.63	296.96	396.39	507.63
	R_2	1721.66	1150.81	836.99	578.4	483.63	349.63	251.53	202.77	142.93	116.05	92.31	61.7	46.79	37.57	31.49	27.08
	R_5	2330.86	1528.99	1097.05	747.23	620.68	439.68	315.78	252.8	176.48	142.54	112.62	74.65	56.11	44.93	37.47	32.08
1.2	W	0.84	1.53	2.47	4.34	5.70	9.53	15.69	21.99	38.12	53.01	76.34	145.38	227.60	323.96	432.43	553.78
	R_2	2035.67	1360.84	989.73	684.05	571.92	409.96	297.54	239.76	169.03	137.34	109.19	73.08	55.33	44.44	37.28	31.98
	R_5	2765.73	1814.26	1301.69	886.63	736.44	521.79	374.74	299.99	209.44	169.12	133.71	88.58	66.61	53.37	44.44	38.06
1.3	W	0.91	1.66	2.68	4.70	6.18	10.32	17.00	23.82	41.30	57.43	82.70	157.5	246.57	350.96	468.46	599.93
	R_2	2375.79	1588.24	1155.23	798.44	667.67	478.53	347.27	279.98	197.38	160.3	127.53	85.25	64.55	51.89	43.46	37.38
	R_5	3237.69	2123.87	1523.89	1038	862.2	610.87	438.7	351.3	245.15	197.48	156.57	103.69	77.99	62.39	52.09	44.64
1.4	W	0.98	1.79	2.89	5.08	6.65	11.12	18.30	26.65	44.48	61.85	89.06	169.61	265.53	377.95	504.50	646.08
	R_2	2741.99	1833.1	1333.38	921.65	770.67	552.4	400.93	323.14	227.89	185.11	147.15	98.49	74.56	59.94	50.23	43.16
	R_5	3746.73	2457.9	1765.41	1201.14	997.78	706.91	507.67	406.53	283.71	229.16	181.19	119.98	90.25	72.3	60.23	51.6
1.5	W	1.0	1.92	3.09	5.42	7.13	11.91	19.61	27.48	47.65	66.27	95.43	181.73	284.50	404.95	540.53	692.23
	R_2	3134.3	2095.51	1524.28	1053.59	881.04	631.57	458.42	369.44	260.55	211.6	168.34	112.62	85.25	68.57	57.39	49.34
	R_5	4292.95	2816.25	2020.57	1376.34	1143.26	810.01	581.73	465.78	325.1	262.52	207.58	137.44	103.5	82.8	69.06	59.15

注：W 为水流量（m³/h）；R_2 为当量绝对粗糙度 $K=0.2$mm 时的比摩阻值（Pa/m）；R_5 为当量绝对粗糙度 $K=0.5$mm 时的比摩阻值（Pa/m）。

表 W-2　冷却水管道单位沿程阻力计算表

流速 /(m/s)	流量 G /(m³/h) 比摩阻 R /(Pa/m)	公称直径										
		DN50	DN70	DN80	DN100	DN125	DN150	DN200	DN250	DN300	DN350	DN400
0.8	G	6.35	10.46	14.66	25.42	38.82	55.05	96.92	149.20	215.97	291.52	376.53
	R	210.67	154.28	124.94	88.58	67.98	54.64	38.37	28.28	23.25	19.28	16.47
0.9	G	7.15	11.77	16.49	28.59	43.67	61.93	109.04	168.07	242.97	327.96	423.60
	R	266.63	195.26	158.13	112.10	86.03	69.16	48.56	37.05	29.43	24.40	20.79
1.0	G	7.94	13.07	18.32	31.77	48.52	68.81	121.15	186.75	269.97	364.40	470.67
	R	329.18	241.07	195.22	138.40	106.21	85.38	59.95	45.75	36.33	30.12	25.67
1.1	G	8.74	14.38	20.15	34.95	53.37	75.69	133.27	205.42	296.96	400.84	517.73
	R	398.30	292.69	236.22	167.47	128.52	103.31	72.54	55.35	43.97	36.45	31.06
1.2	G	9.53	15.69	21.99	38.12	58.23	82.57	145.38	225.00	323.96	437.28	564.80
	R	474.01	247.13	281.12	199.30	152.95	122.95	86.33	65.87	52.32	43.38	36.97
1.3	G	10.32	17.00	23.82	41.30	63.08	89.45	157.50	242.77	350.96	473.72	611.87
	R	556.31	407.40	329.94	233.90	179.50	144.30	101.32	77.31	61.41	50.91	43.38
1.4	G	11.12	18.30	25.65	44.48	67.93	96.33	169.61	261.45	377.95	510.16	658.93
	R	645.18	472.49	382.63	271.27	208.18	167.35	117.51	89.66	71.22	59.04	50.32
1.5	G	11.91	19.61	27.48	47.65	72.78	103.21	181.73	280.13	404.95	546.60	706.00
	R	740.64	542.40	439.25	311.40	238.98	192.11	134.89	102.93	81.76	67.78	57.76
1.6	G	12.71	20.92	29.32	50.83	77.63	110.09	193.84	298.80	431.96	583.04	753.09
	R	842.69	617.13	499.17	354.31	271.91	218.58	153.48	117.11	93.02	77.16	65.72
1.7	G	13.51	22.23	31.15	54.01	82.49	116.97	205.96	317.47	458.94	619.48	800.13
	R	951.32	696.68	564.19	399.98	306.96	246.75	173.26	132.21	105.01	87.06	74.19
1.8	G	14.30	23.53	82.98	57.18	87.34	123.86	218.07	336.15	458.94	655.92	847.20
	R	1066.53	781.05	632.52	448.42	344.13	276.64	194.25	148.22	117.73	97.60	83.17
1.9	G	15.09	24.84	34.81	60.36	92.19	130.74	230.19	354.82	512.94	692.36	8914.27
	R	1188.32	8710.25	704.75	499.63	383.43	308.23	216.43	165.14	131.17	108.75	92.67
2.0	G	15.88	26.15	36.64	63.54	97.04	137.62	242.31	379.33	539.93	728.81	941.33
	R	1316.70	964.26	780.89	553.60	424.86	341.53	239.81	181.22	145.34	120.49	102.69
2.1	G	16.88	27.46	38.48	66.71	101.90	144.50	254.42	398.30	566.93	765.25	988.40
	R	1451.66	1063.10	860.93	610.35	468.40	376.53	264.39	199.80	160.24	132.84	113.21
2.2	G	17.49	28.76	40.31	69.89	106.75	151.38	266.54	593.93	593.93	801.69	1035.47
	R	1593.21	1166.76	944.87	669.86	514.08	413.25	290.17	175.86	175.86	145.80	124.25
2.3	G	18.27	30.07	42.14	73.07	111.60	158.26	278.65	436.23	620.92	838.13	1082.53
	R	1741.34	12175.24	1032.72	732.14	561.87	451.67	317.15	239.66	192.21	159.35	135.80
2.4	G	19.06	31.38	45.81	76.24	116.45	165.14	290.77	455.20	647.92	8714.57	1129.60
	R	1896.05	1388.54	1124.47	797.19	611.79	491.80	345.33	260.96	209.29	173.51	147.87
2.5	G	19.86	32.69	45.84	79.42	121.30	172.02	302.88	474.13	674.92	911.01	1176.67
	R	2057.34	1506.66	1220.13	865.01	663.84	533.64	347.70	283.15	227.09	188.27	160.44
2.6	G	20.65	33.99	47.64	82.60	126.16	178.90	315.00	493.13	701.91	947.45	1223.73
	R	2225.22	1290.60	1319.70	935.59	718.01	577.18	405.28	306.26	245.62	203.613	173.54

（续）

流速 /(m/s)	流量 G /(m³/h) 比摩阻 R /(Pa/m)	公称直径										
		DN50	DN70	DN80	DN100	DN125	DN150	DN200	DN250	DN300	DN350	DN400
2.7	G	21.44	35.30	49.47	85.78	131.01	185.78	327.11	512.10	728.91	983.89	1270.80
	R	2399.69	1757.37	1423.16	1008.94	774.30	662.43	437.06	330.27	264.88	219.60	187.14
2.8	G	22.24	36.61	51.30	88.95	135.86	192.66	339.23	531.07	755.91	1020.33	1317.86
	R	2580.73	1889.96	1530.53	1085.06	832.72	669.39	47.03	355.19	284.87	236.17	201.26
2.9	G	23.03	37.91	53.14	92.13	140.71	199.54	351.34	550.03	782.90	1050.77	1364.93
	R	2768.36	2027.36	1641.81	1163.95	893.26	718.06	504.20	381.02	306.58	253.34	215.90
3.0	G	28.83	39.22	54.97	95.31	145.56	206.43	3163.46	569.00	809.90	1093.21	1412.00
	R	2968.57	2169.59	1759.99	1244.61	955.93	7168.44	539.57	407.75	327.01	271.11	231.04

参 考 文 献

[1] 杨婉. 通风与空调工程 [M]. 2 版. 北京:中国建筑工业出版社,2016.

[2] 徐勇. 通风与空气调节工程[M]. 北京:机械工业出版社,2006.

[3] 苏德权. 通风与空气调节[M]. 哈尔滨:哈尔滨工业大学出版社,2005.

[4] 陆亚俊. 暖通空调[M]. 北京:中国建筑工业出版社,2002.

[5] 中国电子工程设计院. 空气调节设计手册 [M]. 3 版. 北京:中国建筑工业出版社,2017.

[6] 张国强,尚守平,徐峰. 室内空气品质[M]. 北京:中国建筑工业出版社,2012.

[7] 张吉光,史自强,崔红社. 高层建筑和地下建筑通风与防排烟[M]. 北京:中国建筑工业出版社,2005.

[8] 许钟麟. 空气洁净技术原理[M]. 4 版. 北京:科学出版社, 2014.